ANNA H. NIEMCZYNOW

Dziewczyna z warkoczami

FILIA

Wydanie I, Poznań 2018

Projekt okładki: Olga Reszelska
Zdjęcia na okładce: © Maria Vaorin/Getty Images

Redakcja: Katarzyna Wojtas
Korekta: Karolina Ruta
Skład i łamanie: Dariusz Nowacki

ISBN: 978-83-8075-396-9

Wydawnictwo Filia
ul. Kleeberga 2
61-615 Poznań
wydawnictwofilia.pl
kontakt@wydawnictwofilia.pl

Druk i oprawa: Abedik SA

Tę powieść dedykuję Tobie, Przemysławie.
Mój mężu, mój przyjacielu.
Już nie jesteśmy poturbowańcami... oj, nie.

ROZDZIAŁ 1

Obudziła się wcześnie, lecz postanowiła jeszcze nie wstawać. Leżała i robiła „nic". Słodkie błogie „nic", na które niewielu miało odwagę sobie pozwolić. Celebrowała chwilę, czując w niej swoją obecność. Każdy dzień zaczynała tak samo. Skanowała ciało, skupiając całą uwagę na poszczególnych jego częściach.

Dziś zaczęła od stóp, potem łydki, kolana, uda, dłoń położona na brzuchu, drugą dłoń luźno ułożyła wzdłuż ciała, ramiona, barki, szyja, twarz. Trwało to zaledwie kilka chwil, a znacząco podnosiło jej poziom życiowej energii. Nie otwierając oczu, wzięła głęboki wdech, delektując się zapachem bzu kwitnącego w ogrodzie jej rodzinnego domu. Ktoś musiał otworzyć okno w czasie, kiedy jeszcze spała.

Wstała, wzięła orzeźwiający prysznic i jak zwykle ubrała się z wyszukaną fantazją. Splotła swoje gęste jasne włosy w dwa warkocze, zrobiła delikatny makijaż i zbiegła szybko na dół.

W kuchni czekał na nią przygotowany przez matkę koktajl z bananów i mrożonych truskawek. Upiła kilka łyków, zakręciła butelkę i resztę wrzuciła do torby. Weszła do salonu, aby tak jak zwykle ucałować tatę. Siedział w bujanym wiklinowym fotelu i z niezmiennym od lat zaciekawieniem czytał codzienną prasę.

– Ładnie wyglądam? – zapytała.

– Wyglądasz pięknie, córeczko. Kwiecista spódniczka idealnie komponuje się z zielonymi paskami na twojej bluzce. – Uśmiechnął się.

– Trzeba mieć własny styl, prawda?

– Naturalnie, nigdy z niego nie rezygnuj. Całe życie ci powtarzałem…

– Wiem, wiem, trzeba pozostać sobą, bez względu na to, co mówią inni – dokończyła.

– No właśnie!

– Już bardziej nie można być osadzonym w sobie, tatku.

– Osadzonym w sobie? Coś ty znowu czytała?

– Sama to wymyśliłam, dobre, co? – Okręciła się przed ojcem, wirując mu przed oczami spódnicą.

– O której wrócisz?

– Tato, nie mam piętnastu lat. Proszę cię, wyluzuj trochę. Lada chwila skończę studia i ruszę na podbój szczecińskich przedszkoli. Będę miała pod sobą dziesiątki dzieci, za które to JA będę odpowiedzialna. JA, we własnej osobie! Słyszysz to? – Wskazała palcami na siebie. – Chyba już pora, abyś przestał codziennie pytać mnie, o której wrócę, co? Może powinnam pomyśleć o tym, aby się wreszcie wyprowadzić? Tylko że mi tak z wami cudownie. – Uśmiechnęła się pod nosem.

– Dla mnie zawsze będziesz małą dziewczynką i obyś mieszkała tu jak najdłużej. Mama przygotowała dla ciebie ryż z warzywami. Jest w termosie. Weź, to będziesz miała na obiad. Po co masz jeść jakieś śmieci na mieście.

– Przy mamie nie da się jeść śmieci na mieście. Przecież wiesz. – Mrugnęła okiem. – Kochana mamunia wie, co jej córeczka lubi najbardziej. No właśnie, a o której dziś wróci?

– Mówiła, że dopiero na kolację. Obiecała upiec mi indyka.

– Jak obiecała upiec indyka, to i ja się wpraszam na ucztę.

– Na pewno się ucieszy.

– Lecę, tatku, kocham cię, pa.

– Pa, córciu. Uważaj na siebie.

***

Edward Leoński był poczciwym mężczyzną w dojrzałym wieku. Doczekał się przejścia na zasłużoną emeryturę. Całe życie poświęcił edukacji młodych lekarzy. Wykładał anatomię, był zafascynowany tą dziedziną. Przy każdej okazji powtarzał, że anatomia jest nauką niezmienną. Nie ma możliwości, aby człowiekowi nagle ni stąd, ni zowąd urosło trzecie ucho czy pojawiły się drugie usta. Nie mówił niepytany, wolał słuchać tego, co mówią inni i obserwować, w jaki sposób się zachowują.

Jedyną osobą, która z introwertycznego milczka zmieniała go w demona dialogu, była jego żona Laura. Poznał ją w czasach, gdy sam był młodym doktorantem. Studiowała stomatologię i pech chciał, że przez pewien czas była jego studentką. Na początku więc, z wiadomych przyczyn, zmuszeni byli ukrywać swoje uczucie. Kiedy tylko świat udzielił im niepisanego przyzwolenia na zalegalizowanie związku, bardzo szybko się pobrali. Nie zależało im na ślubie z tak zwaną pompą. Nie było ważne, aby jedna czy druga ciotka zjadła na ich weselu rosół i kotleta schabowego tylko po to, aby po opuszczeniu imprezy móc wszem wobec głosić, że dania były za słone. Laurze nie zależało na białej sukni z welonem i bukiecie kwiatów, który miałaby rzucić w rozwrzeszczany tłum potencjalnych przyszłych panien młodych.

W sobotnie letnie popołudnie, w obecności rodziców, dziadków oraz świadków w postaci dwójki ich najbliższych przyjaciół przysięgli sobie miłość aż po grób. Matka Laury pogodzona z tym, że córka nie chce hucznego wesela, przygotowała w domu skromny poczęstunek. Gdy uroczystość dobiegła końca i wreszcie zostali sami, przytuleni do siebie, rozprawiali o wyprawie do Włoch. Laura chciała stanąć bosą stopą na ziemi, która całemu światu znana jest z miłości. Nie gdzie indziej, jak właśnie w Wenecji miał się począć potomek młodej pary.

Kiedy kurz opadł i zaczęło się zwykłe codzienne życie, oboje imali się każdych prac, które pozwalały na zaoszczędzenie pieniędzy niezbędnych do pokrycia wydatków podróży. Edward udzielał korepetycji z angielskiego, a Laura opiekowała się dziećmi sąsiadów. Mieszkali wówczas w małej kawalerce, którą Edward odziedziczył po swojej zmarłej babci. Po dokonaniu opłat byli w stanie odłożyć całkiem niezłą sumę, aby wkrótce spełnić swoje marzenie.

Wreszcie się udało – pojechali do Włoch. Laura wierzyła w symbole, pozostała ich fanką po dziś dzień. Wtedy nosiła na swojej szyi figurkę Rei, bogini płodności, która miała jej pomóc w spełnieniu największego życiowego marzenia.

Z łajby Wenecja wyglądała oszałamiająco – Canal Grande wcale nie śmierdział, tak jak to opisywały przewodniki, a może Laura, przesiąknięta zapachem Edwarda, nie czuła nic, co mogłoby wpłynąć negatywnie na funkcjonalność jej nozdrzy. Dziesiątki różnych mostów, mostków i kładek łączyły labirynty klimatycznych wąskich uliczek, a podświetlone nocą budynki przekazywały oczom fascynujące obrazy.

Kiedy wrócili do rodzinnego Szczecina, Laura przekonana była o tym, że lada chwila oznajmi mężowi radosną nowinę. Czekała, aż ich codzienność wypełni ktoś trzeci. Każda młoda matka na początku z przerażeniem czeka na to, jak zmieni się jej uporządkowane życie, jednak jej to wcale nie przerażało. Nie mogła się wręcz doczekać dni wypełnionych po brzegi obowiązkami. Ten czas nie nadszedł.

W myśl zasady, że do trzech razy sztuka, pojechali do Włoch jeszcze dwa razy. Niestety ani Wenecja, ani Reja noszona na szyi nie przyniosły oczekiwanego skutku. Laura nie mogła zajść w ciążę.

Nie chciała się leczyć. Poddała się temu, co ofiarował jej los. Świadomie dokonała wyboru o tym, aby wszystko działo się naturalnie. Bez przymuszania i wymuszania, bez ciągłego oczekiwania i wyczekiwania. Pogodziła się z faktem, że to nie jej czas i nie jej miejsce na to, aby być matką. Edward akceptował decyzję żony.

Wiele lat byli sami, aż wreszcie w ich życiu pojawiła się Paulinka. Spadła na nich tak niespodziewanie, jak burza w ciepły letni dzień. Nie mieli zbyt wiele czasu na zastanawianie się, czy sprostają zadaniu, jakie postawiło przed nimi życie. Trud wychowania zawsze jest wyzwaniem dla każdego bez wyjątku rodzica. Gdy zobaczyli ją pierwszy raz, zakochali się w niej bez pamięci. Przysięgli wychować ją w miłości i spokoju.

***

Wsiadła do autobusu numer sześć, który miał ją zawieźć na uczelnię. Dziś ostatnie zaliczenie i wreszcie będzie mogła bez reszty poświęcić się przygotowaniom do obrony pracy magisterskiej. Studia pedagogiczne nie wymagały ogromnej ilości pracy, a ona nigdy nie należała do osób, którym nauka przychodziłaby z wielkim trudem.

– Dagmara? Co ty tu robisz? – Paulę zaskoczył widok przyjaciółki palącej papierosa przed Instytutem Pedagogiki.

– Też się cieszę, że cię widzę.

– Rzuć wreszcie to świństwo, zapisz się na jogę, pooddychaj świeżym powietrzem. Nie można się truć całe życie – pouczała ją niczym matka. – Słuchaj, a ty nie powinnaś być teraz na uczelni?

– Wyluzuj, Paula. – Dziewczyna zgasiła papierosa stopą odzianą w drogie markowe sandały.

– W tej chwili to podnieś i wyrzuć do śmietnika!

– Dobra, już dobra. Za ile kończysz?

– Dopiero przyszłam. Mam ostatnie zaliczenie przed obroną. Nie potrwa to długo, poczekasz? Jak za godzinę wyjdę z piątką, to stawiam lody. Dziś szalejemy na maksa, nie liczymy kalorii. Zmówimy tylko wcześniej modlitwę, oby nam poszły w cycki.

– Ty to się chyba przed każdymi lodami modlisz, co?

– Od przybytku głowa nie boli. – Wybuchnęły śmiechem.

– Dobra, poczekam. Tyle że z lodów nici, chyba że kupimy je gdzieś po drodze. Muszę wracać do domu. Dziś przyjeżdża jakiś kolega ojca. Rozwiódł się z żoną i potrzebuje pomocy. Będziemy go pocieszać. Potańczymy trochę na stole i takie tam. – Mrugnęła okiem.

– Niby że my mamy mu pomóc? Dorosłemu facetowi i to jeszcze po rozwodzie? Jak nawarzył sobie piwa, to niech teraz je pije.

– Ty i te twoje ideały, Paula. Życie nie zawsze przynosi nam to, czego oczekujemy. Nie znasz gościa i już go oceniasz. Mówiąc całkiem poważnie, to wpuścimy go tylko do domu, zrobimy kawkę i zostawimy w spokoju. Ma u nas pomieszkać przez chwilę, dopóki nie ułoży sobie swoich spraw. Ojciec podobno jest mu winien przysługę. Prosił, abym była dla niego miła. Gość jest biedny i potrzebuje pomocy.

– Dług wdzięczności? Ech… takie są najgorsze. No dobra, to poczekaj tu na mnie. – Paula wypięła tyłek w kierunku przyjaciółki, a ta kopnęła ją tak mocno, że kwiecisty materiał spódnicy uroczyście zawirował.

– Aua, to bolało!

– Nie marudź, powodzenia.

***

Silnik jego drogiego samochodu pracował w równomiernym tempie. Szkoda było włączać radio, którego dźwięk zakłóciłby możliwość odczuwania dźwiękowych bodźców, w głównej mierze podniecających zwłaszcza mężczyzn.

Wiele lat pracował na ten luksus i wreszcie mógł sobie na niego pozwolić. Lata spędzone na uczelni przyniosły mu upragnioną władzę, która jest możliwa tylko w wypadku posiadania odpowiedniej wiedzy. „Czemuś biedny? Boś głupi. Czemuś głupi? Boś biedny". To przysłowie towarzyszyło mu przez całe życie. Nie chciał być ani biedny, ani głupi. Chciał być kimś! Kimś może zostać tylko ktoś mądry i pracowity. To, że udało mu się skończyć studia prawnicze z wyróżnieniem, nie było zasługą jego lotności w przyswajaniu paragrafów. Był pracowity do bólu. Podporządkował swoje życie temu, aby zyskać szacunek i poważanie innych ludzi.

Po dziś dzień pamięta wstyd, jaki odczuwał, gdy taszczył pijanego tatę do domu. Rety, jak on wtedy śmierdział! Fetor ojca przechodził na małe wychudzone ciało chłopca. Co z tego, że każdego wieczora szorował się gąbką zamoczoną w zimnej wodzie. Tego odoru nie dało się zmyć szarym mydłem, a na inne w domu nie było pieniędzy. Matka pracowała bardzo ciężko, a mimo to ledwo wiązali koniec z końcem. Po opłaceniu rachunków i długów zaciągniętych przez ojca niewiele zostawało im na życie. Wreszcie los się do nich uśmiechnął i stary zachlał się na śmierć. Gdy podczas pogrzebu otworzono trumnę, a jego oczom ukazał się trup kogoś, kto powinien być dla niego wsparciem, nie czuł wtedy smutku, lecz ulgę. Miał czternaście lat, a życie rozpoczęło się dla niego właśnie wtedy. Od tego dnia to on był głową rodziny i nie zamierzał wywiązywać się z tej roli tak, jak jego poprzednik.

Dziś był dorosłym facetem, jeździł wozem, na który niewielu było stać. Jego kancelaria prosperowała doskonale.

Widok zza okna drogiego auta był imponujący. Warto przejechać setki kilometrów, aby cieszyć oczy obrazami dostępnymi z Mostu Długiego. Ostatni raz był w Szczecinie wieki temu. Mimo że urodził się w tym mieście, jakoś zbytnio za nim nie tęsknił. Warszawa spełniła jego sen o wielkości, pochłaniając go przy tym bez reszty. Na płaszczyźnie zawodowej czuł się i faktycznie był wielki. Na gruncie osobistym był wrakiem człowieka. Ostatni raz ulicami Szczecina poruszał się tramwajem. Wtedy nikt na niego nie zwracał uwagi. Dziś jego żółte lamborghini aventador nie mogło przemknąć przez miasto niezauważone. Kiedy stał na czerwonym świetle, studenci wyciągali telefony, aby zrobić zdjęcie maszynie, której właścicielem był Mikołaj.

Patryk był jego przyjacielem z czasów szkolnych i studenckich. Zawsze sobie pomagali. Kiedy dziewczyna Patryka, Hania, zaszła w ciążę, jego kumpel był przerażony. Wszystko jednak jakoś pozytywnie się ułożyło i do dzisiaj pozostali w miarę zgodnym małżeństwem. Ostatni raz widział Dagmarę jako małą dziewczynkę. Był niemal pewien, że jej nie pozna. Gdyby wcześniej się postarał, dziś mógłby mieć córkę w jej wieku. Może nawet starszą?

Bez problemu trafił pod wskazany adres. Dom Patryka rozpoznał z daleka. Tylko on wyłożony był w całości klinkierem, w którego gładkiej powierzchni odbijały się promienie wiosennego słońca. Dach pokrywała ceramiczna podwójnie angobowana karpiówka, a dachowe okna ułożone były w kształt wolego oka. Zaparkował przed bramą, wysiadł z samochodu i wcisnął guzik domofonu. Kamera w mig zlokalizowała jego położenie. Uśmiechnął się pod nosem. Cały Patryk.

***

Dagmara, w oczekiwaniu na Paulę, uczyła się do kolokwium z prawa rzymskiego. Studiowanie prawa przypominało mszę niedzielną prowadzoną przez niemego księdza. Jednak staruszek uważał, że córka musi mieć dobrze płatny zawód, który przyniesie jej wolność finansową i możliwość decydowania o sobie samej.

– Zdałam! – wrzeszczała Paula, biegnąc do przyjaciółki. Rzuciły się sobie w ramiona i zaczęły podskakiwać, piszcząc przy tym, jak małe dziewczynki w piaskownicy.

Wychodzący z budynku egzaminator, widząc radość dziewczyny, zdjął na chwilę maskę kamiennej twarzy i rzekł:

– Widzimy się na obronie, pani Leońska.

– Oczywiście, panie doktorze, nie inaczej. – Paula wyprostowała się przed wykładowcą, salutując.

– Nawet nie wiesz, jak ci zazdroszczę tego, że kończysz studia. Ja jeszcze cztery lata będę gniła w tych murach na Narutowicza.

– Nie marudź, świetnie ci idzie. Jak tam rzymskie?

– Całkiem nieźle. Mam szansę na zwolnienie z egzaminu.

– No widzisz? Bomba!

– Bomba to zaraz wybuchnie, jak zadzwoni do mnie ojciec. Już od pół godziny powinnyśmy być w domu. Ten biedaczek, który potrzebuje schronienia, pewnie siedzi pod naszymi drzwiami i czeka, aż mu otworzymy. Trzeba mieć litość dla bezdomnego. – Dagmara otworzyła swoje auto i poczekała, aż Paula wsiądzie.

Jadąc do domu, słuchały głośno muzyki. W radiu leciała akurat piosenka zespołu Łzy. Wraz z wokalistką śpiewały na cały głos:

Szczęścia złap, ile możesz, wypełnij swoje serce,
wypełnij swoje serce, wypełnij swoje serce.
Potem zmieszaj je z miłością i weź je w swoje ręce.
Daj innym jak najwięcej, daj innym jak najwięcej.

– Daga? Czym jest dla ciebie szczęście?

– Co to za pytanie? Brałaś coś dzisiaj?

– Co to za pytanie – powtórzyła poirytowana Paula. – No, normalne. Pytam się jak człowieka, czym jest dla ciebie szczęście?

– To ja ci, człowieku, odpowiem, że nigdy się nad tym nie zastanawiałam.

– Ja wręcz przeciwnie. Bardzo często o tym myślę. Szczególnie wtedy, kiedy patrzę na swoich rodziców. Wiesz, że oni chyba nigdy się nie pokłócili? Nieźle, co? Zobacz, tyle rozwodów dookoła, a oni już tyle lat razem. Nie wiem, jak to robią. Może zapytam matkę, niech mi zdradzi kilka patentów na udane małżeństwo. Wiem. – Uniosła palec wskazujący. – Napiszę jakiś poradnik!

– Jak będziesz miała szczęście, to ktoś go wyda i będziesz obrzydliwie bogata.

–Ty jak zwykle o jednym.

– No co? Przynajmniej nie będziesz miała takiego problemu, jak moja matka. Ojciec kiedyś schował jej kartę kredytową.

– Pieniądze nie są najważniejsze.

– Może i nie są, ale zobacz na tego biedaka, przez którego nie możemy iść dzisiaj na lody. Siedzi pewnie przed domem, spakowany w niebieski worek na śmieci i czeka, aż jakieś studentki mu otworzą. To jest dopiero żenada. Tylko mi nie mów, że nie chciałabyś być sławną autorką bestsellerów, mówiących ludziom co robić, aby ich życie osobiste było udane. Gdyby taki facet wziął twój poradnik do ręki i przeczytał w nim, że o żonę trzeba dbać, kupować jej kwiaty, prawić komplementy i pod żadnym pozorem nie zabierać karty kredytowej, to wszyscy mieliby lżejsze życie. Nawet ty i ja.

– Mówisz o tym biedaku? – Paula wskazała wzrokiem na mężczyznę, który właśnie wysiadał z czegoś, co prawdopodobnie służyło mu za środek transportu. Przyglądał się psom sąsiadów, nerwowo biegającym za metalowym ogrodzeniem. Ich sierść wskazywała na fakt, że z pewnością nie są karmione odpadami z pańskiego stołu.

Mężczyzna ubrany był w białą, nieskazitelnie wyprasowaną koszulę, której górne guziki pozostawił rozpięte. Czy zrobił to celowo, aby bez trudu można było dostrzec ślady męskości pokrywające jego tors? Jeansy podkreślały umięśnione pośladki, zdradzając, że jego ulubioną formą spędzania wolnego czasu nie jest leżenie na kanapie. Na nosie miał ciemne okulary zasłaniające szczelnie to, co dziewczyna najbardziej chciała zobaczyć. Ciepły wiatr wplątał się w jego ciemne włosy, które gdzieniegdzie świeciły srebrnymi nitkami.

– O, w mordę! Jaka maszyna.

– Uspokój się, bo pomyśli, że samochodu nie widziałyśmy.

– Nie mów, że widziałaś kiedyś taki sprzęt.

– Ochłoń, proszę cię. Nie zauważyłam wcześniej, abyś była fanką motoryzacji.

– Od teraz jestem. – Wysiadły z auta, aby przywitać się z gościem.

– Cześć, długo na nas czekasz? Przepraszamy za spóźnienie, ale koleżanka zdawała egzamin i trochę się to przeciągnęło. Gdybym wiedziała, że przyjedziesz taką furą, poczekałabym na ciebie i razem byśmy Paulinkę z uczelni odebrali. To by dopiero było coś, podjechać czymś takim. Całemu przyszłemu „ciału pedagogicznemu" gacie spadłyby do kostek na widok takiej maszyny. Tak w ogóle, to Dagmara jestem. Jak dasz mi się przejechać tym cudem, to pozwolę ci mówić do siebie Daga. Wiem, że podobno kiedyś już się poznaliśmy, ale ja cię nie pamiętam.

– Mikołaj. – Wyciągnął rękę w jej stronę. – Ja również bym cię nie poznał, Dagmaro. Zdaje się, że kiedy ostatni raz się widzieliśmy, Hanka zmieniała ci pieluchy.

– No, no. Mamy nie ma w domu. Wyjechała na terapię. Ale poznaj moją przyjaciółkę, to jest Paulinka.

– Przyszłe „ciało pedagogiczne”? – zapytał.

– Tak, za miesiąc bronię dyplom. Zapewniam pana, że moim gaciom trzeba znacznie więcej, aby opadły do kostek.

– Mów mi Mikołaj albo Miki. Jak chcesz i… nie śmiałbym wątpić, że jest inaczej.

– To co, zapraszam do środka. Otworzę ci bramę i wjedziesz na podjazd. Chyba lepiej, abyś nie zostawiał tu tej maszyny.

– Okolica wygląda na bezpieczną.

– Strzeżonego pan Bóg strzeże, tata tak zawsze mówi. Pakuj się do środka i zaparkuj za mną. – Guzikiem pilota otworzyła bramę.

Zaparkował dokładnie w tym miejscu, gdzie mu kazała.

– Zapraszam do domu. Napijesz się z nami kawy?

– Chętnie. Pozwolisz, że wyciągnę od razu walizkę? Chciałbym trochę popracować, zanim wróci twój ojciec.

– Jasne, pokój dla ciebie jest przygotowany. Zabierz swoje rzeczy i rozgość się. Czuj się jak u siebie w domu.

– Na widok walizki dziewczyny wymieniły porozumiewawcze spojrzenia. Perfekcyjnie wykonany louis vuitton niczym nie przypominał niebieskiego worka na odpady. Nastała chwila milczenia.

– Czy coś nie tak? – zapytał.

– Nie, nie. Po prostu spodziewałyśmy się kogoś innego – rzuciła Dagmara.

– Księciem z bajki raczej nie jestem. Jeśli was rozczarowałem, to bardzo przepraszam.

– Zależy, kogo uznamy za księcia – powiedziała Paulina i chwilę później pożałowała tych słów. Na szczęście udał, że ich nie słyszy, bo była niemal pewna, że słyszał je wyraźnie.

Zapach świeżo zaparzonej kawy roznosił się po domu. Mikołaj podziękował za przyjęcie, po czym zabrał swój kubek i zniknął za drzwiami pokoju, zostawiając dziewczyny same.

– Jakiś dziwak. Przyjechał i nawet z nami nie porozmawiał. Myślałam, że jak zrobię tej kawy, to siądzie i powie o sobie cokolwiek. A on nic! Widziałaś to? Widziałaś, jaką ma walizkę?

– Widziałam, drogą – rzekła Paulina obojętnie. – Daga, jeszcze przed chwilą byłaś zła, że przez niego musimy wracać, a teraz jesteś zła, że nie chce z tobą gadać. Chyba powinnaś się cieszyć, że nie zajmuje ci cennego czasu. Możemy jechać na lody.

– Tylko krowa zdania nie zmienia. Teraz jestem ciekawa, kim on jest. Ojciec nigdy o nim nie opowiadał. Wiem tylko tyle, że razem studiowali i że teraz on ma kłopoty, więc potrzebuje się od nich oderwać. Ty, ale przystojny co?

– Nie wiem. Nie zdjął nawet okularów.

– Ja tam nie patrzyłam na okulary. Dupkę ma zawodową. Na pewno ćwiczy albo biega. Kurczę, ja też powinnam zacząć się ruszać. Jeszcze chwila i moje pośladki dopadnie grawitacja. Lepiej zapobiegać niż leczyć. Muszę się za siebie wziąć.

– Wpadł ci w oko?

– No, coś ty! Mógłby być moim ojcem. Wolę mojego Miśka. Nie interesują mnie bogaci nudziarze z problemami.

– Przepraszam, czy mógłbym prosić o ręcznik? Chciałbym się odświeżyć po podróży. Niestety nie mam własnego.

– Długo tu stoisz? – zapytała Dagmara.

– Nie wiem. – Skierował wzrok na nadgarstek w poszukiwaniu odpowiedzi. – Jakieś trzydzieści sekund?

– O trzydzieści za długo. Proszę, oto twój ręcznik. Rada na przyszłość. Nie podsłuchuj moich rozmów.

– Przepraszam. – Chwycił ręcznik przewiązany czerwoną tasiemką i zniknął.

– Chyba nie byłaś dla niego zbyt uprzejma. Nie sądzę, aby słyszał naszą rozmowę. Wiesz, jakby nie było, jest twoim gościem.

– Masz rację. Może trochę przesadziłam. Postaram się być dla niego miła. Okay, skoro mój szanowny gość nie ma zamiaru z nami rozmawiać, to może pojedziemy po Miśka i skoczymy jednak na te lody?

– Chyba muszę już wracać. Trochę rozbolała mnie głowa. To przez te emocje związane z egzaminem. Przyjadę jutro, dobrze? Nie gniewasz się na mnie?

– Chcesz mnie zostawić sam na sam z tym kimś, kto właśnie bierze prysznic? Jeśli okaże się zawodowym mordercą albo jakimś świrem psychopatą, to będziesz mnie miała na sumieniu.

– Jeśli byłby tym, za kogo go bierzesz, zapewne teraz siedziałybyśmy pod tym prysznicem obwiązane grubą liną. Zmykam, kochana. – Przyjaciółki na pożegnanie wymieniły serdeczny uścisk, obiecując sobie wieczorną rozmowę telefoniczną.

Mikołaj, który wyszedł spod prysznica, z daleka przyglądał się tej scenie z zaciekawieniem. Dziewczyna z długimi blond warkoczami do złudzenia przypominała kogoś, kogo kiedyś znał. Kogoś, przed czyim balkonem pełnym pnących róż spędził wiele godzin swojego życia. Nieczęsto wracał do tych wspomnień. Przeglądanie się w nich sprawiało, że serce zalewała mu krew, a oddech przyspieszał nienaturalnie. Zdążył już zakopać w ciemnym grobie uśpione demony przeszłości. Przynajmniej tak mu się wydawało. Jednak jedno spojrzenie na tę dziewczynę zmieniło wszystko. Język uwiązł mu w gardle, odmawiając posłuszeństwa. Był wdzięczny Dagmarze, że jej paplanina wypełniała niezręczną ciszę.

„Moim gaciom trzeba znacznie więcej, aby opadły do kostek". „Zależy, kogo uznamy za księcia". Dźwięczało mu w uszach, nie dając spokoju. Od dawna nie analizował słów wypowiadanych przez kobiety. Teraz zaczął się zastanawiać. Umiejętność dobierania trafnych skojarzeń była cechą, którą ostatni raz zaobserwował w kimś, kogo kochał miłością pierwszą, bezgraniczną i ufną do granic.

Sternę Krzemianowską poznał jeszcze w podstawówce. Naprawdę miała na imię Stanisława, lecz nie bardzo lubiła to imię. Odziedziczyła je po swojej babci. Dzieci naśmiewały się z niej z tego powodu. „Stasia srasia", „Stasia kupa ptasia" to były najdelikatniejsze z określeń, z którymi spotykała się na co dzień. Jako mała dziewczyna przejmowała się tym ogromnie. Próbowała nawet kupić akceptację innych, przynosząc do szkoły pomarańcze czy mandarynki przywiezione przez jej ojca z dalekich podróży po świecie. Wtedy były takie czasy, że nie można było ot tak, po prostu nabyć tych owoców w sklepie. Przez chwilę było dobrze, lecz kiedy tylko smakołyki się kończyły, znowu była „Srasią".

Rozumiał ją doskonale. Jemu rówieśnicy również nie szczędzili wyzwisk. Co prawda nie naśmiewali się z jego imienia, lecz z pocerowanych ubrań, posklejanych kilkanaście razy tenisówek, przykrótkich spodni i kanapek z dżemem. Zaciskał wtedy mocno pięści i przysięgał sobie, że jeszcze kiedyś im pokaże, że jeszcze kiedyś to on będzie górą.

Wspólna niedola połączyła ich pewnego poniedziałkowego wiosennego poranka, kiedy to zastał Sternę siedzącą na szkolnych schodach, całą zalaną łzami. Podszedł i zapytał, co się stało. Dumnie odpowiedziała, że nic takiego i że dziękuje za troskę, ale sama sobie poradzi. Już miał odejść, gdy zauważył, że w jej rozpuszczonych włosach jest coś, co przypominało kłębek wełny. Nachylił się i dostrzegł łopian, skrzętnie wplątany w jej blond czuprynę. „Kto ci to zrobił"? – zapytał. „Koleżanki" – odpowiedziała. – „Skończyły mi się pomarańcze, następne tata przywiezie dopiero za kilka miesięcy, jak wróci z morza. Nie mam już nic, czym mogłabym przekupić dziewczyny, aby wreszcie przestały mi dokuczać" – Rozpłakała się jeszcze bardziej. Przypominała małe, bezbronne zwierzątko potrzebujące opieki. Mikołaj wyjął z torby grzebień, który zapakowała mu matka, i powoli wyskubał dziewczynie dziady z jej pięknych włosów.

Od tamtego dnia byli nierozłączni, a Sterna już zawsze nosiła zaplecione warkocze, aby nie kusić losu. Teraz już śmiano się z ich obojga. „Zakochana para Jacek i Barbara" – słyszeli za sobą, gdy kroczyli szkolnym korytarzem, trzymając się za ręce.

Mikołajowi podobało się jej imię. Lubił zwracać się do niej „Stasiu", lecz ona wolała, gdy nazywał ją Sterną. Zawsze chciała być wolnym od ludzkich uprzedzeń ptakiem. Odkąd zostali parą, Mikołaj nie jadł już kanapek z dżemem. Sterna zawsze przynosiła jakieś smakołyki przygotowane przez matkę. Suto wyposażona śniadaniówka wystarczała, aby z powodzeniem najadło się z niej dwoje dzieci. Zakochali się w sobie i pomimo skrajnie młodego wieku byli przekonani, że spędzą razem całe życie.

Ojciec Sterny, dowiedziawszy się o uczuciu, którym jego córka darzy jakiegoś „przybłędę", przeniósł ją do innej szkoły. Spotykali się więc potajemnie jeszcze przez kilka lat. Aż do dnia, gdy wszystko się wydało.

Mikołaj zdobył się na odwagę i postanowił odwiedzić ojca dziewczyny. Miał nadzieję, że urlop, na którym przebywał właśnie mężczyzna, będzie doskonałym momentem do rozmowy. Jakże się mylił... Trzymając dłoń na sercu, zapewniał, że kocha jego córkę miłością najprawdziwszą. Przysięgał opiekować się nią najlepiej, jak potrafi. Obiecał zapewnić jej godne życie, pełne wygód i wszystkiego, czego tylko Sterna sobie zażyczy. Niestety nie wypadł zbyt przekonująco. Niedoszły teść wyrzucił go z domu, żegnając słowami: „Cóż syn pijaka i degenerata mógłby zaoferować mojej jedynej córce? Wynocha! I żebym cię więcej tu nie widział!".

Mimo że ich uczucie nie zostało pobłogosławione, Mikołaj nie przestawał przychodzić pod balkon dziewczyny. Obraz wymalowany z pnących róż i jej ciasno zaplecionych warkoczy utkwił w jego podświadomości na zawsze. Śnił o nim na jawie i zasypiał, mając go przed oczami. Sterna uciekała do niego ukradkiem, ofiarując mu wyrwane z rzeczywistości momenty. Dziękowali Bogu, że mieszkała na parterze.

Pierwszy raz kochali się w jej osiemnaste urodziny. Lipiec tego lata był wyjątkowo ciepły. Zrobili to w domku na działce, należącej do rodziców Patryka. Gdyby ktoś kazał mu wymienić najszczęśliwszy dzień z jego życia, to wymieniłby właśnie ten, w którym poczuł ją wszystkimi możliwymi zmysłami. Po wszystkim bujali się na ogrodowej ławce, jedli maliny i rozmawiali o przyszłości. Świętowali jej wejście w pełnoletniość oraz to, że Mikołaj właśnie dostał się na prawo. Chciał zostać bardzo dobrym prawnikiem. Wykonywanie tego zawodu miało zapewnić im dostatnie życie. Całe lato spędzili na tej działce, oddając się pieszczotom własnych ciał. Uwielbiał sprawiać jej przyjemność cielesną i pomimo braku doświadczenia był możliwie jak najlepszym kochankiem.

Cóż mógł jej wtedy ofiarować oprócz miłości i napisanych odręcznie wierszy? Jeden z nich ciągle trzymał w kalendarzu. Nie zdążył jej go dać. Wtedy te słowa znaczyły wszystko. Dziś były jedynie skrawkiem papieru wyperfumowanego domieszką wspomnień, szczelnie schowanych na dnie duszy. Trzymał go w rękach i patrzył na niego wzrokiem niewyrażającym zgody na decyzję, którą podjęło za niego życie.

Jesteś piękna!

Jak bardzo wiosenny, uśmiech Twój,
Myśli już nie moje – wszystkie biegną
do Ciebie

Jak bardzo iskierki Twoje kuszące
Emocje w duszy grają niczym orkiestra cała,
dla Ciebie

Jak bardzo kobiecość Twoja rozpala
W głowie szumi, serce rytm przyspiesza,
dla Ciebie

Jak bardzo pragnę odszukać Cię w malinkach.
By skraść choć jednego pocałunku miodową słodycz dla siebie

Kocham Cię, na zawsze i do końca

Twój Mikołaj

Gdy skończył czytać, wrócił myślami do nowo poznanej dziewczyny. Kolor jej włosów splecionych w warkocze, sposób poruszania się i mówienia do złudzenia przypominał mu jego pierwszą miłość. Tylko te oczy były inne. Inności tej nie potrafił nazwać słowem. Co prawda, było mu dane patrzeć w nie tylko przez ułamek sekundy, a wystarczyło, by dostrzegł tajemnicę, której poznanie miało stać się celem jego przyszłego życia.

***

Ile mógł mieć lat? Wyglądał na zadbanego. Nieprawda! On był zadbany. Piekielnie zadbany. Paulina odnawiała w myślach obraz nowo poznanego mężczyzny. Jej wyobraźnia działała na najwyższych obrotach. Spędziła w jego towarzystwie zaledwie pół godziny i to wystarczyło, aby jej wieczór stał się niespokojnym. Nie miała nawet apetytu na indyka, którego upiekła mama, a przecież było to jedno z jej ulubionych dań. Rodzice wypytywali, jak minął dzień, co robiła i jak poszło ostanie zaliczenie. Ot, zdawkowa rozmowa o wszystkim i o niczym.

Szczęśliwie dotrwała do końca posiłku i wróciła do siebie na górę. Chciała zadzwonić do Dagmary, chciała nawet do niej pojechać, aby jeszcze przez chwilę móc na niego popatrzeć. Zganiła siebie samą za te myśli. Próbowała przenieść swoją uwagę na pracę magisterską, lecz... ciągle wracała do punktu wyjścia.

Nie mogła sobie darować, że zrobiła z siebie taką idiotkę. Ten tekst o gaciach, a zaraz po nim kolejny tekst o księciu były totalnie nie na miejscu. To wszystko przez Dagmarę. Ona pierwsza o tych gaciach zaczęła gadać. Mogła chociaż powiedzieć, że majtki by dziewczynom spadły, a nie gacie. Chociaż co to za różnica, gacie czy majtki, skoro i tak na wywarcie pierwszego wrażenia mamy podobno tylko jedenaście sekund. Dobrze, że przynajmniej w ich trakcie milczała jak grób. Może chociaż to ją uratowało?

Nie wiedziała dlaczego, ale zależało jej, aby myślał o niej pozytywnie.

Szkoda, że był rozwiedziony. Ciekawe dlaczego? Może zdradzał żonę? Wcale by to jej nie zdziwiło. Wyglądał jak model z okładek „Men's Health". Nie sądziła, aby komuś takiemu łatwo było się oprzeć.

Kiedy Daga paplała trzy po trzy, zachwycając się samochodem, Paulina skanowała centymetr po centymetrze sylwetkę nieznajomego. Zależało jej, aby zapamiętać jak najwięcej szczegółów, chociaż wiedziała, że rozwiedziony mężczyzna nie jest szczytem jej marzeń. Chciała normalności, a nie telefonów od byłej żony czy też wizyt dzieci z poprzedniego małżeństwa.

Zawsze podobali jej się starsi mężczyźni. Rówieśnicy nigdy nie byli zbyt ciekawi. Bo o czym tu rozmawiać z kimś, kto fascynuje się najnowszą konsolą do gier. Ich infantylność sprawiała, że po dwóch, góra czterech randkach rezygnowała z pogłębiania dalszej znajomości.

W sumie to miała tylko jeden poważniejszy związek – z Wojtkiem. Było im naprawdę dobrze do momentu, kiedy żona Wojtka postanowiła odwiedzić gabinet jej matki. Mama płonęła na stosie wymownych spojrzeń swoich pacjentów, kiedy ta z dzieckiem na ręku błagała ją, aby przemówiła do rozumu własnej córce. Matka wytrzymała z godnością publiczne poniżenie, jednak kiedy wróciła do domu, odbiła sobie wszystko z nawiązką. Wrzeszczała, jakby ktoś oblewał ją gorącym woskiem. Prawie tak głośno, jak wtedy, gdy mała Paulinka weszła na niezabezpieczony barierkami taras sąsiadów, z tą tylko różnicą, że tym razem nie przebierała w słowach. Pracownicy budowlani z kilkunastoletnim stażem mogliby się od niej uczyć.

Później nastąpiły ciche dni. Dziewczyna przekonywała matkę, że o istnieniu żony nie miała pojęcia.

Wojtek nauczył ją wiele. Lekcja życia przez niego udzielona zapadła jej w pamięć już na wieki. Nie chciała mężczyzny z przeszłością. Jednak znalezienie kogoś, kto spełniałby jej wymagania, było tak samo prawdopodobne, jak kupno trzydziestego pierwszego grudnia szałowej sukienki na zabawę sylwestrową.

Od dwóch lat była sama. Nie narzekała na brak zajęć, ale gdzieś tam na dnie serca odzywały się skrywane pragnienia o miłości. Gdy patrzyła na Dagę i Miśka, zazdrościła im ich relacji. Byli jak Fiona i Shrek z animowanego filmu dla dzieci. Zresztą bywało, że tak też się do siebie zwracali.

Włączyła komputer, aby nanieść poprawki do pracy magisterskiej. Jutro miała ostatnie konsultacje ze swoją panią promotor. Lada chwila się obroni, przeżyje ostatnie beztroskie wakacje i trzeba będzie poszukać jakiejś pracy. Rodzice cały czas namawiali ją, aby rozpoczęła kolejne studia, tym razem stomatologię. Uważali, że zbyt szybko zrezygnowała z marzeń o byciu lekarzem. Zabrakło jej tylko dwóch punktów, aby stać się posiadaczką indeksu Pomorskiego Uniwersytetu Medycznego w Szczecinie. Może warto by było te marzenia odświeżyć? Może rodzice mieli rację?

Stała pod prysznicem i usiłowała zmyć z siebie wrażenia przeżytego dnia. Między jedną a drugą myślą pojawiały się te o dopiero co poznanym mężczyźnie, którego wzrok daleki był od wzroku lekkoducha. Ich spojrzenia spotkały się jedynie na ułamek sekundy, lecz zdążyła to zauważyć.

ROZDZIAŁ 2

Nazajutrz, kiedy stała przed domem przyjaciółki, mimochodem jej wzrok powędrował do miejsca, w którym powinien znajdować się jego samochód. Nie było go tam. Poczuła rozczarowanie. Miała nadzieję, że zobaczy Mikołaja, może zamieni z nim kilka zdań. Sama nie wiedziała, dlaczego czuła taką potrzebę. Gdyby się tak uprzeć, mógłby być jej ojcem. Wyobraźnia podpowiedziała jej, że matka nie byłaby z tego zadowolona.

Nacisnęła guzik domofonu. Przyjemna muzyka dzwonka mieszała się z szumem wiatru, dając wrażenie optymistycznie wypełnionej przestrzeni. Kąciki ust dziewczyny uniosły się delikatnie w górę.

– Paulina? Wejdź. Nie słyszałaś, że otworzyłem domofon? – Ojciec Dagmary stał na progu domu, próbując nawiązać z nią kontakt. – Wołam i wołam, a ty stoisz i uśmiechasz się do siebie.

– Przepraszam, Patryku. – Odkąd pamięta, mówiła do niego po imieniu. W domu Dagmary nie istniały granice ani tematy tabu. Byli najbardziej wyzwoloną rodziną, jaką kiedykolwiek znała. – Zamyśliłam się. Czy zastałam Dagmarę? Byłyśmy umówione. – Spojrzała na piżamę ojca przyjaciółki i dotarło do niej, że najwyraźniej przedwcześnie wyciągnęła go z łóżka. Niczym nieskrępowany mężczyzna przyzwyczajony do jej częstych porannych wizyt ujął w ręce kubek świeżo zaparzonej kawy i skierował swoje kroki na taras.

– Daga jeszcze śpi. Dziś nie ma zajęć. Wiesz, że po niej to można by było czołgiem jeździć, a ona nadal spałaby w najlepsze. Obudź ją, bo całe życie prześpi – powiedział, przeglądając wiadomości na swoim złotym tablecie z wizerunkiem jabłka.

– Zrobię kawę i pójdę do niej.

– Jasne, wiesz jak się obsłużyć – odpowiedział, nie odrywając wzroku od lektury.

Paulina celowo przeciągała moment przygotowywania kawy. Wyciągnęła kubki ze zmywarki, wypolerowała łyżeczki i z aptekarską dokładnością spieniła mleko. Na powierzchni napoju powstały precyzyjne wzorki, godne najlepszego baristy w kraju. Zastanawiała się, gdzie podział się gość, przez którego poprzedniego dnia nie zjadły lodów o smaku bezowym. Czyżby w ekspresowym tempie poradził sobie z własnym życiem?

Ojciec Dagi jak zwykle nie przejmował się zbytnio jej obecnością. Przychodziła do ich domu tak często, że nikt już tu na nią nie zwracał uwagi. Nawet Stinki (dla Patryka – Śmierdziel) nie raczył otworzyć oczu, kiedy niosąc tacę z kawą, mijała jego pustą miskę. Przy niej zawahała się, ale odstawiła napoje na stół i nachyliła się nad białym labradorem. Jego łagodność wzbudziła w niej opiekuńcze instynkty.

– Stinkuś, Stinkuniu, jadłeś śniadanko? Pewnie nie. Twoja pańcia śpi w najlepsze, a ty tu głodem przymierasz. Biedaczku mój kochany, poczekaj, zaraz ci przygotuję śniadanie mistrzów. – Otworzyła puszkę psiej karmy i wyłożyła jej zawartość do miseczki. Zwierzę natychmiast się ożywiło, zanurzając swój pysk w posiłku.

– Lubisz opiekować się innymi? – zapytał, starając się ze wszystkich sił, aby jego głos brzmiał naturalnie. Zerknął przy tym niechcący na palce swojej prawej dłoni. Jeszcze kilka miesięcy temu można było tam dostrzec połyskujący, złoty krążek.

– Prawdopodobnie wyssałam tę cechę z mlekiem matki. Jako przedstawicielka przyszłego „ciała pedagogicznego" jestem z niej raczej dumna. – Głosu, który usłyszała, nie mogła jeszcze nazwać znajomym. Zanim odwróciła twarz w kierunku jego brzmienia, zastanowiła się przez chwilę, jak długo jego właściciel ją obserwował.

Ojciec Dagmary znudzonym krokiem wszedł z powrotem do kuchni, trzymając w ręce dla odmiany pusty kubek po kawie. Przeglądając się w lustrze piekarnika, przejechał pustą dłonią po gęstych ciemnych włosach.

– Cześć stary, poznałeś już Paulinę?

– Tak, mieliśmy przyjemność poznać się wczoraj – odparł, nie odrywając od niej wzroku. Wyglądała znajomo, a zarazem zaskakująco. Tak jak wczoraj jej włosy splecione były w warkocze. Mógłby patrzeć godzinami na jej postać, trzymającą w dłoniach tacę z parującymi napojami.

– Pójdę już, obudzę Dagę.

– Poczekaj – ocknął się Patryk. – Jadłaś śniadanie? Mikołaj był w piekarni, kupił świeże bułki. Jak chcesz, to zrób kanapki.

– Za chwilę wrócę. Zaniosę kawę, zanim wystygnie. – Zdecydowanym krokiem poszła w stronę schodów prowadzących do sypialni przyjaciółki. Czuła, że gdy pozwoli sobie na jeszcze jedną chwilę w jego obecności, odczuwana przez nią ekscytacja zostanie bezpowrotnie zidentyfikowana.

– Paula, mamy jeszcze ciastka francuskie, przyjdź zaraz, zanim wszystkie znikną – krzyczał Patryk, przeżuwając aktualnie jedno z nich.

Modliła się pod nosem, aby się tylko z tą kawą nie przewrócić. Serce waliło jej tak, jak gdyby miała za chwilę wejść na egzamin, od którego zaliczenia zależy jej przyszłe życie. Gdy znalazła się w sypialni przyjaciółki, odetchnęła z ulgą. Postawiła kawę na nocnym stoliku, a sama ciężko opadła na krzesło, usytuowane tuż przy toaletce. Chciała ochłonąć, nim obudzi się Daga.

– Kawusia? Cudownie. – Przeciągnęła się Daga, świeżo wyciągnięta z objęć Morfeusza. Miała świadomość, że jej relacja z Pauliną należy do wyjątkowych. Tylko ona potrafiła budzić ją w tak pięknym stylu.

– Wstawaj, szkoda dnia. Zjemy śniadanie i idziemy na zakupy. Muszę kupić jakąś białą bluzkę. Na obronie wypadałoby wyglądać jak człowiek. Przejrzałam wczoraj całą swoją szafę i wszystko albo w ciapki, albo w kwiatki, albo w paski. Nie mam niczego, co nadałoby się na ten dzień. No, może z wyjątkiem czarnej sukienki, którą miałam na pogrzebie dziadka, ale jej raczej wolałabym nie wkładać. W dniu, kiedy zostanę panią magister, nie chciałabym wyglądać jak w żałobie. Jeszcze jakieś buty muszę kupić. I spódnicę. Albo może w ogóle kupię jakąś jasną sukienkę? Mogłabym ją wykorzystać na jakieś inne uroczystości. Biała bluzka kojarzy mi się ze zdjęciem matki z jej studniówki. Rety, jak to dobrze, że czasy się zmieniają. Tak narzekamy na tę naszą nowoczesność, ale szczerze, Daga, to ja sobie nie wyobrażam, że miałabym chodzić przyodziana w granatową spódnicę i obciskające moje łydki podkolanówki.

– Zaraz, zaraz, powoli. Co ty tak strzelasz, jak z karabinu. Dopiero się obudziłam. – Daga upiła łyk kawy. – Letnia. Znowu karmiłaś Stinkusia, zanim dotarłaś na górę?

– Gdybyś dała jeść własnemu psu, nie musiałabym go karmić. Jak ty masz zamiar być odpowiedzialnym prawnikiem, jak o własnego psa nie chce ci się zadbać. Biedny leżał i nie miał nawet siły oczu otworzyć. Zlitowałam się nad nim i dałam mu śniadanko. Twój ojciec też jeszcze w piżamie. W lodówce u was tylko światło. Wstydu nie macie oboje, żeby gościa do piekarni wysyłać. Ten cały Mikołaj z bułkami właśnie przyszedł.

– Świeże bułeczki u nas w domu? O, w mordę. Wigilia w maju? Cudowna wiadomość. Już dawno nie jadłam tak porządnego śniadanka. Jeśli ten cały Mikołaj będzie nam przynosił codziennie świeże bułeczki, to jak dla mnie może tu zostać na zawsze. Tak w ogóle, co ty taka w pąsach jesteś? Wpadłaś tu i gadasz jak najęta. Niepodobne to do ciebie. Stało się coś?

– Nic się nie stało. Po prostu. Uważam, że mogłabyś trochę przejąć obowiązki matki, zanim wyzdrowieje.

– Ona nigdy nie wyzdrowieje. Alkoholikiem się jest przez całe życie. Na szczęście, u niej coraz lepiej. Może odwiedzimy ją z ojcem w weekend, o ile jej opiekun na to pozwoli.

– To fantastyczna wiadomość. Upiekłabym jej ulubioną szarlotkę, ale wiem, że nie można.

– Absolutnie, żadnych jabłek, porzeczek ani wiśni. Spotęgują tylko odczucie alkoholowego ssania.

– Wiem. W takim razie zrobię sernik.

– Zrób, na pewno się ucieszy. Dam ci jeszcze znać, czy pojedziemy. Przyszłabyś do psa?

– Nie, żebym się wykręcała, bo wiesz, jakim uczuciem darzę twojego psiaka, ale przecież macie gościa. Może on mógłby się nim zająć? Trochę dziwnie by to wyglądało, gdybym go tu nachodziła, co nie? Jeszcze coś sobie o mnie pomyśli. Że jakaś chętna jestem albo co innego.

– Chętna? – Daga się roześmiała. – A jesteś chętna? – prowokowała przyjaciółkę.

– Bujaj się. – Paula rzuciła w nią poduszką. O mały włos trafiłaby w kawę, na szczęście Dagmara zdążyła unieść kubek ponad głowę.

– Okay, bez żartów. Masz rację. Zapytam go. No właśnie, à propos gościa, to dzisiaj rano tłukł się niemiłosiernie. Chyba był biegać czy coś? Mył się o świcie. Nie wiem, po co się myć przed bieganiem, jak za chwilę, tak czy siak, się spoci.

– Skąd pewność, że biegał?

– Bo potem znowu się mył. Na własne uszy słyszałam, jak ktoś co chwilę odkręca wodę. Na pewno nie był to ojciec. Za żadne skarby nikt by go w czwartek nie ściągnął z łóżka przed dziewiątą. Nie po to w ten dzień ma *home office*, aby się tak wcześnie zrywać. – Trajkotała jak najęta, dostrzegając po chwili, że Paula, zamiast skupić uwagę na jej słowach, zamyśliła się głęboko. – Ej, słuchasz mnie?

– Tak, tak. Zamyśliłam się tylko. Zastanawiam się, czy wystarczy mi pieniędzy na zakupy.

– Jak chcesz, to ci pożyczę, ale...– przerwała na chwilę i podrapała się po głowie. – Czy ty przypadkiem nie myślisz o jakimś facecie?

– O jakim facecie? Wiesz przecież, że na pedagogice jakikolwiek przedstawiciel płci męskiej jest towarem deficytowym.

– To może jakiś przystojny sąsiad się wprowadził? Nie samą uczelnią żyje człowiek. Albo może wpadłaś na kogoś w hipermarkecie? Musi być jakiś powód twojego roztargnienia, niech no tylko pomyślę. – Zmrużyła oczy, zaciskając jednocześnie usta w wąską kreskę.

– Ty już lepiej nie myśl. Przez to twoje myślenie zawsze potem mamy kłopoty.

– Wiem! – wykrzyknęła Daga, nie dając się uciszyć. Paula zadrżała. Spodziewała się, że kto jak kto, ale przyjaciółka w mig ją rozszyfruje. Starała się nie dopuścić do wypowiedzenia słów, których brzmienia za żadne skarby świata nie dałoby się cofnąć. Nieudolnie wróciła do tematu bluzki, sukienki i butów. Nawet coś o torebce wspomniała, lecz nic nie było w stanie powstrzymać Dagi.

– Mikołaj wpadł ci w oko!

– Cicho bądź, bo usłyszą. Musisz się wydzierać, jak jakaś rozhisteryzowana matka na placu zabaw?

– Ale jajca, toś mnie zaskoczyła. No, no, nie powiem. Niezłe z niego ciasteczko. I ta dupka. Miodzio. Zazdroszczę ci. Chociaż mój Misiek też ma dupkę niczego sobie.

– Ucisz się wreszcie, bo zaraz ci coś zrobię.

– Dobra już, dobra. Nic nie mówię. Ale, zaraz, zaraz, Paula, ty przecież mogłabyś być jego córką. On studiował z moim starym.

– Przecież wiem. Dlatego lepiej będzie, jak nie będziesz rozdmuchiwać tej wiadomości, a ja nie będę się tu pojawiać zbyt często. Po co kusić los?

Dziewczyny zeszły na dół, wiedzione wizją śniadania w postaci świeżych bułek. Ojciec Dagmary wraz z Mikim siedzieli właśnie na tarasie. Zacięcie o czymś dyskutowali.

Paula nie mogła się powstrzymać, aby co chwila nie zerkać w tamtą stronę. Obiecała sobie, że ograniczy wizyty w domu Dagmary, przynajmniej do momentu przebywania tam gościa. Teraz powinna się skupić przede wszystkim na obronie, było to jej priorytetem. Nie mogła pozwolić sobie na miłosne uniesienia w chwili, gdy ważyła się jej przyszłość. Pedagogika może nie była trudnym kierunkiem studiów, lecz Paula zawsze podchodziła do wszystkiego bardzo poważnie. Jeśli się już w coś angażowała, to na sto procent.

Tym razem, dla odmiany, to Dagmara przygotowała późne drugie śniadanie. Okazało się, że Mikołaj kupił nie tylko pieczywo. Uczta w postaci kanapek z żółtym serem, pomidorem i szczypiorkiem smakowała tak, że po kilku minutach na talerzach dziewczyn nie można było dopatrzyć się nawet małego okruszka.

Całe popołudnie spędziły, nabijając kilometry przedreptane na wędrówkach od jednego do drugiego sklepu. Nosząca rozmiar trzydzieści osiem dziewczyna mogła przebierać w strojach tak długo, jak tylko chciała. Daga przyglądała się wszystkiemu z nieukrywaną zazdrością. Zawsze marzyła o zwiewnych sukienkach, podkreślających kobiece kształty. Uwydatniających biust i biodra, jednak przy jej posturze przypominającej szczypiorek zmuszona była, przynajmniej na razie, pozostać w tej kwestii jedynie przy marzeniach. Naturę można delikatnie oszukać tylko przy pomocy chirurga plastyka, lecz na to miała jeszcze czas.

Po kilku owocnie spędzonych godzinach miały serdecznie dość. Wypiły kawę, zjadły zaległe bezowe lody i rozstały się, obiecując sobie wieczorną rozmowę telefoniczną.

ROZDZIAŁ 3

Trwoniła cenny czas, patrząc ślepym wzrokiem w ekran swojego laptopa. Powinna się uczyć, a jednak jej myśli niespokojnie wracały do mężczyzny, który, jak to słusznie określiła Daga, mógłby być jej ojcem. Co prawda, w telewizji często słyszy się o związkach młodszych kobiet ze starszymi mężczyznami. Kolorowe gazety na każdym kroku ukazują zdjęcia infantylnych celebrytek pozujących przy coraz to starszych partnerach. Niestety, do celebrytki było jej daleko, a blask fleszy towarzyszący życiu kobiet tego pokroju nie był tym, o czy marzyła Paula.

Zamknęła laptop i postanowiła chwilę poczytać. Przez historie zapisane na ich kartach książek przenosiła się w świat widziany oczami ich autorów. Bezwzględnie zgadzała się z opinią noblistki, że czytanie jest najfantastyczniejszą rozrywką, jaką ludzkość mogła sobie wymyślić.

***

Już dawno nie pozwalał sobie na luksus wyłączenia służbowego telefonu. Nawet podczas porannego biegania załatwiał sprawy zawodowe, zamiast skupić się na równomiernym tempie. Ciągle gdzieś się spieszył, ciągle musiał z czymś zdążyć i ciągle miał plany. Przysłaniały mu teraźniejszość, w której aktualnie nie mógł się odnaleźć.

Kiedy patrzył na Paulę karmiącą psa, poczuł spokój, jakiego w jego codzienności nie było od dawna. Mimo dzielącej ich bez wątpienia sporej różnicy wieku miał wrażenie, że obcowanie z tą dziewczyną wiele by go nauczyło. Niestety nie było to możliwe. Cóż mógł jej ofiarować? Marne chwile wyrwane z codzienności? Nie była typem kobiety, z którymi ostatnimi czasy miał styczność. Wydawała się obojętna na wszystko, co ją otacza, i skupiona na sobie i swoim życiu. Zazdrościł jej tego.

Cisza dźwięcząca w uszach była nie do zniesienia. Jeszcze kilka dni temu siedział w samym sercu imprezy, której był głównym bohaterem. Kolejna wygrana sprawa, kolejny zawodowy sukces i kolejny gwóźdź do trumny jego osobistego życia. Z Małgorzatą nie widział się od miesiąca. Nie chciała go znać i wcale się jej nie dziwił. Całe szczęście regularnie spotykał się z małym Tadziem. Każdy pierwszy i trzeci weekend miesiąca należał do nich. Zabierał wtedy syna do wynajętego luksusowego apartamentu na Mokotowie i starał się mu poświęcić tyle uwagi, ile tylko było możliwe. Tyle, ile może dać dziecku weekendowy ojciec.

Teraz siedział na tarasie domu Patryka, przypatrując się Stinkiemu, który wylegiwał się w promieniach wiosennego słońca. Zwierzak z pewnością żył w teraźniejszości. Nie martwił się tym, czy ktoś da mu jeść, czy nie. Jego brzuch unosił się i opadał w równomiernym tempie, pozwalając na swobodny przepływ życia.

Mikołaj popatrzył na swój prywatny telefon. Jego numer znali jedynie przyjaciele. Zupełnie nie mógł sobie przypomnieć, jak brzmiał dzwonek tego urządzenia. Owo spostrzeżenie nie należało do tych, którymi można by się pochwalić. Co z tego, że profil jego kancelarii zalajkowało kilkadziesiąt tysięcy ludzi? Co z tego, że jego kalendarz pękał w szwach? Poczucie przeciekającej przez palce codzienności, która prowadzi donikąd, zaczęło mu przeszkadzać.

Dochodziła dwunasta. Zebrał się więc, wziął prysznic i pojechał do centrum, aby zjeść obiad z przyjacielem.

– Cześć stary. Sorry za spóźnienie. Długo czekasz? – Patryk wszedł szybko, wyrównując oddech.

– Nie dłużej niż kwadrans. Nic się nie stało. Już dawno na nikogo nie czekałem. Dzięki tobie zobaczyłem, co czują inni, kiedy ja ciągle się spóźniam. Dzięki za to doświadczenie, przyjacielu.

– Sprawa się przeciągnęła, sędzia znowu marudził. Czasami mam dość tej roboty. Gdyby nie to, że dzięki niej mogę zapewnić dostatnie życie moim dziewczynom, już dawno rzuciłbym to w cholerę i zajął się agroturystyką. Codziennie rano doiłbym krowę i wyrabiał świeży twaróg dla swoich gości.

– Już lepiej rób to, co robisz. Na tym przynajmniej się znasz – rzekł Miki z lekką nutą sarkazmu, na który, biorąc pod uwagę staż ich znajomości, mógł sobie spokojnie pozwolić.

Stojący przy jaskrawo oświetlonym barze kelner, spod którego podwiniętych rękawów białej koszuli wystawały owłosione ręce, przyglądał się rozmowie mężczyzn, próbując wyczuć moment, w którym będzie mógł przyjąć zamówienie. Ledwo Miki uniósł wzrok znad karty, kiedy ten stanął przy ich stoliku gotowy do wykonywania swojej pracy. Minęło niespełna pół godziny, jak stanęły przed nimi dwa gigantycznych rozmiarów steki, podane na gorącym kamieniu.

– Fajna knajpa. Dawno nie jadłem czegoś tak znakomitego. – Miki pochwalił wybór Patryka.

– Jadam tu bardzo często. Kucharz zna się na rzeczy, a takich cenię najbardziej. Zresztą podobnie jak i ty. Ale okay, nie zagaduj. Powiedz lepiej, jak u ciebie? Jak się czujesz? Wymyśliłeś już coś?

– Nic oprócz tego, że potrzebuję odpocząć. Oderwać się od wszystkiego i po raz pierwszy w życiu nie analizować i nie mieć planów.

– No, to będzie trudne w twoim wykonaniu – zakpił Patryk.

– Nie chciałbym się spieszyć. Ciągle gdzieś się spieszę i dotarło do mnie, że nie mam czasu na życie.

– Kryzys wieku średniego?

– Może? Nie wiem. Dzięki, że mogę się u was zatrzymać. Co prawda, bez Hanki ten twój pałac wygląda na nieco opustoszały, ale chyba niedługo to się zmieni, co? Są jakieś postępy w leczeniu?

– Wiesz, tak naprawdę Hania nie wyzdrowieje nigdy. Wiesz, jak to jest z alkoholikami.

– Wiem, ojciec mnie nieco doświadczył.

– No właśnie. – Patryk wytarł usta śnieżnobiałą, starannie wykrochmaloną serwetką. – Ale rokowania są bardzo dobre. Najważniejsze, że chce zmiany. Nie wiem, który to już raz, ale mam nadzieję, że tym razem terapia przyniesie oczekiwany rezultat. Daga tęskni za matką. Dlatego kupiłem jej tego psa. Śmierdzi niemiłosiernie, ale co zrobić. Niech już go ma.

– Masz na myśli Stinkiego?

– Tak. Teraz tylko problem z nim. Każde z nas ma swoje życie. Ja kancelarię, Daga studia i tego swojego Miśka. W związku z tym zwierzak siedzi całymi godzinami sam. Cud, że nie oszczał jeszcze całej chaty i nie ogryzł mebli. Poczciwe stworzenie. Nie był to chyba zbyt dobry pomysł, aby z nami zamieszkał. Wiesz, wpadłem na pomysł, że zrekompensuję córce brak rodzeństwa, o którym zawsze marzyła. Ech... – westchnął, chcąc zakończyć swój wywód, po chwili jednak dodał: – Dobrze, że Paulina przychodzi, bo regularnie go karmi. My czasami zapominamy i Stinki jada to, co akurat spadnie z naszego stołu, a jak zdążyłeś pewnie zauważyć, ja średnio sobie radzę z rolą domowej gospodyni.

– Nie przesadzaj. Radzisz sobie świetnie. Niejeden by się załamał, rzuciłby to wszystko w pioruny i zajął się agroturystyką, o której nie ma zielonego pojęcia.

– Powiedz, stary, jak to jest, że z tego, co zaplanowaliśmy jako dzieciaki, udało nam się zrealizować tylko plany zawodowe?

– Na nie mieliśmy wpływ. Na drugiego człowieka nie. Nigdy nie wiesz, co zrobi ani jak się zachowa. Wydaje ci się, że kogoś znasz, a chwilę później znowu czujesz się, jakbyś dryfował samotnie po oceanie.

– Niezły z ciebie poeta, ale masz rację. Coś jest, w tym, co mówisz – przytaknął Patryk.

Kelner bezszelestnie doprowadził do porządku stół, przy którym rozmawiali. Minęło wiele lat od czasu, kiedy mogli sobie na to pozwolić w tak zwanym realu. Ich brzuchy, wykazujące niehumanitarną radość po spożyciu kawału mięcha, domagały się jeszcze deseru. Złożyli zamówienie na kawę i sernik i wrócili do rozmowy.

– Dziś rano odebrałem telefon z ośrodka. Możemy odwiedzić Hanię. Nie mogę się doczekać, aż powiem o tym Dagmarze. Codziennie wypytuje o matkę. Jutro z rana wyruszamy. Wziąłem kilka dni wolnego, zrobimy sobie majówkę. Oczywiście czuj się jak u siebie, chata wolna, możesz szaleć. Jest tylko jeden warunek.

– Boję się zapytać jaki.

– Zajmiesz się Stinkim?

– Rzucasz mi wyzwanie. Na Mokotowie w kilka miesięcy zdążyłem ukatrupić wszystkie kaktusy.

– Nie stresuj się. Daga poprosi Paulinę, żeby ci pomogła. Spoko dziewczyna, piecze o niebo lepszy sernik niż ten. – Kelner stawiający przed nimi kawę i deser z gracją udał, że nic nie słyszy. W tym miejscu obsługiwali wyłącznie mężczyźni, którzy zdawali się niewidzialni. Mówili tylko tyle, ile od nich wymagano.

– Są jeszcze na tym świecie kobiety piekące ciasta? – zapytał, starając się dyskretnie pociągnąć temat jasnowłosej piękności.

– Też się zdziwiłem, jakie cuda potrafi zrobić. Nie wiem, kto ją tego nauczył, ale zawsze, kiedy ta dziewczyna pojawia się w naszym domu, nasze brzuchy pękają w szwach. Cieszę się, że Daga ma kogoś takiego jak ona. Przypomina mi Hankę w najlepszych czasach. Oby tylko nie trafiła na jakiegoś gnoja, który zniszczy jej życie. – Patryk posmutniał, wypowiadając te słowa.

– Wciąż masz wyrzuty sumienia? – zapytał Miki niepewnym głosem. – Minęło już trochę czasu. Powinieneś sobie wybaczyć.

– Nigdy sobie nie wybaczę tego, co zrobiłem – odparł smutno, pogrążając się w myślach.

Mikołaj, po tym, co usłyszał, nie miał już odwagi wrócić do tematu Pauli. Czuł, że nie powinien się angażować w myśli o niej, chociaż był niemal pewien, że nie miałby serca zniszczyć jej życia. Nie po tym, czego doświadczył. Siedząc przed Patrykiem, nie widział już tego beztroskiego studenta, który kiedyś pożyczał mu klucze do domku na działce. Niewiele było w nim z chłopaka, który przeciął rurę szkolnej kanalizacji. Płynące po korytarzach gówno uratowało ich przed klasówką z matmy. Przed maturą z polskiego wrzucił do auli gaz pieprzowy. Niestety tym razem się nie powiodło, ponieważ w ekspresowym tempie do egzaminu przygotowano salę gimnastyczną. Wtedy nie myślał o następstwach swoich poczynań. Zawsze jakoś wszystko uchodziło mu na sucho. Gdyby mógł przewidzieć konsekwencje swojego romansu, milion razy zastanowiłby się, czy warto.

Dla niego to był tylko seks. Odskocznia od obowiązków w pracy. Nie chciał wracać do domu, w którym wrzeszczało małe dziecko, a żona przyodziana w szare dresy z powypychanymi kolanami była wiecznie zmęczona.

Przez trzy lata prowadził podwójne życie, o którym Hania dowiedziała się w trakcie spaceru z córką. Przez okno drogiej restauracji dostrzegła męża, trzymającego za rękę biuściastą brunetkę, której równe zęby lśniły w bezkrytycznym uśmiechu. Wtedy pierwszy raz skręciła do monopolowego. Kupiła butelkę żubrówki i sok jabłkowy.

Kiedy wieczorem wrócił do domu, nie poznał matki swojego dziecka. Siedziała w fotelu ubrana w seksowną koszulę. Paznokcie miała pomalowane na czerwono, a w dłoni trzymała szklankę z płynem koloru herbaty. Jej zawartość bez wątpienia wprowadzała ją w stan euforii. Na nogach Hanki, ułożonych jedna na drugiej, leżała otwarta książka. Był szczęśliwy, że w końcu się wyluzowała, zadbała o siebie, sięgnęła po książkę o tematyce odmiennej od tych związanych ze zmianą pieluch. Nachylił się nad nią, chcąc ją pocałować. W jednej chwili czar prysł. Zerwała się z fotela niczym koń wyścigowy, który przed chwilą usłyszał strzał zezwalający do startu. Spojrzał zdziwionym wzrokiem, poluzował ciasno zawiązany krawat i opadł na kanapę, nie pytając o przyczynę tak nagłej reakcji. Później już nie liczył, ile razy był świadkiem podobnych scen. Cieszył się nawet, że przestała marudzić i zajęła się swoim życiem.

Czas płynął, biuściastą brunetkę zastąpiła chuda blondyna, a on zupełnie nie zauważył, kiedy jego żona przestała przypominać kobietę, w której się zakochał. Żył jakby obok tego, co powinno być w jego życiu priorytetem. Nigdy nie zapomni dnia, kiedy zadzwoniono do niego z przedszkola z informacją, że nikt nie odebrał małej Dagmary. Nie przyszło mu nawet do głowy, że mogło wydarzyć się coś złego. Wściekły wracał do domu z dziewczynką, której nie umiał nawet zapiąć w samochodowym foteliku.

Wszedł do mieszkania i ujrzał postać żony siedzącej w fotelu tyłem odwróconym do drzwi frontowych. Kątem oka dostrzegł leżącą na jej kolanach książkę. W ręce trzymała szklankę, której niedopita zawartość rozlała się po czarnej jak ziemia spódnicy kobiety. Spała upita do nieprzytomności, nie okazując żadnych symptomów tętniącego w niej niegdyś życia.

ROZDZIAŁ 4

Kuchnia domu rodzinnego Pauli przypominała armagedon. Wszystko leciało dziewczynie z rąk. Uwielbiała piec, gotować i taplać się w różnych możliwych maziach, by przygotować ucztę dla podniebienia. Dziś jednak ewidentnie jej nie szło. Starała się sama przed sobą ukryć, że zależy jej na tym, aby sernik zrobił wrażenie na Mikołaju. Nie powinna się tak stresować tym sernikiem. Przecież piekła go dla Hani i prawdopodobnie Mikołaj nawet go nie spróbuje, lecz mimo to zależało jej, aby efekt był powalający, chociażby wizualnie. Wzięła głęboki wdech i wydech, próbując uspokoić rozbiegane myśli. Nie była zwolenniczką nowoczesnych rozwiązań. Trend panujący w telewizji na to, aby przepisy odczytywać z przenośnych urządzeń elektronicznych, niespecjalnie jej się podobał. Otworzyła więc swój zeszyt i zaczęła przygotowywać produkty.

** kilogram dobrej jakości mielonego sera*
** 3/4 kostki margaryny*
** szklanka cukru*

* *30 g cukru waniliowego*
* *8 jaj*
* *400 ml śmietanki kremówki (dobrze schłodzonej)*
* *tabliczka czekolady*
* *cztery łyżki mleka*
* *płatki migdałowe, do posypania całości*

Oddzieliła żółtka od białek. Masło utarła z cukrem. Następnie powoli dodawała do masy po jednym żółtku, cały czas mieszając. Kiedy już masa z masła żółtek i cukru była jednolita, zaczęła stopniowo dodawać do niej ser, aż do wykorzystania całego kilograma. W osobnym naczyniu ubiła sztywną pianę z białek, którą przełożyła do miski z serem i delikatnie mieszając, połączyła wszystkie składniki. Tortownicę wysmarowała masłem i obsypała bułką tartą. Stary babciny sposób zawsze się sprawdzał. Po wykonaniu tego zabiegu jej ciasto nigdy nie przywierało do brzegów blaszki. Przelała gotową masę sernikową do przygotowanej tortownicy i wstawiła do piekarnika nagrzanego do stu osiemdziesięciu stopni. Nastawiła zegar na pięćdziesiąt minut i pozostało jej tylko czekać.

Zrobiła wszystko dokładnie tak, jak to robiła babcia. Nie rozumiała swoich nerwów. Piekła przecież to ciasto wielokrotnie i jeszcze nigdy się nie zdarzyło, aby coś jej poszło nie tak, no może z wyjątkiem tego momentu, kiedy to w trakcie pieczenia wyłączyli prąd w ich dzielnicy. Ale to już było działanie siły wyższej. Nie miała na to wpływu.

Obserwowała, jak ciasto przepięknie wyrosło, zupełnie jakby chciało się uwolnić od metalowej foremki. Wystawało ponad jej krawędź. Nie przejmowała się tym, wiedząc, że później nieco opadnie. Siła doświadczenia przemawiała za spokojem, jednak nie było to takie proste. Nie zauważyła nawet, kiedy upłynął czas pieczenia i trzeba było wyjąć ciasto z piekarnika. Poprzedziła tę czynność nałożeniem na swoje ręce czerwonych grubych rękawiczek z wizerunkiem Świętego Mikołaja.

– Oho, córeczka piecze ciasto. – Usłyszała głos matki dobiegający z sypialni. – Czy to jest serniczek babci Władzi, kochanie?

– Tak, mamusiu, ale nie licz, że załapiesz się na kawałek. Piekę go dla Hani. Wiesz, jak bardzo za nim przepada. Dagmarka z Patrykiem dzisiaj jadą ją odwiedzić.

– Chyba nigdy się nie przyzwyczaję, że mówisz do nich po imieniu. Za moich czasów było nie do pomyślenia, aby w ten sposób zwracać się do rodziców przyjaciół.

– Czasy się zmieniają, mamusiu.

– Wiem, i ludzie też.

Kiedy ciasto stygło, kobiety zjadły razem śniadanie, rozmawiając nie tylko o tym, jak nieubłaganie mija czas. Laura wypytała córkę o strój na obronę, o plany na przyszłość i o marzenia, które od kilku lat leżały w szufladzie z napisem „kiedyś". Po cichu wierzyła, że jej jedyna córeczka ponownie zawalczy o swoje miejsce na Pomorskim Uniwersytecie Medycznym. Nie chciała jej jednak ponaglać ani wpływać na jej decyzję.

Paula pozbyła się przypieczonej skorupki ciasta, odcinając ją równo nożem. Na powierzchni sernika ułożyła sztywno ubitą śmietanę kremówkę. Rozpuszczając w rondelku czekoladę z dodatkiem mleka, zamyśliła się na temat tego, co mówiła matka. Może warto by było wrócić do marzeń? Tylko, czy oby na pewno były to jej marzenia? Chociaż… mogłaby spróbować. Miała ku temu wszelkie warunki. Rodzice tylko czekali, aż podejmie decyzję. Obiecała sobie, że gdy już upora się z obroną, wróci do tematu medycyny.

Tymczasem rozsmarowała wcześniej rozpuszczoną czekoladę po powierzchni śmietany. Zwieńczyła swoje dzieło, obsypując sernik równomierną warstwą płatków migdałowych. Niczym puchowy śnieg ozdobiły przysmak, który miał osłodzić popołudnie rodzinie Dagmary. Była z siebie dumna. Pozostało jej tylko dostarczyć wypiek przyjaciółce.

***

W domu Słupskich od rana wrzało. Dagmara biegała z góry na dół, pakując tobołki. Cieszyła się na spotkanie z matką. Nie widziały się od ponad miesiąca. Nie mogła się doczekać momentu, gdy pochwali się indeksem. Niemal wszystkie przedmioty zaliczyła w terminach zerowych. Wiedziała, że mama będzie z niej dumna. Były bardzo związane. Bywało, że rozmawiały ze sobą do późnej nocy. Miały do siebie zaufanie i mówiły sobie o wszystkim. No, prawie wszystkim.

Zgodnie z umową punktualnie o dziesiątej do drzwi zadzwoniła Paula.

– Czy ktoś może otworzyć? Ja jestem jeszcze na golasa i nie dam rady – zakomunikował Patryk.

– To Paula, pewnie nie zabrała swojego klucza i stoi pod furtką. Mikołaj, otwórz jej, bo ja usiłuję właśnie zapiąć walizkę – dodała Dagmara.

– Jedziemy tylko na pięć dni, coś tam napakowała, że nie możesz zapiąć? Mikołaj, otwórz tej biednej dziewczynie. Sernik upiekła, a my zmuszamy ją, by stała pod furtką.

Mikołaj czekał, aż go o to poproszą. Nie chciał się wyrywać przed szereg. Jeszcze ktoś zdołałby odczytać myśli, których sam usiłował się pozbyć ze swojej głowy. Wcisnął guzik otwierający furtkę i przed jego oczami znowu ukazała się ona. Miejsce w jego klatce piersiowej nerwowo pulsowało, dając oznaki istniejącego w nim temperamentu samca. Otworzył jej drzwi i zaprosił do środka. Uśmiechnęła się szeroko, lecz nie był pewien, czy ten uśmiech skierowany był do niego, czy do kręcącego się pod jej nogami Stinkiego. Pies w mig wyczuł, że zbliża się pora karmienia.

– Dzień dobry, panie Mikołaju – przywitała się kurtuazyjnie.

– Wystarczy Mikołaj – rzekł sucho.

– Dobrze, tym razem zapamiętam.

Udała, że nie słyszy obojętności w jego głosie. Wolałaby, aby o coś ją zapytał. O cokolwiek, nawet o głupią pogodę. Nie oczekiwała rozmowy o gwiazdach, lecz zwykłego życzliwego zachowania. Postanowiła zignorować niegościnność, tłumacząc ją faktem, że nie jest to jego dom. Może, gdyby przyszła do niego, zachowywałby się inaczej?

Pewnie nigdy nie przyjdzie mi tego sprawdzić, szkoda – pomyślała, przekierowując całą swoją uwagę na czworonoga radośnie merdającego ogonem.

– Stinkuś, piesku kochany. Pewnie jesteś głodny. Przyniosłam sernik dla twojej pańci, ale nie martw się, dla ciebie też coś mam. – Wyciągnęła z torby puszkę psiej karmy. – Wołowinka, taka, jak lubisz. No jedz, jedz, słoneczko moje – mówiła spokojnym głosem, schylając się nad zwierzęciem. Czuła na sobie wzrok Mikołaja i aby sprawdzić, czy jej przeczucie pokrywa się z rzeczywistością, gwałtownie odwróciła głowę w jego stronę.

– Przepraszam, zamyśliłem się. Nie powinienem się tak na ciebie gapić.

– Taki duży, a taki wstydliwy?

– Masz na myśli, że stary?

– Mam na myśli dokładnie to, co powiedziałam. Nic ponadto. – Ponownie obdarzyła go szczerym uśmiechem.

Pytanie zwaliło go z nóg. Miała rację. Śmiało mógłby być jej ojcem, a tymczasem zachowywał się jak szczeniak. Wydawało mu się, że się zaczerwienił. Nie pamiętał już, jak to jest czuć skrępowanie w towarzystwie kobiety. Zwłaszcza tak młodej kobiety. Przez jego łóżko w trakcie kilku ostatnich miesięcy przewinęły się tabuny przedstawicielek płci żeńskiej i żadna z nich nie wprawiła go w stan zawstydzenia, nawet gdy wymachiwała przed jego oczami nagim biustem, prosto od najlepszego chirurga.

– Jeszcze raz przepraszam.

– Nie przepraszaj. Napijesz się kawy? – zapytała.

– Chętnie, poproszę.

– Patryk, Daga, chcecie kawę? – zawołała głośno do domowników, którzy pochłonięci przygotowaniami do wyjazdu nie uraczyli jej żadną odpowiedzią. – Wygląda na to, że jesteś skazany na moje towarzystwo, bo ani twój przyjaciel, ani moja przyjaciółka nie zamierzają nawet sprawdzić, kto wszedł do ich domu.

– Z tego, co zdążyłem zauważyć, traktują cię jak rodzinę. Podobno masz nawet klucze?

– Tak, ale zawsze ich zapominam. W zasadzie korzystam z nich tylko wtedy, kiedy gdzieś wyjeżdżają. Przychodzę odwiedzić Stinkiego i podlać kwiaty. Hania je kocha i nie przeżyłaby, gdyby któryś z nich uschnął podczas jej nieobecności.

– Ja nie mam kwiatów.

– Nie lubisz?

– Może i lubię, ale nie mam nikogo, kto by o nie zadbał. – Wypowiedziawszy to zdanie, ugryzł się w język. Po co sugerował tej dziewczynie swoją samotność? Przecież nikogo nie szukał, nie po tym, co go spotkało. Nie chciał relacji z żadną kobietą. Pauli też niewiele miał do zaoferowania. No, może seks i drogie restauracje. Wiedział jednak, że ona nie należy do kobiet, na których jego pieniądze sprawiłyby jakiekolwiek wrażenie.

– Przykro mi, do Warszawy nie dam rady przyjechać, aby podlewać twoje kwiaty. – Postawiła przed nim filiżankę z kawą, tradycyjnie ozdobioną pięknym wzorem w kształcie serca.

– To dla mnie to serce? – zdobył się na odwagę.

– Przepraszam, zrobiłam to spontanicznie, z rozpędu. Zawsze robię takie serce dla Dagi, a że się z tobą zagadałam, to nie pomyślałam. Jeszcze raz przepraszam, zrobię ci drugą. – Chwyciła za filiżankę, próbując wylać jej zawartość do zlewu. Tym razem to ona zachowywała się infantylnie. Mikołaj zerwał się na równe nogi i w mgnieniu oka znalazł się tuż za plecami Pauli.

– Nie, nie rób tego. Ja tylko żartowałem. Tak niewinnie. Kawa jest znakomita, a z tym sercem smakuje jeszcze lepiej. – W chwili, gdy chciał, aby jego kawa wróciła na swoje miejsce, ich spojrzenia się spotkały na dłużej, niż spotykają się spojrzenia obojętnych sobie osób.

– Co tu tak sobie gruchacie, gołąbeczki? – wesoło zagadnęła Daga, zabierając filiżankę, o którą jeszcze przed chwilą tych dwoje toczyło spór. – Mniam, pyszna. – Upiła łyk. – I jakie piękne serduszko! Dziękuję ci, Paulinko. Kocham cię, wiesz, a twoją kawę kocham jeszcze bardziej, będę za tobą tęskniła. Na szczęście to tylko kilka dni, mam nadzieję, że mi wybaczysz moją nieobecność, kochana. Będę o tobie myśleć i codziennie będę do ciebie dzwonić.

Mikołaj i Paula stali w bezruchu. Ich oczy otworzyły się szerzej, zupełnie tak jakby szukały odpowiedzi na pytanie, co takiego się wydarzyło, że kawa, o którą delikatnie się droczyli, obecnie nie należała do żadnego z nich.

– Gdzie dwóch się bije, tam trzeci korzysta – powiedziała Paula. – Zaparzę ci nowej kawy, tym razem z kwiatuszkiem. Takim, którego nie trzeba podlewać. – Uśmiechnęła się i mrugnęła okiem. Dokładnie tak samo, jak kiedyś mrugała dziewczyna, za którą był gotów oddać życie.

Do kuchni wszedł Patryk i również poprosił o kawę. Żartowali, że gdyby nie Paula wszyscy prawdopodobnie piliby zwykłą zalewajkę z mlekiem, a biedny Stinki stołowałby się u psów sąsiadów. Oboje wychwalali dziewczynę pod niebiosa, a ta z każdym ich słowem przybierała barwę dojrzewającego w słońcu jabłka. Podobało mu się, że jest taka nieodgadniona i pełna skrajności. Z jednej strony skromna, z drugiej pewna siebie, momentami płochliwa, a chwilę później odważna.

Kiedy rodzina Słupskich rozpływała się nad Pauliną, ona przygotowywała im prowiant na drogę.

– Zapakowałam wam bułki. Wiem, co za chwilę powiecie, że nie trzeba, że po drodze jest McDonald's, że przecież to niedaleko, ale ja wiem swoje. Wiem, że Dagę boli brzuch po fast foodach, a ty, Patryk, powinieneś unikać śmieciowego jedzenia jak ognia. Jak nie zaczniesz o siebie dbać i trochę się ruszać, to Hania cię nie pozna.

– Dziękuję ci, Paulinko, za tę sugestię, że jestem tłuściochem.

– Nie ma sprawy, polecam się.

– Okay, ojciec, jedziemy, bo mama czeka. Paulinko, wyjątkowo nie musisz przyjeżdżać do Stinkiego, nasz gość obiecał się nim zająć. – powiedziała Daga.

– To dobrze, mam trochę nauki. Lada chwila obrona. Mam co robić.

– Szkoda – niechcący wyrwało się Mikołajowi. Słupscy, zaaferowani wyjazdem, na szczęście nie usłyszeli tej drobnej oznaki jego słabości. Paulina jednak usłyszała i to bardzo wyraźnie. Tym razem postanowiła jednak to przemilczeć.

Wiedział, że za chwilę wyjdzie, lecz nie potrafił zrobić nic, co mogłoby ją zatrzymać. Nie chciał wyjść na samotnego desperata potrzebującego jej obecności. Kiedy miał otworzyć usta w celu wyartykułowania tego, o co właściwie mu się rozchodzi, czuł się tak samo, jak wtedy gdy na bilansie siedmiolatka pani doktor zaglądała mu w majtki. Nie było to nic przyjemnego i nie miał wpływu na to, co się wtedy wydarzyło.

Dziś jednak mógł coś zrobić, mógł ją jakoś zatrzymać. Zrobić cokolwiek, może zaszczekać jak pies? Przecież lubiła psy. Nie, to by było głupie. Stał nieruchomo i dopiero gdy zamknęły się drzwi za życiem, które jeszcze przed momentem tętniło w tym domu, dotarło do niego, że został sam.

– Czy już zawsze tak będzie? Może kupię sobie psa? Co, Stinki? Myślisz, że byłbym dobrym kumplem dla takiego czworonoga jak ty? – Zwierzak, nie zwracając uwagi na jego pytanie, położył się na swoim legowisku. – Okay, zdrzemnij się, a kiedy już ułoży ci się wołowinka, którą nakarmiła cię Paula, pójdziemy na wieczorny jogging. Umarłbym ze wstydu, gdyby ta dziewczyna zabroniła mi jeść fast foody, dlatego muszę biegać. – Schylił się i pogłaskał labradora po łbie.

***

Zrezygnowała z komunikacji miejskiej, którą poruszała się na co dzień. Nie miała ochoty na zatłoczone autobusy, a na taksówkę szkoda jej było pieniędzy. Po ostatnich zakupach z Dagą spłukała się dokumentnie. Dziś wolała się przespacerować i przewietrzyć głowę po emocjonującym poranku.

Za bardzo się przy nim wyluzowała. Chociaż, gdyby tego nie uczyniła, z pewnością nie byłoby jej dane spojrzeć w jego oczy. Co takiego w sobie miał, że ciągnęło ją do niego, niczym małe dziecko do półek z zabawkami. Na szczęście teraz złapie oddech, nie będzie się z nim widywać, potem wróci Daga, gość wyjedzie i temat się sam rozwiąże.

– Za dużo analizuję – powiedziała sama do siebie, po czym przypomniało się jej, że przecież idzie ulicą, a tu rozmawianie z samą sobą może nie być odebrane zbyt przychylnie.

Dzień był wyjątkowo ciepły, jak nieczęsto bywa w maju. Po jej plecach leciała stróżka potu. Mijając klinikę stomatologiczną, w której pracowała matka, zastanawiała się, czy wykonywanie tego zawodu dałoby jej szczęście. Nie wiedziała, co robić ze swoim życiem. Powinna mieć już na nie jakiś plan, a tymczasem nic. O ironio, właśnie kończyła studia, więc powinno być dla niej jasne, że za chwilę zacznie pracę w przedszkolu. Jednak czy to było jej przeznaczenie? W jakim stopniu o życiu człowieka decydują marzenia, a w jakim zwykły przypadek?

We wczorajszym dzienniku, który przypadkiem zdarzyło się jej obejrzeć, pewna polityk stwierdziła, że w życiu kobiety jest czas na wszystko, tylko nie wolno tego życia popędzać, a przy podejmowaniu decyzji trzeba kierować się sercem i intuicją. Ten zmysł, który posiadają w większości tylko przedstawicielki planety Wenus, zawsze podpowiada najodpowiedniejsze rozwiązanie. Nie warto podejmować decyzji na gorąco. Emocje nie są najlepszym doradcą.

Nareszcie dotarła do domu. Ojciec tradycyjnie siedział w fotelu i czytał. Gdyby usłyszał jej myśli, spokój z jego twarzy zniknąłby w tempie błyskawicy. Był zasadniczy aż do bólu. Nigdy nie zapomni tego, jak zamknął ją w domu na dwa tygodnie, aby odpokutowała grzechy uczynione kobiecie z dzieckiem na ręku.

Od tego myślenia rozbolała ją głowa. Weszła po schodach na górę, padła na łóżko i zasnęła.

***

– Nie, to niemożliwe. Zaraz mnie coś trafi! – Macał się w miejscu na wysokości kości ogonowej. Kilka razy zapiął i rozpiął zamek umieszczonej tam kieszeni i wsuwał do niej palce dłoni, poszukujące metalowego klucza. Pies stojący obok niego, zdegustowany roztargnieniem towarzysza biegu, postanowił dumnie rozsiąść się na chodniku.

– No co się patrzysz? – zagadnął do czworonoga. – Zaraz coś wymyślę. Jakoś się dostaniemy do twojego domu. Nie przejmuj się.

Pierwsze, co przyszło mu do głowy, to przejście jeszcze raz trasy, którą przed chwilą pokonali biegiem. Dziękował sobie w myślach, że było to tylko pięć kilometrów. Niestety, ten pomysł nie przyniósł oczekiwanego efektu. Trzeba było wymyślić coś innego. Perspektywa noclegu pod gołym niebem, mimo wiosennej aury, nie zachęcała. Tylko jak się dostać do domu, na którego każdej ścianie umocowane były kamery? Mógłby spróbować wybić okno jakąś cegłą, ale był niemal przekonany, że odbiłaby się od pancernej szyby, niczym dziecko od podwórkowej trampoliny.

Biorąc przykład ze Stinkiego, usiadł na krawężniku. Psu, ewidentnie chciało się pić. Jemu zresztą też. Próbując zabić czas i nie myśleć o pragnieniu, zrobił to, co miliony ludzi na całym świecie robi każdego dnia po to, aby oderwać się od własnego życia. Włączył Facebooka. Już nie pamiętał, kiedy ostatni raz się tam logował. Traktował ten portal tylko jako źródło reklamy. Nie mógł zrozumieć, jak to możliwe, że ludzie wstawiają tam zdjęcia swojej jajecznicy.

Tym razem jednak zajrzał, gdyż miał nadzieję na rozwiązanie problemu, w którego centrum się znalazł. Wystukał nazwisko Dagi, a wśród jej znajomych znalazł Paulę, która była jedyną osobą mogącą go aktualnie wspomóc. Niewiele myśląc, wystukał komunikat do dziewczyny.

Hej, z tej strony Mikołaj. Potrzebuję twojej pomocy, odezwij się, proszę.

Dźwięk nadchodzącej wiadomości wyrwał Paulę ze snu. Przetarła oczy i zerknęła na srebrny zegarek umieszczony na nadgarstku jej lewej dłoni. Dochodziła siedemnasta. Przespała całe popołudnie, a miała przecież się uczyć.

– Kto się tam tak tłucze? – powiedziała na głos, chwytając swój smartfon.

Jaki znowu Mikołaj? Nie znam żadnego Mikołaja. Jeśli potrzebujesz pomocy, to napisz do PCK. Nie jestem złotą rybką, nie pomagam i nie spełniam życzeń – wystukała prędko i bez zastanowienia kliknęła „wyślij".

To, co napisała, było nawet zabawne, i gdyby nie okoliczności, pewnie nawet by się z tego śmiał. Czuł, że za chwilę go zablokuje i wtedy jedynym rozwiązaniem, które mu pozostanie, będzie wykonanie telefonu do Patryka, a ten pewnie zadzwoni do niej i wszyscy będą mieli niezły ubaw. Wolał tego uniknąć.

To ja, Mikołaj, gość Dagi i Patryka. Tylko mnie nie blokuj. Nie mam złych zamiarów.

Bardziej prawdopodobne było dla niej trafienie szóstki w totolotka, niż to, że napisze do niej facet, o którym myślenie zmęczyło ją do tego stopnia, że zasnęła. Podziękowała sobie, że nie zablokowała go od razu, tak jak zwykła to robić w przy akcjach typu: „Jesteś piękna, potrzebuję pomocy, masz cudowny uśmiech i czy mogę się tobą zaopiekować".

Mikołaj? Jak mnie znalazłeś? – wysłała szybko, od razu żałując tego bezmyślnego pytania.

Pełna inwigilacja w dobie portali społecznościowych to żadna nowość.

To fakt.

Niezaprzeczalnie miał rację. Założyła ten profil tylko po to, aby czerpać z niego motywację do ćwiczeń. Na chodzenie do fitness clubu zbytnio nie miała ochoty. Ćwiczyła więc w domu, unikając w ten sposób całej tej lanserskiej otoczki.

Przepraszam, że Cię niepokoję w sobotnie popołudnie. Pewnie właśnie szykujesz się do jakiejś imprezy.

Obudziłeś mnie. Spałam.

Tym bardziej przepraszam, że Cię obudziłem.

Nic nie szkodzi. W czym problem? Jak mogę pomóc?

Napiszę wprost, bez owijania w bawełnę. Zgubiłem klucze od domu Słupskich. Nie chcę do nich dzwonić, bo albo pękną ze śmiechu, albo gotowi będą wracać, aby mnie ratować. Nie chciałbym przerywać rodzinnej sielanki. Rozumiesz?

Nie wyglądał na takiego, który zdolny był do zgubienia kluczy. Musiała mu pomóc. Oczami wyobraźni widziała głodnego Stinkusia. Tak więc plany na przygotowania do obrony znowu legły w gruzach. Nie omieszkała mu tego wypomnieć.

Wiesz, nie ukrywam, że mnie zaskoczyłeś. Dzisiaj po południu bardzo bolała mnie głowa i praktycznie cały dzień przespałam. Wstałam właśnie i miałam się uczyć.

Jeszcze raz najmocniej przepraszam. Oczywiście ci to wynagrodzę.

Nie przepraszaj. Nie robię tego dla Ciebie, tylko dla Stinkusia. Pewnie jest głodny.

Stinki jest ze mną. Biegaliśmy razem i chyba nie zapiąłem kieszonki, w której były klucze. Możesz być zła, możesz się śmiać. Nie lubię prosić o pomoc, zwłaszcza kobiet. Proszę, nie dokładaj mi. Przyjedziesz? Obiecuję, że odwiozę cię z powrotem do domu.

Nie będzie takiej potrzeby. Poczekajcie chwilę, już wzywam taksówkę i będę najwyżej za pół godziny.

Co z tego, że udało jej się zaoszczędzić pieniądze na taksówce, której nie wezwała dzisiejszego przedpołudnia, jeśli teraz musiała tak czy siak, te pieniądze wydać. Najgorsze było to, że zawartość jej portfela wystarczała jedynie na tak zwany bilet w jedną stronę. Zamówiła taksówkę, wzięła torbę i zeszła na dół szukać w ojcu finansowego wsparcia.

– Tatuś, masz może dwadzieścia złotych? – zapytała niewinnie. Ojciec, odrywając się od lektury książki, wzniósł wzrok nad swoje okulary. Matka zaciekawiona sytuacją zatrzymała film, na którego treści była bardzo skupiona.

– Tylko tyle, aby cię uszczęśliwić? Oczywiście, że mam. Mam nawet więcej, córeczko. Chciałbym tylko wiedzieć, gdzie się wybierasz?

– Tato, ja mam już dwadzieścia cztery lata! Nie mogę ci się bez przerwy tłumaczyć. – Będąc myślami przy Stinkim, okazała ojcu swoje zniecierpliwienie. Gdzieś z tyłu jej głowy malował się jej obraz Mikołaja siedzącego z psem na chodniku. Komizmu całemu wyobrażeniu dodawał niebieski worek na śmieci, wymyślony przez Dagę. Kąciki jej ust uniosły się w górę, zdradzając, że jej wyjście nie należy do rodzaju wyjść obojętnych jej życiu. Ojciec w mig wyczuł jej intencje.

– Idziesz się spotkać z kimś ważnym?

– Nie, tato. Po prostu jadę do Dagi.

– A ona nie wyjechała dzisiaj z ojcem w odwiedziny do matki? – dociekał.

– Wyjechała, oczywiście, że wyjechała. Przecież piekłam sernik dla Hanki. Po prostu mam złe przeczucia, jeśli chodzi o Stinkiego. Chcę pojechać i sprawdzić, czy wszystko jest w porządku.

– Coś kręcisz Paula. Przecież mówiłaś, że Stinkim zajmie się ten ich gość. Jakiś kolega Patryka, czy ktoś tam?

– Tato, błagam cię. Dasz mi te dwadzieścia złotych czy nie? Taksówka już przyjechała. Jeśli nie masz, to okay, dam sobie radę – stęknęła zdenerwowana, narzucając na siebie kardigan pudrowego koloru. Obróciła się na pięcie i skierowała swoje kroki do wyjścia. Ojciec w ostatnim momencie wcisnął jej w dłoń pięćdziesięciozłotowy banknot.

– Mam nadzieję, że nic nie kombinujesz?

– Nie kombinuję.

– Zakochałaś się? Przecież nie musisz tego ukrywać. Możesz nam o wszystkim powiedzieć. – powiedział ciepło.

– To prawda, córeczko. Możesz nam zaufać – wtrąciła się matka.

– Nie zakochałam się, nie jestem w ciąży i nie mam wam nic do powiedzenia. Po prostu jadę do psa.

– O której wrócisz? – zapytała matka.

– Późno, pa. Dziękuję za pieniądze. Nie czekajcie na mnie. Jestem dorosła – dodała doniosłym tonem, próbując zakończyć tę śmieszną konwersację.

– Laura, ty jej lepiej pilnuj. Żeby znowu jakaś matka z dzieciakiem na ręku cię nie odwiedziła. – powiedział ojciec, po czym wrócił do lektury. Laura Leońska spojrzała na męża, wzrokiem zadając mu pytanie: „Nie pamięta wół, jak cielęciem był?", lecz nie uzyskała żadnej odpowiedzi, więc kontynuowała oglądanie filmu.

Paulina nie sądziła, że jej wyjście z domu będzie się wiązało z przesłuchaniem, z jakimi nagminnie spotykała się zaraz po tej całej akcji z romansem. Czuła się jak dziecko. W takich momentach miała ochotę spakować się w plecak i wyprowadzić z rodzinnego domu. Chwilę potem przypominała sobie, jak dobrze jej się tam mieszka i wszystko wracało do normy aż do następnego razu. Teraz jednak ojciec przesadził. Nie mogła mu się wiecznie tłumaczyć. Z drugiej strony, taka niby była dorosła, a ciągle brała od niego pieniądze. Koło się zamykało, ona nadal tkwiła w punkcie wyjścia. Musiała coś z tym zrobić i to jak najszybciej.

– Na Rajską poproszę – powiedziała oschle do taksówkarza.

– Czy to jest na Bezrzeczu? – zapytał młody kierowca.

– Nie, w Pernambuco! Oczywiście, że na Bezrzeczu – burknęła.

Taksówkarz spojrzał tylko z politowaniem, a jego wzrok niesłyszalnie oznajmił, że ma gdzieś humory panienek z dobrych domów. Odpalił auto i ruszył.

Siedziała na tylnym siedzeniu taksówki pogrążona w milczeniu. Było jej głupio, że wyżyła się na tym niewinnym człowieku. Wzięła głęboki wdech, zamknęła oczy i policzyła w myślach od dziesięciu do zera. Ten zabieg zawsze ją uspokajał, nauczyła się go od matki, która postępowała dokładnie tak samo, gdy tylko odczuwała niepokojące zdenerwowanie.

Wjeżdżając w Rajską, już z daleka dostrzegła poszkodowanych siedzących na chodniku. Mikołaj drapał psa za uchem, a ten machał nogą w geście wdzięczności. Wyglądali nawet zabawnie. Błyskawicznie poprawił jej się nastrój. Zapłaciła taksówkarzowi za kurs, przeprosiła za swoje zachowanie, życzyła spokojnego wieczoru i wysiadła z auta.

– Pisałaś, że nie spełniasz życzeń, a jednak tu jesteś. – Podniósł głowę w jej kierunku. Chciał pozytywnie zacząć rozmowę.

– Nie jestem tu z twojego powodu, nie schlebiaj sobie. Stinkuś, jak się masz? Chce ci się pić? – Zwierzę wyrzuciło czerwony jęzor na zewnątrz. Mikołaj patrzył z zazdrością na jej dłoń, pieszczącą sierść czworonoga. Dałby wiele, aby być na jego miejscu.

– Mnie też chce się pić i to bardzo, nie wiem, czy ktoś tu to zauważa, tak tylko chciałem wtrącić. – Mrugnął okiem.

– Na kawę to już raczej za późno, ale skoro już tu jestem, to mogę się napić z tobą soku – powiedziała, nie czekając, aż ją zaprosi.

Otworzyła furtkę, następnie drzwi wejściowe i bez najmniejszego wahania wystukała kod na śnieżnobiałym panelu.

Alarm został rozbrojony, można było bez obaw wejść do domu.

– Zapraszam. – Wskazała ręką drogę.

– Chodź, Stinki, zostaliśmy uratowani przez tę piękną panią.

Chcąc ukryć rumieniące się policzki, uciekła prędko do kuchni. Nalała psu wody, po czym chwyciła z półmiska kilka pomarańczy, z których postanowiła przygotować odżywczy sok. Umyła je dokładnie pod bieżącą wodą, obrała i przekroiła na połówki.

– Po co umyłaś te pomarańcze? Przecież nie będziemy ich jeść ze skórkami? – zagaił rozmowę.

– Zawsze trzeba myć pomarańcze. Ich skórki pryskane są wszelkiego rodzaju chemikaliami, szczególnie środkami grzybobójczymi. Obierając nieumyte pomarańcze, przenosimy szkodliwe związki na miąższ, może to spowodować nawet zatrucie. No, w najmniejszym wypadku bóle głowy.

– Skąd to wiesz?

– Moja mama jest fanką zdrowej kuchni. Wyczytuje wszelkie nowinki i dzieli się ze mną. Lubimy razem gotować.

– To ona nauczyła cię piec?

– Tak, moja pasja do gotowania jest w dużej mierze zasługą mamy.

– Sernik wyglądał zachęcająco, niestety nie dane mi było go spróbować.

– Wszystko przed tobą – powiedziała zachęcająco i nie czekając na jego odpowiedź, uruchomiła sokowirówkę. Wolała nie wiedzieć, co by pomyślał, gdyby wiedział, że dla niego upiekłaby nie tylko sernik.

Kiedy nalewała pomarańczową ciecz do szklanek, wyglądała na zadowoloną z życia. Bił od niej spokój, którego jemu istotnie brakowało. Uśmiechała się na widok swojego dzieła. Skupiona na swojej czynności, była w niej po prostu obecna.

– Miło popatrzeć...– urwał w pół zdania.

– Nie ma co patrzeć, spróbuj. – Podała mu szklankę.

– Miło patrzeć, jak cieszysz się drobiazgami.

– Staram się żyć tu i teraz. Próbuję nie osadzać swojego życia w przeszłości. Walczę, aby nie zadręczać się przyszłością.

Gdyby tylko wiedziała, jak za chwilę zmieni się jej życie, na jaką próbę zostaną wystawione jej zasady, z pewnością by tego nie powiedziała.

– To trudne. Udaje ci się żyć zgodnie z tym, co mówisz?

– Nic nie jest w życiu proste, ale trzeba uczynić wszystko, aby takim było. Cieszyć się z tego, co mamy, a nie zastanawiać nad tym, co jeszcze powinniśmy mieć.

– To bardzo dojrzałe przemyślenia jak na kobietę w twoim wieku.

– Myślisz, że jestem nadęta i nudna?

– Wcale tak nie myślę. – odparł.

Jego zainteresowanie sięgnęło zenitu. Im dłużej przebywał w jej obecności, tym bardziej chciał ją poznawać.

– Jak sok? Wszystko w porządku? – zapytała.

– Jest doskonały, bardzo ci dziękuję. Właśnie tego mi było trzeba. – Wzniósł szklankę ku górze. – Czy mogę zadać ci osobiste pytanie?

– Nie wiem, zależy jakie? – Bała się, że zapyta ją o jej życie osobiste, o to, czy ma chłopaka i tak dalej. Nie chciała o tym rozmawiać. Przecież gdyby miała chłopaka, nie przyrządzałaby soku pomarańczowego dla innego.

Zaryzykował, nie czekając na przyzwolenie.

– Patrzę na ciebie i jestem pełen podziwu. Nie mówię tego po to, aby ci się przypodobać. Twój spokój jest urzekający.

W tej kwestii mógłbym się wiele nauczyć. Nie domagasz się od życia, aby dało więcej. Zdajesz się żyć chwilą. Jak to robisz?

Nie spodziewała się takiego pytania. Skierowała wzrok w jego stronę, chcąc zatrzymać tę rozmowę na wieki. Jego dojrzałość wywierała na niej wrażenie nie mniejsze, niż skok na bungee wywiera na osobach go doświadczających. Nigdy nie rozmawiała z rówieśnikami na te tematy. Nie była przyzwyczajona do takich pytań.

– Zaskoczyłeś mnie.

– Domyślam się, że spodziewałaś się raczej pytania o to, czy masz chłopaka. Nie jestem głupcem. Gdybyś go miała, nie byłoby cię tutaj.

– Czytasz w moich myślach?

– A czytam? – prowokował, powodując rumieniec na jej twarzy. – Odpowiesz?

– Oczywiście, że odpowiem. Wiesz, kiedy wydaje mi się, że czegoś nie mam, a powinnam to mieć, lub gdy próbuję ponaglać życie, aby szybciej przyniosło mi to, o czym marzę, mówię sobie, że Bóg przecież nie jest idiotą i to, czego potrzebuję, da mi w momencie, w którym będę na to gotowa. Potem biorę wdech, wydech i staram się wyluzować. Rozluźnienie pomaga mi cieszyć się chwilą. Zauważać rzeczy istotne takie jak to, że mogę pić tu teraz z tobą ten sok. Nie wszystko w życiu jest oczywiste, mogłabym teraz nie mieć tych pomarańczy, mogłabym nie mieć klucza do domu Słupskich, a ty mógłbyś siedzieć na krawężniku.

Tym razem to ona go zaskoczyła. Tekst o Bogu był kontrowersyjny i zastanawiał się, czy wymyśliła go sama, czy wyczytała w jakiejś mądrej książce. Mówiąc go, nie wyglądała, jakby recytowała z pamięci zapamiętane wcześniej wiersze.

Była nieskazitelnie wiarygodna w swojej wypowiedzi i uczciwa do granic.

W jego ciele wszystko zesztywniało z wrażenia. Umysł nakazał mu zbliżyć się do niej, wziąć jej aksamitnie gładką twarz w swoje dłonie i złożyć na jej ustach namiętny pocałunek. Ciało nie zdołało tego uczynić. Wbrew temu, co wielokrotnie słyszał w mediach, ono nie mogło więcej, niż podpowiadał mu umysł. Za to okazało się, że to umysł może więcej, niż ciało jest mu w stanie zaoferować.

Paula wyczuła gęstniejącą między nimi atmosferę. Była onieśmielona rozmową. Pomyślała, że najwyższa pora iść do domu, zanim zrobi się niebezpiecznie.

– Powinnam już wracać. Zostawię ci swoje klucze. Chciałabym zaznaczyć, że jest to jedyny komplet, jaki posiadam. Jeśli go zgubisz, pozostanie tylko dzwonić do Słupskich.

– Obiecuję, że będę go pilnował. Z tego wszystkiego nawet ci nie podziękowałem. Przepraszam. – Położył prawą dłoń na wysokości swojego serca. – Chciałbym ci bardzo podziękować.

– Drobiazg. Cieszę się, że mogłam pomóc – odpowiedziała kurtuazyjnie. – Zadzwonię po taksówkę i zmykam.

– Absolutnie się nie zgadzam! Odwiozę cię, daj mi tylko kwadrans, abym mógł się odświeżyć. Po bieganiu nie zachęcam zapewne zapachem – zażartował i, nie dając jej czasu do namysłu, poszedł do łazienki.

Była zdezorientowana. Wolałaby jednak wrócić taksówką, ale za późno było na aktywowanie asertywności. Mikołaj właśnie odkręcił wodę.

A gdyby tak uciec? – pomyślała.

Porzuciła jednak ten pomysł w obawie, że mężczyzna zmieni o niej zdanie. Miał ją przecież za dojrzałą kobietę, a dojrzałe kobiety nie uciekają z balu niczym Kopciuszek. Zerknęła na swoje buty. One również nie przypominały złotych pantofelków. Postanowiła zostać.

Czas oczekiwania spędziła na modlitwie o to, aby ojciec nie czekał na nią w oknie. Jak zobaczy ją w tym samochodzie z nim, gotowy będzie lecieć po wiadro z gorącą smołą, byleby tylko pokazać „absztyfikantowi", gdzie jest jego miejsce. Zrobiło jej się gorąco. Oczami wyobraźni widziała całą tę sytuację, która z boku mogłaby wyglądać zabawnie, lecz dla niej zabawną z pewnością by nie była.

Równo po kwadransie stanął przed nią. Zaparło jej dech. Nigdy nie przywiązywała zbytniej uwagi do tego, jak wyglądają mężczyźni, ale jego nie dało się zignorować. Miał na sobie sprane jeansy, białą lnianą koszulę, i jasne mokasyny. Poczuła zapach świeżości. Nie znała się na perfumach, nie mogła więc odgadnąć, czym pachnie, ale była przekonana, że tak właśnie powinien pachnieć prawdziwy mężczyzna.

– To jak, gotowa do drogi? – zapytał.

– Może jednak wezmę taksówkę? Pewnie jesteś zmęczony? – Próbowała jeszcze jakoś nieudolnie uratować krępującą sytuację.

– Nie ma mowy, jedziemy.

Pożegnała się ze Stinkim i grzecznie pomaszerowała za Mikołajem. Szedł pierwszy, roznosząc za sobą zapach, który wnikał w całą powierzchnię odkrytych części jej ciała, osiadał na ubraniach i włosach.

Po co się tak wyperfumował? – pomyślała. – No jak to, po co? Gdyby to był ktoś w jej wieku, podejrzewałaby, że chce się jej przypodobać. Mikołaj jednak nie wyglądał na faceta, który musi zabiegać o względy kobiet w ten sposób. Pauli podobał się nawet wtedy, gdy siedział spocony na krawężniku i głaskał zmęczonego psa.

– Pani przodem. – Wskazał dłonią drogę, otworzył auto i zaprosił ją do jego wnętrza.

Nigdy w życiu nie jechała czymś takim. Ten samochód nie wyglądał jak samochód. To było istne dzieło sztuki. Ryk silnika onieśmielał do tego stopnia, że Paula przysłuchiwała się mu z uwagą. Mimo że było już późno, miała pewność, że ludzkie spojrzenia śledzą każdy metr przemieszczającej się w kierunku Mierzyna maszyny.

Przewróciła oczami, zerkając na Mikołaja. Ten również przewrócił oczami. W trakcie tej niemej konwersacji osiągnęli absolutne porozumienie.

– Nie męczy cię to? – zapytała.

– Raczej onieśmiela. Zwłaszcza wtedy, gdy na siedzeniu pasażera siedzi kobieta, na której ten samochód nie wywiera takiego wrażenia, jak na innych, które znam – odpowiedział.

– Dlaczego więc jeździsz takim autem?

– Na co dzień nie jeżdżę takim autem. Kupiłem je dla zabawy, taki wybryk dużego chłopca. Każdy mężczyzna lubi zabawki tego rodzaju.

– Po co więc przyjechałeś nim do Szczecina?

– Auto, którym jeździłem, zostało u żony. Mojej byłej żony, oczywiście. Nie chciałem, aby woziła dziecko do przedszkola czymś takim.

– Przepraszam. Nie moja sprawa, nie powinnam pytać.

– Pytaj, o co chcesz. Nawet mnie cieszy, że zainteresowałem cię w jakikolwiek sposób. Nie wiem, czym mógłbym ci zaimponować.

– Nie bądź taki skromny. Fałszywa skromność nie jest zaletą. – Zmrużyła oczy, uśmiechając się do niego.

– Kiedy już wydaje mi się, że powiedziałem coś interesującego, ty mówisz coś, co sprawia, że czuję się taki mały. – Uniósł ramię do góry i palcami prawej dłoni pokazał kilkucentymetrową odległość między kciukiem a palcem wskazującym. – Moja pewność siebie przy tobie trochę szwankuje.

– Taki duży, a…

– Nie kończ, proszę. – Uśmiechnął się.

– Masz rację. Nie jest to auto, które nadaje się do tego, aby wozić w nim dzieci – stwierdziła.

– To nawet nie jest samochód, Paulinko, to jest silnik z doczepionymi kołami, fotelami i designerską karoserią. To auto jest jednym wielkim kłębkiem nerwów. Znerwicowanym tygrysem, któremu ktoś stanął na mosznie. Pokusiłbym się nawet o stwierdzenie, że jest to wściekła do granic możliwości samica dinozaura, która przyłapała w kuchni osobnika, kręcącego z jej wysiedzianych jaj kogel-mogel. Tak więc masz rację. Tym autem nie można wozić dzieci.

– Kogel-mogel z jaj dinozaura? Skąd to porównanie? – Roześmiała się głośno i donośnie. W kącikach jej oczu pojawiły się łzy.

– Cieszę się, że cię rozbawiłem.

– Bardzo mnie rozbawiłeś. – Nie mogła się uspokoić. – Rozbawiłeś mnie do tego stopnia, że nawet powiem ci komplement.

– Zamieniam się w słuch. – Dumnie uniósł podbródek niczym zwierzę oczekujące na pochwałę tresera.

– Chciałam ci powiedzieć, że bardzo cenię sobie mężczyzn umiejących mnie rozbawić. Powiem więcej, mężczyzna z taką właśnie cechą kiedyś zostanie moim mężem.

Takiego obrotu sprawy Mikołaj się nie spodziewał. Chciał ją po prostu rozśmieszyć, nie oczekując niczego więcej. Patrzył na nią, zastanawiając się, czy oby na pewno nie wymyśliła sobie czegoś, czego wolałby uniknąć. Postanowił się jednak nie przejmować i pozwolić, aby ich znajomość po prostu się rozwinęła. Przy tej dziewczynie czuł, że po prostu żyje. Celebruje drobne chwile, cieszy się teraźniejszością. Ileż można analizować każdy krok? Co ma być, to będzie i już.

Mimo możliwości auta starał się jechać jak najwolniej, aby zyskać te kilka minut więcej w jej obecności. Kiedy wjechali w wąską uliczkę, na której końcu znajdował się jej dom, zaczął gorączkowo myśleć, co zrobić, aby spotkać się z nią raz jeszcze, najlepiej kolejnego dnia.

W tym samym czasie Paula w myślach odmawiała właśnie „Ojcze nasz". Modlitwa miała ją uchronić przed szpiegowskimi oczami ojca. Chyba zadziałała, bo gdy dojechali, okna jej domu nie zdradzały obecności w nich nawet jednej żywej duszy.

– Dziękuję, za to, że mnie podwiozłeś – powiedziała, schylając się po torebkę stojącą pod jej nogami. Mikołaj miał okazję przyjrzeć się kaskadzie opadających na jej ramiona włosów w kolorze miodu, jakim niegdyś matka smarowała mu kanapki. Dziś nie miała warkoczy. W tej dziewczynie nie było nic, co chciałby zmienić. Była doskonała.

– Poczekaj chwilę. – Chwycił ją za ramię w chwili, gdy jej jedna stopa zdążyła już złapać kontakt z podłożem. – Chciałbym ci jeszcze raz podziękować za to, co dla mnie dzisiaj zrobiłaś.

– Już przestań, to naprawdę nic wielkiego.

– Dla mnie to wiele – ściszył głos. – Czy dałabyś się zaprosić na kawę? Może jutro? – powiedział jeszcze ciszej. Paula słyszała go doskonale, ale wolała się upewnić, czy jej słuch przypadkiem nie spłatał jej figla.

– Nie rozumiem?

– Spotkasz się ze mną jutro? Zapraszam na kawę i lody albo obiad? Co chcesz. Dostosuję się. – Tym razem jego głos był donośny i pewny siebie.

– Zdecydowanie bardziej wolę cię takiego zdecydowanego. – Mrugnęła okiem, inteligentnie unikając odpowiedzi na pytanie. Nieoczekiwanie przybliżyła twarz do jego twarzy i musnęła ustami powietrze, znajdujące się na wysokości jego policzka.

Mimo że trwało to zaledwie chwilę, zdążył poczuć zapach i ciepło jej ciała. Nie używała perfum, wyczuwał raczej woń jej szamponu do włosów. Dałby sobie obciąć rękę, że używała tego z rumiankiem. Chociaż nie było mu dane poczuć tego aromatu przez wiele lat, nie zdołałby go pomylić z niczym innym. Gdyby nie fakt, że siedział teraz za kierownicą auta, o jakim marzy każdy mały chłopiec, mógłby przysiąc, że ktoś zapakował go do maszyny z filmu *Powrót do przeszłości*. Odprowadził ją wzrokiem do domu.

– To niemożliwe – powiedział na głos do siebie. – Ona nawet porusza się jak Sterna…

***

Nogi miała jak z waty. Kiedy manewrowała kluczem w drzwiach wejściowych domu, ręce trzęsły się jej jak u bezdomnego proszącego o kilka złotych. Czuła, że jego wzrok śledzi każdy jej ruch. Kiedy znalazła się wewnątrz, jej mięśnie się rozluźniły. Oparła się plecami o zamknięte za sobą drzwi i mimowolnie, nie kontrolując wyrazu swojej twarzy, uśmiechnęła się.

– Córeczko, wszystko w porządku?

Podskoczyła, łapiąc się za miejsce na klatce piersiowej.

– Wystraszyłaś mnie, mamusiu – odpowiedziała.
– Mam nadzieję, że nie masz nic na sumieniu?
– Mamuś, proszę cię. Tego pytania prędzej spodziewałabym się po ojcu niż po tobie.
– Kochanie, wyczułam, że coś ukrywasz i miałam rację.
– Stałaś w oknie? Mamo! Ja jestem dorosła!
– Nie denerwuj się, proszę. Nie musiałabym stać, gdybyś powiedziała prawdę. Nie sądzisz chyba, że ukryjesz coś przed własną matką?
– Nie mam zamiaru niczego przez tobą ukrywać – burknęła, kierując swoje kroki do kuchni. Wstawiła wodę na herbatę, obrała cytrynę i z szafki wyciągnęła miód, którym zamierzała osłodzić napój.
– Paulinko, chciałabym, abyś wiedziała, że mi możesz powiedzieć wszystko. Mimo że trudno w to teraz uwierzyć, ja też kiedyś byłam młoda – zaczęła powoli Laura, próbując przekonać córkę do swoich uczciwych zamiarów. – Może zrobiłabyś mi też herbaty? – zapytała. – Jesteś mi to winna. Cały wieczór polewałam ojcu wino, aby usnął w fotelu i nie czekał na ciebie w oknie z naładowaną wiatrówką. – Uśmiechnęła się do córki.
– Miał taki zamiar?
– Oczywiście. Chodził w te i wewte. Nie mógł sobie znaleźć miejsca. Wyciągnęłam najlepsze wino, jakie miałam. Dobrze, że pacjenci o mnie dbają. Miałam przynajmniej czym uraczyć twojego ojca.
– Mamusiu, dziękuję ci. Jestem ci naprawdę wdzięczna. Dobrze, opowiem ci troszeczkę, ale obiecaj, że to zostanie między nami.
– Paulinko. – Matka wstała od stołu i podeszła do córki. – Jesteś najlepszym, co mi się w życiu przydarzyło i nie

darowałabym sobie za żadne skarby, gdybym straciła z tobą kontakt. Chciałabym cię też prosić, abyś zrozumiała ojca. Jesteś naszym jedynym, wyczekanym i wyszarpanym od życia dzieckiem. – Mówiąc te słowa, Laura ściszyła głos i przytuliła Paulinę, chcąc ukryć łzy wspomnień, które pojawiły się w jej oczach.

Czajnik dał o sobie znać głośnym świstem, przerywając uścisk bliskich sobie kobiet. Matka wróciła na miejsce, a chwilę później stanęła przed nią ręcznie zdobiona filiżanka z herbatą. Wbiła wyczekujący wzrok w córkę.

– Okay, powiem ci od początku, jak to było. Dagmara wyjechała z Patrykiem do Szczecinka.

– To wiem, pojechali odwiedzić Hanię.

– Dokładnie.

– Nigdy się nie przyzwyczaję, córeczko, że wy wszyscy mówicie sobie po imieniu. Chyba jestem już starej daty – wtrąciła, wznosząc filiżankę ku ustom.

– Zostawili w domu gościa, Mikołaja – kontynuowała Paula.

– Samego go tak zostawili?

– No tak, ojciec Patryka zna się z nim od dzieciństwa. Studiowali razem. Tak więc, Mikołaj został sam w ich domu i miał się opiekować Stinkim i roślinami Hanki. Tak bardzo sobie wziął do serca, że pies musi się wybiegać, że podczas tego biegania zgubił klucze od domu Słupskich. Wiedząc, że jestem jedyną osobą, która posiada zapasowy komplet, odnalazł mnie na Facebooku i resztę już znasz.

– Pojechałaś tam?

– Pojechałam. Chciałam wrócić taksówką, ale Miki uparł się, że mnie odwiezie.

– Mówicie sobie po imieniu? Skoro studiował z ojcem Dagmary, jest pewnie w jego wieku. – Matka szybko poskładała fakty.

– Nie wiem, ile ma lat. Nie zaglądałam mu w metrykę. Ale jest całkiem miły.

– Ma rodzinę?

– Mamo!

– Córeczko, wiesz… – zamyśliła się matka. – Nie wiem, jak to powiedzieć, więc może powiem wprost. Nie chciałabym, aby do kliniki ponownie przyszła jakaś matka z dzieckiem na ręku.

– Bez obaw. Nikt nie przyjdzie. Mikołaj jest rozwiedziony.

– Nie wiem, co gorsze. Rozwiedziony czy żonaty. Oj, córeńko, córeńko. Błagam cię, myśl o tym, co robisz.

– Niczym się nie martw, mamusiu. Nie zamierzam się z nikim wiązać. Teraz mam ważniejsze sprawy na głowie niż romanse. Niebawem obrona, a potem… nie wiem. Nie wiem, co zrobię ze swoim życiem. Jakoś trudno jest mi sobie wyobrazić mnie samą wśród gromadki dzieci. Kocham szkraby całym sercem, ale na opiekowanie się cudzymi chyba nie jestem gotowa.

– Tylko nie wpadnij na pomysł, aby opiekować się własnymi. Chyba masz na to jeszcze czas, co? – zapytała matka, oczekując, że usłyszy odpowiedź, która ją zadowoli.

– Nie planuję się zakochać w rozwiedzionym mężczyźnie, nie planuję ślubu ani też nie planuję dzieci. Możesz spać spokojnie, mamunia. – Pocałowała matkę w policzek, chwyciła w dłonie filiżankę z herbatą i oddaliła się w kierunku swojego pokoju.

Tej nocy Laura Leońska nie mogła zasnąć. Przewracała się z boku na bok, rozmyślając o przeszłości i o decyzjach, które wspólnie z mężem podjęli wiele lat temu. Nie przeszkadzało jej chrapanie Edwarda. Cieszyła się nawet, że śpi tak mocno i nawet przejeżdżający pod ich oknami czołg nie zdołałby go obudzić. Zastanawiała się, od kogo dostała to wino, które tak fantastycznie na niego podziało, ale za nic w świecie nie mogła sobie przypomnieć.

Za to z aptekarską dokładnością wspominała czas, kiedy w ich domu pojawiła się mała dziewczynka, za sprawą której ich życie zmieniło się radykalnie. Patrząc w księżyc, którego blask oświetlał małżeńską sypialnię, myślała o tym, jak bogatym stałaby się człowiekiem, gdyby opracowała pigułkę, która spowodowałaby, że człowiek miałby możliwość realizacji wszystkich swoich planów. Kto jak kto, ale ona wiedziała doskonale, że plany to jedno, a życie to drugie. Paulinka była taka młoda i naiwna.

Oby tylko ten Mikołaj miał poważne zamiary – westchnęła i udało jej się wreszcie usnąć.

ROZDZIAŁ 5

Paula, wręcz przeciwnie, zdążyła przyłożyć głowę do poduszki, a jej świadomość zniknęła gdzieś w otchłani snów. Już dawno nie spała tak dobrze i już dawno nie zasypiała z uśmiechem na ustach. Nigdy nie narzekała na swoją codzienność, jednak od pewnego czasu jej wszystkie dni wyglądały tak samo. Rano pobudka, później uczelnia, spotkania z Dagą. Aby być w formie, przez trzy razy w tygodniu oddawała się w ręce bijącej rekordy popularności trenerki, wraz z którą wylewała siódme poty po to, aby stać się silniejszą nie tyle fizycznie, ile mentalnie.

Wyciągając ramiona ku górze, wyprężyła swoje ciało w swoisty łuk, przywołując tym samym wspomnienia wczorajszego wieczoru. Przypomniawszy sobie tekst o koglu-moglu z jaj dinozaura i mosznie tygrysa, sama ryknęła śmiechem niczym widz obserwujący z pierwszego rzędu popisy kabaretu *Paranienormalni*.

Wybrałaby się z nim na tę kawę i lody, ale niestety spojrzenie skierowane w stronę biurka z książkami boleśnie przypomniało jej o terminie nadchodzącej obrony. Poza tym czuła się trochę dziwnie, że odkąd Daga wyjechała, częściej rozmawiała z gościem przebywającym w domu przyjaciółki niż z nią samą.

Wstała, narzuciła na plecy biały frotowy szlafrok, który dostała w prezencie od matki. Historia tego szlafroka zawsze ją intrygowała. Nie mogła uwierzyć, że ktoś, kto jest prawy do bólu, brzydzi się kłamstwem i wszelkiego rodzaju machlojkami, mógł ukraść szlafrok z włoskiego hotelu? Dostała go od niej w prezencie na osiemnaste urodziny. Mama tak dobrze go zakonserwowała, że do dzisiaj nie wyglądał na takiego wiekowego.

Otuliła się nim szczelnie i zbiegła na dół zadowolona, że matka zadbała o to, aby nie musiała tłumaczyć się przed ojcem z tego, co robiła poprzedniego wieczoru. Na stole stał dzbanek z herbatą, talerze, miód i powidła. Po domu roznosił się zapach razowego chleba, który wygrzewał się w piekarniku.

– Jesteś kochana. – Cmoknęła matkę na powitanie. – Uwielbiam te niedzielne poranki, kiedy to budzi mnie zapach twojego chleba.

– Nie wyobrażam sobie, aby było inaczej. Pieczenie domowego chleba to nasza tradycja. Przepis jest w naszej rodzinie od pokoleń – odparła matka.

– Ja też będę piekła chleb swojej rodzinie – oznajmiła Paula, ciesząc oczy niemożliwym do ujęcia w dłonie bochenkiem. Jego temperatura przypominała tę, która pozostała w jej wnętrzu po wczorajszym wieczorze.

– Nie widzę innej możliwości. Twój chleb jest pyszny. Niby przepis ten sam, a mnie zawsze twoje wypieki smakują lepiej – pochwaliła dziewczynę.

– A gdzie jest tata?

– Wyszedł na podwórko.

– Ma kaca?

– Być może. – Ryknęły śmiechem, nie zdając sobie sprawy, że lada chwila zupełnie nie będzie im tak wesoło.

Edward Leoński spacerował dookoła domu, przyglądając się roślinom, które zgodnie z oczekiwaniami wiosny budziły się do życia. Przystanął przed klonem zasadzonym zaraz po tym, gdy wprowadzili się do tego domu. Miał symbolizować narodziny Pauli, przy której porodzie niestety nie było mu dane uczestniczyć.

Patrząc na to drzewo, wielokrotnie zastanawiał się, jakie to jest przeżycie. Kiedy pomyślał o ojcostwie dzisiejszych czasów, pod sercem czuł ukłucie zazdrości związane z tym, że on już nigdy się nie dowie, co czuje mężczyzna, patrząc na kobietę rodzącą jego dziecko.

– Urósł panu ten klonik, panie Edku. – Dobiegł go głos Jadźki Pietrzykowej. Mieszkała na ich ulicy od lat i znała tu niemalże wszystkie kąty. Na jej widok krety uciekały do sąsiadów w obawie, że zdradzi ich najpilniej strzeżone tajemnice.

– Dzień dobry, pani Jadziu. Sam nie mogę się nadziwić. Podobno drzewa to istoty, których schyłek życia będzie możliwy do zaobserwowania dopiero przez pokolenia, które jeszcze się nie narodziły – zagadnął do sąsiadki.

– Panie Edziu, pan to chyba nie ma powodu do zmartwień, że na pana klonik nie będzie miał kto patrzeć. Pańska Paulinka wygląda na szczęśliwą. Tak ładnie żegnała się wczoraj z tym młodzieńcem. Sama widziałam.

Edward Leoński wystartował w kierunku płotu Pietrzykowej z prędkością, której mogłyby mu pozazdrościć wspomniane krety, uciekające na dźwięk głosu sąsiadki.

– Co też pani mówi, pani Jadziu? Nasza Paulinka uczy się do obrony! Nie w głowie jej romansidła. Niebawem zostanie magistrem pedagogiki. – Dumnie wypiął pierś, jakby czekał, aż sąsiadka przypnie na niej order.

– Może i się uczy, nie wnikam. Wścibska nie jestem, pan mnie zna. Nie mieszam się w życie innych, ale mówię tylko, co widziałam.

– A co pani widziała? – zapytał zaniepokojony.

– Podejdź no pan do płota. Nie będę się wydzierać przecież. Jeszcze kto nas usłyszy, a po co to komu. Ludzie ploty siejo i paplajo potem pod kościołem.

Leoński przysunął się do płotu sąsiadki tak blisko, że poczuł w nosie zapach smażonej przez nią o poranku kiełbasy.

– Panie Edziu, nie żebym wścibska była, pan wie – zaczęła swoją opowieść. – Ale wczoraj wieczorem jak oglądałam serial, ten taki, co Dykiel w nim gra, wie pan jaki?

– Na miłość boską, pani Jadziu, ja seriali nie oglądam – rzekł zniecierpliwiony.

– Ja oglądam, bo samo życie tam pokazują, panie Edziu. Mógłby pan popatrzeć, to córki by pan pilnował.

– Niechże pani mówi wreszcie.

– No przeca mówię, czego pan takiś nerwowy? Wina by se pan chlapnął, to od razu by się pan rozluźnił.

– Chlapnąłem wczoraj – rzucił, chcąc przyspieszyć opowieść.

– No i dobrze, że pan chlapnął. Po tym, co panu powiem, to pan leć po szampana, bo chyba bogaty zięć się panu szykuje.

– Jaki bogaty zięć, pani Pietrzykowa?

– No więc, jak ja ten serial oglądałam, wie pan, na tym no… – Podrapała się po głowie, usiłując sobie przypomnieć nazwę urządzenia. – Na luptopie oglądałam, wnuczka mi ściągnęła z internatu wszystkie odcinki.

– Chyba z internetu.

– Zwał jak zwał. No więc, kiedy ja tak oglądałam ten serial z tą Dykiel, wie pan. Wnuczka jej się urodziła i synowa wróciła do pracy i poprosiła tą...

– Pani Jadziu, idę do domu na śniadanie. Żona chleb upiekła. Nie mam czasu o serialach tu z panią dyskutować.

– Poczekaj pan. Ja usłyszałam ryk tego czegoś, z czego Paulinka potem wysiadła.

– Niech pani mówi.

– No przeca mówię. Paulinka wysiadła z takiego żółtego samochodu, co to ryczał jak czołg. Myślałam, że mnie rzeżucha z parapetu spadnie. Wyglądam przez okno i co widzę? Nasza Paulinka całuje tego młodzieńca. Szybko pobiegłam po okulary, bo wie pan, ja do tego luptopa to inne muszę mieć, a inne do tego, aby przez okno wyglądać.

– Domyślam się.

– Szybko biegłam, starałam się, chociaż kręgosłup mnie boli, wie pan. Ale wnuczka ma mi w internacie maść kupić. Podobno taniej.

– W internecie, pani Jadziu. W sieci.

– Że co?

– Nieważne, niech pani mówi.

– No właśnie, nieważne. Co to za różnica, najważniejsze, aby pomogło, bo tak mnie ostatnio w tym krzyżu łupie.

– Do brzegu z tą opowieścią, sąsiadko, bo głodny jestem.

– Jak zmieniłam te okulary i szybko do okna z powrotem przybiegłam, to Paulinka już drzwi otwierała od domu waszego. Resztę to panu żona opowie, bo widziałam, że czeka na córkę. Widziałam jeszcze, że ten młodzieniec chwilę postał i pojechał sobie. Znowu hałasu takiego narobił, że gdybym tego nie widziała na własne oczy, panie Edku, to przysięgam, pomyślałabym, że Niemcy bombardujo znowu. Dobrze, że mam piwnicę wykopaną, głęboką. W razie czego to hyc i się schowam. Zapas mielonki turystycznej też mam, jestem przygotowana.

– Pani Jadziu, niech pani śpi spokojnie. Na wojnę się nie zapowiada.

– Kto tam wie, panie Edziu. Pan młody jest. Z całym szacunkiem, bo ja wiem, że pan to doktor jest, ale coś panu powiem. Pilnuj pan lepiej córki, a w razie co, to was przyjmę do mojego bunkra.

– Nie będzie takiej potrzeby. Dziękuję, pani Jadziu. Miłego dnia pani życzę. Wracam do domu, na śniadanie. Laura chleb upiekła.

– Złota kobita z tej pana żony. Komu w tych czasach by się chciało chleb piec? Wolo ten pompowany z glutami kupować. Zamiast piec taki poczciwy na zakwasie, jak to kiedyś się piekło – krzyczała do pleców sąsiada Jadźka Pietrzykowa.

– Z glutenem, pani Jadziu, z glutenem. Miłego dnia, sąsiadko.

Edward wrócił do domu, starając się ze wszystkich zachować spokój po tym, czego się dowiedział. Kiedy wszedł do kuchni, wyraz jego twarzy oznajmił żonie i córce, że nie będzie to jedno z tych niedzielnych śniadań, podczas których sielanka kipi z każdego kąta. Wyczuwające nadchodzący armagedon kobiety starały się uciec przed wzrokiem głowy rodziny, zdając sobie jednak sprawę, że ich próby uniknięcia przesłuchania są walką z wiatrakami.

– Czy ktoś mi tu ma zamiar wyjaśnić, o czym mówiła Pietrzykowa? – zapytał tonem, który obie dobrze znały.

Laura próbowała grać na zwłokę.

– Kochanie, nie wiem, o czym rozmawiałeś z naszą sąsiadką. Może nam opowiedz, to chętnie wypowiemy się na ten temat.

Paulina wiedziała doskonale, o co chodzi. Stała z kubkiem herbaty w dłoniach, mając wrażenie, że temperatura płynu przeszła teraz na całe jej ciało. Wiedziała, że ojciec rozmawiał z Pietrzykową o niej. Niestety, starania matki poszły na marne. Mogły same wypić to wino, przynajmniej miałyby z tego jakąś korzyść. Stały teraz w tej kuchni i wiedziały, że nie uratuje ich nawet zapach świeżo upieczonego chleba, który ojciec tak bardzo uwielbiał.

– Jadźka Pietrzykowa twierdzi, że wczoraj ktoś przywiózł Paulinkę samochodem, który warczał jak czołg i wyglądał na drogi. Twierdzi też, że Paulinka całowała się z właścicielem tego urządzenia. Najgorsze jest to, że podobno na nią czekałaś! Dlaczego ja o niczym nie wiem?! Czy nie zasługuję na waszą lojalność?

Kobiety stały bez ruchu. Paulina nie mogła wydusić z siebie słowa. Wiedziała, że cokolwiek teraz powie, ojciec i tak jej nie uwierzy. Całe szczęście matka postanowiła przejąć ster i przekierować rozmowę z drogi szybkiego ruchu na wiejską ścieżkę.

– Spokojnie, kochanie. Usiądź, naleję ci herbatki i porozmawiajmy. – Odsunęła ciężkie drewniane krzesło i zaprosiła męża do stołu. Postawiła przed jego nosem kromkę chleba, od którego ciepła rozpuszczał się posmarowany na niej miód. – Jedz, skarbie, słodycz dobrze ci zrobi.

– Tatusiu ja...– próbowała zacząć Paulina, lecz ojciec nie pozwolił jej dokończyć.

– Chcę wiedzieć, co twoja matka ma do powiedzenia na ten temat. Lauro – zaakcentował wyraźnie jej imię. – Czy wczorajsze wino, którym mnie uraczyłaś, spowodowane było chęcią odwrócenia mojej uwagi od tematu, który został zauważony przez naszą szanowną sąsiadkę?

– Wiesz co, Edziu, daj spokój. Jakbyś Jadźki nie znał. Ciągle siedzi w oknie i wypatruje sensacji. Z drugiej strony, to co jej zostało? Żyje naszym życiem, bo nie ma własnego. Owszem, czekałam na Paulinkę. Dawno nie rozmawiałyśmy. Jednak Jadźka nie mogła tego widzieć, bo światła w całym domu były pogaszone. Czy ty myślisz, Edziu, że ktoś tu coś przed tobą ukrywa? Niby kiedy miałyśmy ci o tym powiedzieć, jak jest dopiero dziewiąta, a wydarzenia, o których już zdążyła cię poinformować nasza szanowna sąsiadka, miały miejsce wczoraj późnym wieczorem.

– Jak późnym? – zapytał, przeżuwając kanapkę z miodem.

– Wróciłam o...– zaczęła Paula

– Wróciła po dwudziestej drugiej – dokończyła Laura.

– Dobrze, a kto cię przywiózł?

Paula powiedziała ojcu prawdę, pomijając jedynie to, że ów młodzieniec, o którym dowiedział się od Pietrzykowej, mógłby w zasadzie być jej ojcem.

– Mam cię na oku, moja panno – powiedział Edward do córki

– Tatuś, ja jestem dorosła. Dziewczyny w moim wieku mają już rodziny, rodzą dzieci, a ty ciągle mnie pilnujesz. Nie uważasz, że to lekka przesada?

– Dopóki mieszkasz pod moim dachem, mam prawo wiedzieć, gdzie chadzasz – rzekł sucho Edward.

– Uważam tę rozmowę za zakończoną, tato. Dziękuję za pyszne śniadanie, mamusiu, pójdę już do siebie. – Wytarła usta chusteczką, po czym wstała od stołu z zamiarem powrotu do swojego pokoju.

– No i po co ci to było, Edziu? Jak będziesz tak się zachowywał, to ją stracimy.

– Czuję, że ona coś ukrywa, tylko nie wiem co, ale się dowiem – powiedział ojciec, który zupełnie zdawał się nie słyszeć tego, co mówi jego żona.

– Kogo jak kogo, ale Pietrzykowej słuchasz? Sam powtarzasz, że to plotkara, której trzeba współczuć. Tymczasem dajesz się wciągać w te jej intrygi. Pozwól żyć naszej córce, nie uchronisz jej przed wszystkim.

– Może i nie uchronię, ale przynajmniej będę mógł ją ostrzec, podzielić się z nią doświadczeniem.

– Jakim doświadczeniem? W związku z mężczyznami? Przecież ty całe życie jesteś ze mną. Jakie ty masz doświadczenie? Puknij się w głowę, Edziu, i wyluzuj. To jedyne, z czym się zgadzam z naszą sąsiadką. No jedz, jedz. Tak bardzo lubisz ciepły chleb. Ciesz się chwilą, a nie wyszukuj problemów tam, gdzie ich nie ma.

– Jeszcze nie ma, Laura. Jeszcze nie ma! – Podniósł palec do góry w geście ostrzeżenia przed problemami, których nadejście przeczuwał.

***

Miała się uczyć, lecz poranne śniadanko połknięte w gronie najbliższych skutecznie zniechęciło ją do zdobywania wiedzy. Wiedziała, jaki jest ojciec, wiedziała, że ją kocha, a jego pytania wynikają z troski, lecz nie mogła pogodzić się z myślą, że dopóki będzie mieszkała pod jednym dachem z rodzicami, tak właśnie będzie wyglądało jej życie. Spokój był tylko w okresach, kiedy nie kręcił się obok niej żaden osobnik płci męskiej. Wtedy relacje z ojcem się ocieplały. Jednak, gdy tylko na horyzoncie pojawiał się potencjalny kandydat na zięcia, ojciec błyskawicznie z potulnego chomika, zamieniał się w głodnego krwi tygrysa, nieprzestrzegającego zasad uczciwej walki.

Na wspomnienie wczorajszego wieczoru poranne niesnaski przy śniadaniu odchodziły w niepamięć, a jej oczy zaczynały tajemniczo błyszczeć. Sięgnęła po swój smartfon, włączyła aplikację Facebooka i postanowiła odszukać profil Mikołaja. Zamiast zdjęcia profilowego ukazującego to, jakim przystojnym jest mężczyzną, miał wstawioną fotkę rozdzierającego pysk tygrysa. W mig skojarzyła to z porannym zachowaniem ojca i nie kontrolując swojego odruchu, wypowiedziała na głos:

– Trafiła kosa na kamień.

Spontanicznie, nie zastanawiając się długo, napisała:

Cześć, nie potrzebujesz dziś pomocy? Jestem specjalistką od beznadziejnych sytuacji.

Kliknęła „wyślij" i pomimo niechęci, jaką w sobie miała, otworzyła plik z pracą magisterską, której słuszności niebawem miała bronić. Komputer jeszcze nie zdążył zareagować, a na ekranie jej smartfona pojawiła się wiadomość zwrotna.

Dla Ciebie mógłbym zgubić wszystko tylko po to, aby móc wspólnie z Tobą udać się na poszukiwania. Beznadziejna sytuacja? Może, dla odmiany, dziś ja mógłbym pomóc Tobie?

Czy dobrze zrozumiała to, co napisał? Nie chciała wyobrażać sobie, nie wiadomo czego, ale ewidentnie dawał jej do zrozumienia, że nie jest mu obojętna.

Może nie tak beznadziejna albo może tylko w moich oczach. Wiesz, jak jest, punkt widzenia zależy od punktu siedzenia.

Spotkaj się ze mną zatem i pozwól mi wynagrodzić szkody moralne, które zapewne z mojego powodu poniosłaś. Spojrzymy na sprawę z OBYDWU PUNKTÓW ;-)

Kusiło ją, aby rzucić wszystko w kąt i spędzić dzień z kimś, kto nie będzie śledził każdego jej kroku albo śledził lecz na tyle dyskretnie, że nie zdąży tego zauważyć. Niewiele myśląc, odpisała.

Aleja Fontann, o trzynastej?

Trzynasta nie jest pechową liczbą?

1+3 = 4, a 4:2 = 2 czyli para, czyli my…

Odczytując owo „my", poczuł przyspieszone bicie serca. Czy nie pozwala życiu płynąć zbyt szybko? Ona… jest przecież taka młoda… Chwilę później wcisnął w kąt wszelkie wątpliwości.

Będę czekał.

Cieszę się. Pa.

Pa…

To by było na tyle, jeśli chodzi o naukę, Paulinko. Teraz zrobisz się na bóstwo i pójdziesz na spotkanie z kimś, przy kim czas płynie zdecydowanie zbyt szybko.

Jak pomyślała, tak zrobiła. Wyłączyła komputer jeszcze szybciej, niż go włączyła. Otworzyła szafę, pełną niepotrzebnych (oczywiście zdaniem taty) ubrań, i zaczęła się szykować. Pomimo że ilość tego, co miała w szafie, nie mieściła się już na wieszakach, to i tak nie było co na siebie włożyć. Na zakupy było już za późno, poza tym była biedną studentką wiecznie siedzącą w kieszeni ojca. Ostatecznie ubrała się schludnie, lecz nie wyzywająco, wybierając poprzecierane bojówki, białą koszulkę oraz ramoneskę, którą wprost uwielbiała. Do tego białe conversy i była gotowa.

Tymczasem Mikołaj nie miał tego problemu. Nie przywiązywał zbytniej uwagi do tego, co na siebie włoży, lecz zastanawiał się, czy powinien pojechać samochodem. Auto zdecydowanie częściej stawało się źródłem problemów niż radości. Kiedyś wydawało mu się, że posiadanie tego typu maszyny sprawi, iż będzie czuł się kimś wyjątkowym. Dziś stojąc i patrząc na nie, wiedział, że nie o taką wyjątkowość mu chodziło.

Myślał czasami o Gośce i o tym, jak spaprał jej życie, lecz niestety czasu cofnąć się nie da. Zdecydował, że gdy tylko wróci do Warszawy, zamieni to auto na takie, które będzie się nadawało do użytku publicznego.

Ostatecznie zadzwonił po taksówkę, prosząc, aby przyjechała po niego za godzinę. Wziął szybko prysznic, zjadł w locie kanapkę z serem, wyprowadził Stinkiego na błyskawiczny spacer i był gotowy.

Powietrze pachniało wiosną i bzami, ochoczo wystającymi zza płotu ogrodu sąsiada, tego samego, którego psy mogły pochwalić się nieskazitelną sierścią. Niewiele myśląc, podszedł do płotu i zerwał kilka gałęzi, dla dziewczyny. Modlił się przy tym, aby nikt go nie zauważył.

Mógłby oczywiście pójść na łatwiznę, kupując w kwiaciarni bukiet róż w kolorze agresywnej czerwieni, lecz czuł, że ten rodzaj kwiatów nie pasował do Pauli. Nie chciał wykonywać teatralnych gestów, jak w stosunku do wszystkich kobiet. Wręcz przeciwnie, miał ochotę robić rzeczy, które pasowały raczej do charakteru szalonego studenta niż statecznego poważnego mężczyzny.

Kiedy dojechał na miejsce, Pauli jeszcze nie było. Usiadł więc na brzegu fontanny. Bryzgające w powietrzu krople wody przyjemnie osiadały na jego plecach, dając odczucie orzeźwienia.

Spóźniała się. Wywołało to w nim niepokój. Co chwila zerkał na smartfon, czekając na jakąś wiadomość. Z jednej strony sam chciał napisać, a z drugiej nie chciał wyjść na desperata, który robi aferę o kilkuminutowe spóźnienie.

– Zgadnij, kto to?

Poczuł na oczach dotyk małych dłoni, ich wypielęgnowana skóra pieściła teraz jego twarz. Cieszył się z okazji, dzięki której bez ponoszenia jakichkolwiek konsekwencji mógł ich dotknąć. Zamknął jedną z nich w łapczywym uścisku i zbliżył jej wierzch do swoich ust, szarmancko całując.

– To dla mnie? – Przyzwoitość nakazała jej zadać pytanie dotyczące kwiatów, które leżały na krawędzi fontanny.

– Czy widzisz tu jeszcze jakąś dziewczynę?

– Ale numer! Zerwałeś je z ogrodu sąsiadów Dagi? – Złapała się za głowę.

– Chyba nikt nie widział, przynajmniej taką mam nadzieję.

– Mam wyrzuty sumienia, że narażałeś się tak dla mnie.

– Nie ma potrzeby, sama przyjemność po mojej stronie. „Dla ciebie zrywam polne kwiaty, Szukam tych najrzadszych, naprawdę na dużo mnie stać" – zanucił kawałek piosenki zespołu Myslovitz.

– Nie wiedziałam, że umiesz śpiewać. Ładne słowa – pochwaliła go, przysuwając bukiet do nosa.

– Szkoda, że nie moje. Napisał je Kuderski. Kawałek zespołu Myslovitz dla ciebie.

Był romantyczny. Bardzo jej się to podobało. Powtórzyła w myślach jeszcze kilka razy nazwę zespołu, którą wymienił. Zapewne kapela była popularna w czasach jego wczesnej młodości. Obiecała sobie, że gdy tylko wróci do domu, wyszuka w internecie całość i chętnie jej posłucha.

– To co? Lody? – zapytała
– Oczywiście.
Usiedli w kawiarni, znajdującej się w pobliżu fontanny. Uprzejma kelnerka przyniosła dzbanek, do którego Paula wstawiła tak ciężko zdobyte przez Mikołaja bzy. Uwielbiała je. W zasadzie były to jej ulubione kwiaty. Mało kto wiedział, że ich prawdziwa nazwa to lilaki. Żałowała, że kwitną tak krótko.
– Cóż to za beznadziejna sytuacja, która przydarzyła ci się dziś rano? – zapytał, gdy przed ich oczami pojawiły się wielkie lodowe puchary. Bita śmietana uśmiechała się zachęcająco.
– Nie wiem, czy powinnam zawracać ci głowę takimi pierdołami.
– Z przyjemnością posłucham. Interesuje mnie wszystko, co ciebie dotyczy.
– Nawet moje listy zakupów? – zapytała, prowokująco oblizując łyżeczkę, na której jeszcze przed chwilą leżała soczysta kulka winogrona.
– Nawet twoje listy zakupów. – Roześmiał się.
– Nie naczytałbyś się zbyt wiele. Nie stać mnie nawet na waciki. Jestem biedną studentką, wciąż mieszkającą z rodzicami, i do tego mój ojciec ma na moim punkcie totalnego fioła.
Jego ciało przeszedł dreszcz. Czuł się, jakby los chichotał się za jego plecami, sprawdzając, czy pozostanie czujny i w porę wykręci się z relacji z dziewczyną. Postanowił jednak nie dawać jej do zrozumienia, że słowa, które przed chwilą usłyszał, wzbudziły w nim niepokój.
– Niebawem kończysz studia, więc istnieje szansa, że twoja sytuacja ulegnie zmianie, prawda?

– Niby tak, ale wiesz… powiem ci w sekrecie, że nie mam jeszcze pomysłu na życie. Wiem, powinnam poszukać pracy, najlepiej gdzieś w przedszkolu. Jednak nie oszukujmy się, nie zarobię nawet na wynajęcie nory na obrzeżach miasta.

– Zawsze chciałaś zostać pedagogiem? – zadał jej to pytanie, chociaż tak naprawdę bardziej interesowały go jej stosunki z ojcem.

– Szczerze? Kiedy byłam małą dziewczynką, chyba jak większość dziewczynek marzyłam, że będę gwiazdą muzyki pop.

Oboje roześmiali się serdecznie.

– Później marzyłam, że zostanę stomatologiem tak jak moja mama. Nie udało się niestety. Zabrakło mi dwóch punktów i wylądowałam na liście rezerwowej. Miałam nadzieję, że ktoś jednak zrezygnuje z możliwości zostania lekarzem od zębów, lecz tak się nie stało. Poszłam więc na pedagogikę. Może i dobrze? Dzisiaj sobie myślę, że to nie było moje marzenie, a chęć spełnienia marzeń rodziców.

– Jesteś bardzo młoda. Wszystko przez tobą. Możesz jeszcze spróbować.

– Mówisz jak moja mama, ale ja nie wiem, czy jeszcze tego chcę. Czasami sobie myślę, że najchętniej to wyjechałabym gdzieś daleko stąd. Gdzieś, gdzie nikt by mnie nie kontrolował. Nie wiem… może do Niemiec? Jako opiekunka do dzieci? – zastanawiała się głośno.

– Jesteś odważna – stwierdził.

– Odważna? – powtórzyła po nim. – Czy ja wiem? Życie chyba jest za krótkie na kiwanie się w prawo i lewo. Trzeba podejmować decyzje, a nie tkwić w miejscu. Najgorzej to chyba nic nie robić, jak myślisz?

– Zgadzam się z tobą. Niewątpliwie masz rację.

Im dłużej z nią przebywał, tym większe miał wrażenie, że zna ją od lat.

– Dowiedziałeś się już trochę o mnie, teraz czas na ciebie.

– Pytaj śmiało.

Zaległa cisza, której Paulina nie potrafiła przerwać. Chciałaby go zapytać o wiele rzeczy, ale nie wiedziała, jak to zrobić. Najbardziej, jako rasową samicę, interesowało ją jego obumarłe małżeństwo. Głupio jej było tak na pierwszym spotkaniu pytać o jego prywatne sprawy.

– Masz dzieci? – wypaliła gorączkowo, przerywając ciszę, która trwała ciut za długo. Szybko zdała sobie sprawę, że mówił o tym już wcześniej, kiedy rozmawiali o samochodach.

– Tak, mam syna. Ma na imię Tadzio.

– Ile ma lat?

– Cztery. Tadzio ma cztery lata – odpowiedział zgodnie z prawdą.

– To też późno ci się trafił, co? – zanim zdążyła pomyśleć, jej słowa zobaczyły już światło dzienne i żadna siła nie zdołała ich cofnąć z powrotem do jej ust. Zacisnęła oczy, unosząc przy tym dłonie, zupełnie tak, jak czynią do ofiary w geście poddania. – Przepraszam. Wiem, co sobie teraz myślisz, ale ja nie chciałam, abyś myślał to, co myślisz.

– Spokojnie, Paula. Nic się nie stało. Nie mam problemu z moim wiekiem. Odpowiem na każde pytanie. – Rozbawiła go swoją uroczą dziewczęcością i umiejętnością nieskrępowanego zadawania pytań, do złudzenia podobnych do tych, jakie często zadawał mu jego synek.

– Nie chcę, abyś myślał, że jestem wścibska i nietaktowna.

– Nie myślę.

– Już mi lepiej – odetchnęła z ulgą.

Znowu się roześmiali, rozładowując atmosferę.

– Tadzio urodził się trzy lata po ślubie z jego mamą. Miałem wówczas czterdzieści lat. Nie był przypadkowym dzieckiem. Chcieliśmy w ten sposób ratować małżeństwo i wybraliśmy najgorszy z możliwych sposobów.

Nie wiedziała, co powiedzieć. Nie sądziła, że zdobędzie się na taką szczerość.

– Żałujesz? – zapytała.

– Tego, że się urodził, nigdy nie będę żałował. Jest iskrą mojego życia. Jednak żałuję, że skrzywdziłem jego matkę.

Paula zamarła. Nie wiedziała, kto przed nią siedzi, i nie miała wystarczającej odwagi, aby zapytać, w jaki sposób ją skrzywdził. Jej wyobraźnia z prędkością światła przemieściła się na planetę domowych patologii, o których nie raz słyszała z telewizji. Mikołaj chyba wyczuł jej strach.

– Małgorzata to dobra dziewczyna, ale nie dla mnie. Nie można być z kimś tylko dlatego, że jest dla nas dobry. Prędzej czy później zwyczajnie zaczyna brakować sił, aby oszukiwać siebie, że jesteśmy w stanie tkwić w takim związku.

– Zaskakujesz mnie.

– Czym?

– Otwartością.

– Akurat tę lekcję swojego życia przerobiłem milion razy. Potrafię już o niej opowiadać bez zbędnego emocjonowania się czy zmieniania faktów po to, aby zdobyć zainteresowanie rozmówcy.

– Szczerze? – zapytała, wycierając usta chusteczką.

– Tylko szczerze. Nie uznaję innego sposobu komunikowania się – odpowiedział, czyniąc to samo.

– Chciałam cię o to zapytać, ale nie miałam odwagi. Wiesz… – przerwała na chwilę. – Jesteś chyba marzeniem wielu kobiet. Inteligentny, przystojny i do tego z dobrą pracą.

Mikołaj uśmiechnął się, chłonąc każde jej słowo niczym gąbka.

– Mów mi jeszcze, dawno nikt mi tego nie mówił. – zażartował.

– Chyba nie masz kompleksów? Taki duży chłopak? – zerknęła zaczepnie w jego stronę.

– Nie mam kompleksów, Paulinko. Co miałem sobie w życiu udowodnić, to już sobie udowodniłem. Teraz chciałbym spokojnego życia, w zgodzie z samym sobą. Przede wszystkim.

– Czy mogę cię o coś jeszcze zapytać? Tylko to będzie dość intymne pytanie.

– Pytać możesz zawsze. Najwyżej wykręcę się od odpowiedzi w taki sposób, że nawet tego nie zauważysz.

– Wolałabym jednak, abyś odpowiedział.

– Dawaj – zachęcił ją.

– Dlaczego uważasz, że ją skrzywdziłeś? Czy zrobiłeś coś niewybaczalnego?

– W moim odczuciu tak.

– Nie wiem... czy powinnam pytać dalej.

– Nigdy nie kochałem swojej żony. Pobraliśmy się dlatego, że ona bardzo tego chciała, a ja... wówczas za bardzo skupiałem się nad tym, co pomyślą o mnie inni. Miałem już dość odpowiadania na pytania, kiedy wreszcie się ustatkuję. Małgosia odbywała praktyki w mojej kancelarii i tak się do siebie zbliżyliśmy. Kiedy zdałem sobie sprawę, w jakim kierunku zmierza nasza znajomość, było już za późno. Zakochała się we mnie, a ja nie miałem odwagi tego przerwać. Byłem idiotą i gnojkiem. Nigdy sobie nie wybaczę, że ją wykorzystałem do przypudrowania swoich błahych problemów.

– Jesteś uczciwym człowiekiem.

– Staram się taki być. Uczuć nie wolno udawać. Nie wolno być z kimś z litości czy też z obawy, że się tę osobę zrani. Teraz wiem, że im dalej idziemy w las, tym więcej napotykamy w nim drzew i możemy dojść do momentu, w którym odnalezienie drogi powrotnej graniczy z cudem.

– Znalazłeś tę drogę?

– Wydaje mi się, że tak. Niestety zbyt późno. Nie obyło się bez ofiar.

– W postaci twojej żony?

– Małgorzata to mądra i rozsądna kobieta. Niestety teraz strasznie pogubiona i najgorsze, że z mojego powodu.

Tonęła w jego słowach. Nawet gdyby czytał jej książkę telefoniczną, słuchałaby jej z największą fascynacją. Każde kolejne słowo coraz bardziej wyciągało ją ze świata, który znała i w którym czuła się bezpiecznie. Wiedziała, że gdyby tylko on chciał, gdyby tylko zainteresował się kimś takim jak ona, mogłaby rzucić wszystko i pójść za nim. Jego dojrzałość bardzo jej imponowała. Mimo że postąpił niewłaściwie, miał odwagę się do tego przyznać. Właśnie taki powinien być mężczyzna. Uczciwy i prawdomówny.

***

Nie zauważyła momentu, kiedy słońce zaczęło się chować za chmurami, dając znak, że ich spotkanie powinno dobiegać końca. Spacerowali ulicami Szczecina, patrząc się na siebie i rozmawiając. Każde z nich chciało złapać drugie za rękę, lecz żadne nie miało odwagi.

Chciał odwieźć ją taksówką do domu, ale kategorycznie się nie zgodziła. Obiecała, że gdy tylko znajdzie się na miejscu, zaraz mu o tym napisze.

Kiedy zamknęła za sobą drzwi swojego pokoju, nie ściągając nawet butów, padła na łóżko. Leżała tak, myśląc o tym, że chyba się w nim zakochuje. Nie mogła zapanować nad swoimi uczuciami. Pociąg już pędził, a ona siedziała w nim, nie pytając, dokąd ją zawiezie. Jechała w ciemno, wierząc, że stacja końcowa pomimo wszystko będzie warta tej podróży. Chwyciła za smartfon i napisała:

Dziękuję za przemiły dzień. Bawiłam się fantastycznie. Czas przy Tobie płynie tak szybko. Jesteś dla mnie taki miły i opiekuńczy. Przepraszam, że nie pozwoliłam się odwieźć do domu. Kiedyś Ci to wyjaśnię. Czym sobie zasłużyłam na takie traktowanie? Jestem zwykłą dziewczyną zamieszkującą obrzeża miasta. Zwykłą studentką, która nie wie, jak potoczy się jej życie.

Wiesz… może się wygłupię, ale Ci to napiszę. Mimo że nic między nami nie zaszło, mam nieodparte wrażenie, że nasza relacja przybiera barwę dość intymną… Nie wiem, czy to tylko moje złudzenie?

Mam chęć, taką nieprzymuszoną i wypływającą ze mnie samej, aby… móc spełnić chociaż jedno Twoje marzenie. Czy pamiętasz, jak mi powiedziałeś, że oddałbyś wiele, aby poczuć smak gorącej czekolady, zupełnie takiej, jaką przygotowywała dla Ciebie Twoja babcia?

Wiesz, że umiem ją przyrządzić ;-)

Czy jesteś zainteresowany?

Paula

Zamknęła oczy i wyobrażała sobie, że jest teraz blisko niego. Nigdy nie czuła się podobnie. Czy tak to wygląda? Czy tak czują się osoby zakochane? Czy to są te motyle w brzuchu, z których zwykła sobie żartować, gdy tylko wspominała o nich Dagmara? Zabrała swe rozmyślania do łazienki. Nie zdążyła jednak odkręcić wody, kiedy do jej uszu dotarł dźwięk otrzymanej wiadomości:

Bardzo się cieszę, że Ci się podobało. Ja również już dawno nie spędziłem czasu w tak przyjemnych okolicznościach. Zawsze wydawało mi się, że nie jestem zbyt wylewny i nie umiem okazywać tego, co tkwi we mnie, lecz Ty... jesteś jak muza. Łatwo ująć w słowa to, co po głowie chodzi.

Czym sobie zasłużyłaś? Dziewczyno! Po prostu bądź sobą. Przecież wiesz, jak niewiele mam Ci do zaoferowania – marne chwile wyrwane z codzienności. Gdybym tylko był młodszy...

Od momentu, gdy zobaczyłem Cię po raz pierwszy, wiedziałem, że warto Cię poznać. Wbrew temu, co o sobie piszesz, jesteś osobą niezwykłą, a im bardziej Cię poznaję, tym bardziej utwierdzam się w tym przekonaniu.

Chciałbym nie rozmyślać, dokąd nas ścieżki zaprowadzą. Sprawiasz mi tak wielką radość swoją obecnością, a... to więcej, niż mógłbym marzyć.

Czy też masz wrażenie, że rozumiemy się wpół słowa? Aż boję się, że ta iskra zrozumienia gdzieś za chwilę zniknie. Mam poczucie niezwykłości kontaktu z Tobą, które umacnia się z każdą chwilą, a każde słowo od Ciebie sprawia mi przyjemność.

Co do marzeń – wiesz, jest takie powiedzenie – daj palec, a wezmą rękę. Jak zaczniesz spełniać moje marzenia, a ja rozhuśtam się niebezpiecznie?

Nasza relacja... jak piszesz, dość intymną jest, choć nie wiem, czy w ten sposób udało Ci się ją nazwać po imieniu. Zdaję sobie sprawę, że znaleźć dla niej nazwę jest po prostu trudno.

Więc może, jak popatrzymy sobie w oczy, będziemy umieli ją trafnie określić?

Czy sprawisz mi tę przyjemność i zjesz ze mną jutro obiad? Potem moglibyśmy wrócić do mnie i korzystając z faktu, że mamy do dyspozycji całą kuchnię Słupskich, przyrządzilibyśmy razem gorącą czekoladę. Nie wątpię, że umiesz ją zrobić.

Mikołaj

Oczywiście, że się zgodziła, zapominając zupełnie, jak ważny egzamin ma przed sobą. Powinna się teraz uczyć, a nie nawiązywać znajomości, których nie potrafiła nawet nazwać. Ojciec by ją chyba zabił, gdyby tylko dowiedział się, że po kryjomu spotyka się z mężczyzną trochę młodszym od niego samego. Przychodzi jednak taki moment w życiu każdego ojca, z którym niestety musi sobie poradzić sam. Nie zamierzała się ciągle tłumaczyć ze swoich decyzji. Nie wiedziała, dokąd wiedzie znajomość z Mikołajem, ale nie chciała jej przerywać.

ROZDZIAŁ 6

Nie potrafiła myśleć o niczym innym, jak tylko o tym, kiedy znowu go zobaczy. Niby próbowała się uczyć, niby patrzyła w notatki, jednak co chwilę zbaczała z toru i zerkała na smartfon w niecierpliwym oczekiwaniu na dźwięk nadchodzącej wiadomości. Pisali do siebie niemal cały czas, zachowując przerwy tylko na czas snu i czynności, przy których urządzenie mogłoby się zniszczyć. Nawet gdy brała prysznic, robiła to w tempie ekspresowym.

Czuła się jak dziecko, które po całym dniu szkoły ściąga z pleców ciężki tornister. Wprost unosiła się nad ziemią. Nie zauważyła, że każdy jej krok jest bacznie obserwowany przez ojca. Skanował wszystkie jej ruchy, skrupulatnie notując jej poczynania na dysku swojej pamięci. Zauważył, że z jego córką dzieje się coś niepokojącego. Coś, na co nie miał wpływu. I właśnie ta świadomość niemocy była dla niego strasznie frustrująca.

Dźwięk telefonu wyrwał Paulę spod prysznica.

– To ty? – odebrała zawiedziona.

– Nie, Święty Mikołaj. Dzwonię w maju zapytać o listę życzeń, bo martwię się, że się do grudnia nie wyrobię – zażartowała Dagmara. – Pewnie wolałabyś innego Mikołaja. Najlepiej takiego, co to by porwał cię do swoich turbosani i zawiózł na planetę dzikiego seksu.

– Ciszej bądź, byłaś na głośnomówiącym. Jak ojciec to usłyszy, to nie dożyję tych świąt. Poczekaj chwilę. – Paula przełączyła połączenie na słuchawkę. – No dobra, możemy gadać. Co tam u was? Kiedy wracacie? – zapytała.

– Mam nadzieję, że niedługo. Byłam rano na mityngu. Było całkiem okay. Mama się nawet trochę uśmiecha. Zwłaszcza do mnie. Nie wiem, co ten mój staruszek nawywijał, że przez tyle lat nie mogą się dogadać.

– Pewnie nigdy się nie dowiesz. Wszyscy mają jakieś tajemnice.

– Dobra, dobra. Powiedz lepiej, jak u ciebie? Byłaś u Stinkiego, czy nasz poczciwy prawiczek się nim zajmuje, oj przepraszam, chciałam powiedzieć: prawniczek, a raczej stary prawnik.

– Uspokój się, bo zaraz się rozłączę.

– Okay, okay. Jestem poważna. Nawijaj szybko.

– Byłam, oczywiście, że byłam. Nie wiem, czy to prawda, ale twierdzi, że zgubił klucze od waszego domu. Pojechałam go ratować. To znaczy, ratować Stinkusia, bo podobno z nim biegał. Nie sądzę, aby kłamał. Chyba że jest tak świetnym kłamczuchem, ale nie podejrzewam go o to... No i... tak go ratowałam, że wczoraj byliśmy na lodach.

– Czyli, że na randce?

– No... chyba tak... – przyznała się Paula.

– O, w dupę! – krzyknęła Dagmara! – No nieźle, nieźle się nasz Mikołajek zadomowił. Tylko uważaj, bo jak twój tatuś się o tym dowie, to zrobi mu z tych jego pięknych włosków ptasie gniazdo.

– Nikt o niczym się nie dowie. Poza tym, to nic się między nami nie wydarzyło.

– Aha! Jeszcze!

– Tego nie mogę obiecać, bo…

– Bo? – powtórzyła ciekawsko Daga.

– Bo dzisiaj umówiliśmy się na obiad i na gorącą czekoladę.

– Będziesz mu robiła? Tę moją ulubioną? Czuję się zazdrosna.

– Męczysz, Daguniu. Wiesz, że cię kocham jak siostrę. Tak nawiasem mówiąc, to gdzie ty jesteś, że tak swobodnie możesz rozmawiać?

– Wyszłam po sok, ale muszę już wracać. Napisz do mnie wieczorem na fejsie. Jestem ciekawa, czy się z nim bzykniesz. Tylko proszę, nie róbcie tego w moim łóżku.

– Daga!!! Jak możesz? – oburzyła się Paula.

– Też cię kocham. Do później. Pa.

***

Tymczasem rodzina Słupskich starała się zacieśniać swoje relacje. Ojciec chodził obok matki na palcach, próbując przekonać ją do prawdy płynącej z jego gestów. Hanka Słupska, patrząc w jego stronę, przyjmowała wyraz twarzy daleki od uczciwej radości. Kąciki jej oczu marszczyły zupełnie tak, jakby ktoś je do tego zmuszał.

Małżonkowie przez te wszystkie lata nauczyli się tolerować siebie nawzajem. On sobie nigdy nie wybaczył, ona nie potrafiła wybaczyć jemu. Sobie chyba trochę też. Dagmara była spoiwem łączącym oba światy. Wierzyła, że jeszcze kiedyś jej rodzice przypomną sobie uczucie, dzięki któremu pojawiła się na tym świecie. Wiara potrafi czynić cuda.

Poniedziałkowy poranek spędzili na otwartym mityngu, w trakcie którego wymieniali doświadczenia z innymi uczestnikami, borykającymi się z tym samym problemem. Po mityngu Patryk został z opiekunem Hanki, aby dowiedzieć się, jak przebiega proces leczenia.

– Panie Pawle, kiedy będę mógł zabrać żonę?

– Jest tu już wystarczająco długo. Myślę, że może ją pan zabrać w każdej chwili. Jej stan jest stabilny. Pracuje prawidłowo, otworzyła się. Widać, że chce zmiany. To silna kobieta.

– To wszystko moja wina…

– Proszę się nie obwiniać.

– Tego nie mogę obiecać.

– Jeśli mógłbym coś radzić, to proponowałbym, abyście państwo wszyscy udali się na terapię. Córka powinna już korzystać z terapii DDA. Myślę, że pod maską wesołej rozbrykanej studentki kryje się mała zakompleksiona dziewczynka.

– Wszystko to moja wina. – Słupski wbił tępy wzrok w podłogę, jakby szukał w niej rozwiązania.

– Wie pan, jak by to powiedzieć… – zaczął terapeuta. – Szukanie winnych nic tu nie pomoże. Nad rozlanym mlekiem się nie siedzi i nie płacze. Trzeba je po prostu sprzątnąć na tyle dokładnie, na ile jest to możliwe.

– Oczywiście. Ma pan rację. Czy mogę prosić o jakieś namiary na placówki, w których możemy szukać z rodziną pomocy?

– Bardzo proszę. – Terapeuta podał mu kopertę z broszurami.

– Bardzo panu dziękuję.
– Nie ma sprawy. Proszę zabrać żonę na lody, a jeśli wyrazi taką chęć, możecie państwo wracać do domu.
– Przekażę Hani. Mam nadzieję, że się ucieszy.
Wrócił do pokoju, który zajmowała żona, z zamiarem przekazania pozytywnych wieści. Hanka siedziała na krześle, obserwując pływającego w szklanej kuli bojownika. W tej rybie było tyle spokoju. Mieniła się pozytywnymi kolorami, hipnotyzując falującymi płetwami.
– Gdzie Paula? – zapytał.
– Wyszła do sklepu. Zaraz będzie – odpowiedziała Hanka.
– Haniu... – zaczął niepewnie. – Mam dobre wieści. Rozmawiałem z terapeutą i powiedział mi, że jeśli tylko wyrazisz taką chęć, możesz wrócić z nami do domu.
Zaległa cisza. Hanka nadal obserwowała bojownika, którego dostała od córki. Ta ryba była dla niej wszystkim w czasie, gdy pozbawiono ją dostępu do świata zewnętrznego. Patrzyła na nią codziennie, próbując uspokoić rozszalałe myśli nie zawsze biegnące w kierunku, w którym chciała. Przeniosła smutne spojrzenie na męża. Siedział obok i trzymał ją za rękę.
– Kochanie, nie cieszysz się? Wrócimy do domu. Nie mówiłem ci, ale mamy gościa.
– Gościa? Jakiego gościa?
– Przyjechał Mikołaj.
Gdy usłyszała to imię, jej oczy błysnęły na moment. Zdawało się nawet, że mignęła w nich radość.
– Mikołaj? W Szczecinie?
– Tak. Jest po rozwodzie z Małgorzatą. Przyjechał, aby wszystko przemyśleć. Wiedziałem, że się ucieszysz.

– To było do przewidzenia. Mówiłam mu tyle razy, żeby się nie żenił. Niestety nie ma takiej siły, która jest w stanie powstrzymać kogoś przed zrobieniem życiowego błędu. Swoje życie każdy musi przeżyć sam.

Miała rację. Była taka mądra. Jak mógł ją tak skrzywdzić? Jak mógł być takim egoistą? Zadawał sobie to pytanie wciąż i wciąż nie mógł znaleźć na nie odpowiedzi.

– To jak, wracamy do domu? Nie chciałem pytać przy Dagmarze, aby nie wymuszać na tobie decyzji.

Hanka znowu zamilkła na chwilę. Wróciło do niej wspomnienie miłości Mikołaja i Sterny. Gdyby tylko nikt nie mieszał się kiedyś w ich życie, dziś byliby pewnie piękną rodziną z gromadką dzieci. Gdyby nie to, co uczyniła, mogłoby być zupełnie inaczej. Gdyby wtedy wiedziała to, co wiedziała dziś, postąpiłaby inaczej.

Terapia, którą odbywała, wypatroszyła ją do spodu. Ciągłe opowiadanie tego samego przyniosło na szczęście w miarę oczekiwany skutek. Tęskniła za rodziną. Chociaż bardzo pragnęła tego, aby ją naprawić, nie potrafiła nazwać słowami tego, co czuła. Spojrzała na męża i przytuliła się do niego, zostawiając na jego błękitnej koszuli ślady tuszu do rzęs, spływającego po jej policzkach. Była wdzięczna za szansę, którą otrzymali od losu. Ich przyjaciele takiej szansy nie otrzymali nigdy.

– Może na początek pójdziemy na te lody?

– Jak sobie życzysz – odpowiedział Patryk, wycierając kciukiem czarną smużkę z jej twarzy.

***

Umówili się w pizzerii Pepperoni, miejsce ponownie wybrała Paula. Uwielbiała wszystko, co włoskie, a dziś miała wyjątkową ochotę na wegetariańską pizzę. Przybyła na spotkanie punktualnie, odstrzelona w dopasowaną czarną sukienkę, do której dobrała sandały we wściekłym kolorze fuksji. W ręce trzymała biały sweterek. Wzięła ze sobą tak na wszelki wypadek, gdyby miało się jej zrobić zimno.

Ucieszyła się na jego widok. Siedział przy jej ulubionym stoliku pod oknem i uśmiechał się do niej zapraszająco. Gdy podeszła bliżej, wstał, aby się z nią przywitać. Musnęła ustami jego szorstki policzek, pachnący tak męsko, że zakręciło jej się w głowie.

Mikołaj nie spuszczał jej z oka. Kiedy przeglądała dość krótką kartę, obserwował każdy jej gest. Każde uniesienie powiek w jego kierunku było niczym uczta dla zmysłów. Nie podejrzewał siebie o taki romantyzm. Myślał, że mężczyźnie w jego wieku nie przydarzają się tego rodzaju hormonalne burze. Czyżby się w niej zakochiwał? Nie… nie mógł tego zrobić.

Domyślał się, dlaczego poprosiła, aby nie odwoził jej do domu. Miał wrażenie, że życie niczym rozpędzona huśtawka zatoczyło koło niebezpiecznie i znowu znalazł się w bliźniaczo podobnym miejscu. Zastanawiał się, jak to by było, gdyby sam miał córkę. Czy umiałby się pogodzić z faktem, że kiedyś nadejdzie dzień, w którym uświadomi sobie, że nie jest już jedynym mężczyzną jej życia. Jedno było pewne. Gdyby dobry los postawił na jego drodze kobietę gotową do tego, aby mu tę córkę urodzić, zaryzykowałby.

Oczywiście pod jednym warunkiem. Musiałby być w niej zakochany. Tylko tyle i aż tyle.

– O czym tak rozmyślasz? – zapytała, dostrzegłszy, że ją obserwuje.

– Takie tam… nic wartego uwagi.

Szczupła kelnerka o pociągłej twarzy podeszła do ich stolika. W notesie mieszczącym się na przegubie jej chudej dłoni zapisała wszystko, na co mieli ochotę. Zanim odeszła, zapytała jeszcze, czy podać im coś do picia. Paula zamówiła herbatę z imbirem i miodem, więc Mikołaj poprosił o to samo.

– Chciałbym powiedzieć, że pięknie dziś wyglądasz, ale to takie pospolite.

– Może i pospolite, ale na pewno miłe.

– Tak więc, pięknie dziś wyglądasz – powiedział.

– Dziękuję. Powiedziałabym, że ty także, ale mężczyźni podobno nie lubią, jak się im mówi, że są piękni.

– Znasz się na mężczyznach? – zapytał z nieukrywaną ciekawością. Chciał się dowiedzieć o niej czegoś więcej.

– Czy ja wiem? Nie miałam do czynienia z wieloma – dała się podpuścić.

Milczał, żeby jej nie spłoszyć.

– W liceum chodziłam z jednym chłopakiem. Tak się mówiło, że się z kimś „chodzi". Trwało to może z miesiąc. Traktowałam go chyba zbyt poważnie. Zaprosiłam go nawet na połowinki, wiesz? Kupiłam czarną mini, taką do połowy uda i chciałam się dla niego wystroić. – Wstała, aby zademonstrować mu długość tamtej sukienki.

– Poszliście razem?

– Właśnie nie poszliśmy, bo na tydzień przed godziną zero, okazało się, że zginął mój pamiętnik. Jako że nigdy nie nosiłam go ze sobą, nie mogłam go zgubić. Jedyne, co przychodziło mi do głowy to, że ktoś go podwędził.

– Podwędził? – Uśmiechnął się, upijając łyk herbaty.

– Tak. A że wówczas odwiedzała mnie tylko Daga no i on, to było oczywiste, że zrobił to on.

– Naprawdę? – zdziwił się.

– Naprawdę. Też nie chciałam w to wierzyć. Byłam wściekła. Nie odbierał moich telefonów ani nie odpisywał na SMS-y. Znałam jego plan lekcji, więc poszłam do szkoły i w przerwie między jego matematyką a geografią zaczaiłam się na niego i…

– …i co?

– Straciłam nad sobą panowanie. Dostał w twarz za to, co zrobił. Nie uderzyłam go mocno, bo siłę to ja mam jak mucha, ale narobiłam mu wstydu. Sobie zresztą też. Cała szkoła potem gadała na nasz temat. Nie musiałam zakładać tej krótkiej mini, aby być gwiazdą wieczoru na tych całych połowinkach.

Mikołaj przyglądał się jej i nie mógł uwierzyć, że w tej małej istocie kryje się tak potężny temperament.

– Przynajmniej odzyskałaś swój pamiętnik?

– Odzyskałam, ale co z tego. Pamiętnik nie był już tylko mój… Rafał, bo tak miał na imię ten koleś, pokazał go swoim kumplom i wszyscy naśmiewali się z tego, co tam było napisane. Nie masz pojęcia, jakie to było upokarzające. Szeptano za moimi plecami o wszystkich moich skrytych tajemnicach.

– Bardzo mi przykro. – Chciał ją pocieszyć.

– A mnie nie jest przykro. Dzięki temu zajściu dowiedziałam się, z kim mam do czynienia.

– To był twój jedyny chłopak? – zdecydował się jednak zapytać.

– Ciekawski jesteś. – Mrugnęła okiem, orientując się, że za dużo mu już powiedziała.

– Powinienem teraz przeprosić, ale nic nie poradzę, że interesuje mnie wszystko, co cię dotyczy. – Położył swoją dużą dłoń na jej małej rączce i spojrzał jej w oczy tak, że momentalnie oblała się zimnym potem.

Kelnerka przyniosła pizzę, przerywając w ten sposób nad wyraz intymny moment ich spotkania.

– Kończąc opowieść o moich związkach, to jeszcze tylko ci powiem coś, po czym, jak to mówi Daga, wypadniesz z kapci.

– „Wypadniesz z kapci"? Młodnieję przy tobie – stwierdził. – Zamieniam się w słuch.

Paula zatem kontynuowała.

– Akcja z pamiętnikiem zniechęciła mnie do płci przeciwnej bardzo skutecznie. Do tego stopnia, że od tamtej pory przez długi czas z nikim nie „chodziłam". – Uniosła do góry ramiona, pokazując palcami znak naśladujący cudzysłów. – Do momentu, aż pojawił się ten, którego imienia nawet nie chce pamiętać.

– Tak bardzo zalazł ci za skórę?

– Miał żonę i dziecko, o których nie miałam zielonego pojęcia do momentu, kiedy to owa żona nie odwiedziła mojej mamy w pracy. Wstyd na całą wieś. – Zmarszczyła czoło, nie patrząc mu w oczy. Chciała być z nim szczera. Zależało jej, aby miał świadomość, że jest osobą poważną mimo tak młodego wieku. – Koniec o mnie. Wszystko już wiesz.

Był zdumiony jej szczerością. Opowiadała o sobie tak prosto i zwyczajnie. Bez wstydu i nadmiernego koloryzowania momentów, które wywarły wpływ na jej osobę. Kiedy opowiadała o gościu, który, jak to określiła, „podwędził" jej pamiętnik, chciało mu się nawet śmiać. Nie wyglądała na tak ostrą i nie podejrzewałby, że jest w stanie uderzyć kogoś w twarz. Właściwie to nawet ją rozumiał. Historia o romansie z żonatym nie była już wcale taka zabawna. Znał tego typu opowieści. Prowadził kancelarię, w której często prowadziło się sprawy rozwodowe, więc nie była to dla niego żadna nowość. Ot, zwykłe życie. Ludzie często w pogoni za marzeniami gubią po drodze to, co naprawdę ważne. Niestety bywa, że nigdy tego nie odzyskują.

Kiedy zajadała wegetariańską pizzę, wyglądała przy tym na szczęśliwą. Była nad wyraz naturalna. Roztopiony ser ciągnął się pomiędzy jej ustami a nadgryzionym kawałkiem ciasta, rozbawiając ją z tego powodu. Nawinęła go sobie na palec i zapytała, czy Mikołaj ma ochotę oblizać. Jeszcze nigdy żadna kobieta nie zadała mu pytania, czy ma ochotę oblizać jej palec. Jedyne palce, jakie do tej pory oblizywał, to były palce jego dziecka. Chociaż miał chęć to zrobić, nie zdobył się na odwagę. Stwierdziła później, że jest sztywniakiem i zarządziła, aby „wrzucił na luz".

Świeżość, jaka od niej biła, sprawiała, że zapominał o całym świecie i o kłopotach, których nikt za niego nie mógł rozwiązać. Patrzył na jej radość i przypominał sobie tytuły tabloidów, które śmiało oceniały związki starszych mężczyzn z młodymi dziewczynami. Ich autorzy do szpiku kości przekonani o prawdzie, która głoszą, twierdzili, że ów pan jest z ową panią tylko dla zabawy. Wcześniej nie miał żadnego doświadczenia, aby podważać słuszność głoszonych tez, jednak teraz... teraz byłby gotów się z nimi sprzeczać.

Patrzył na dziewczynę, która siedziała przed nim i z jedzenia pizzy urządzała istną celebrację życia, na jaką niewielu było stać. Opowiadała o swoich doświadczeniach bez pretensji w głosie. Cieszyła się chwilą, która była jej dana. Robiła śmieszne miny i zaczepiała go, próbując wciągnąć go w grę, której zasady znała tylko ona. Nie przepędził myśli szepczącej mu cicho, że traci głowę dla niebieskookiej Pauli. Wręcz przeciwnie – poddał się jej z największą rozkoszą.

Kiedy zjedli, nieśmiało zaproponował, aby wrócili do domu. Swoją chęć ściągnięcia jej w miejsce, gdzie mogliby pobyć sami, usprawiedliwił koniecznością wyprowadzenia psa. Stinki był genialnym alibi. Zaczynał darzyć tego psa sympatią, bo tak naprawdę dzięki niemu udało mu się nawiązać z Paulą bliższy kontakt. Strach pomyśleć co by było, gdyby wtedy nie poszedł biegać z tym czworonogiem. Zgubienie klucza okazało się błogosławieństwem i potwierdziło słuszność teorii, głoszonej z pokolenia na pokolenie, że nie ma tego złego, co by na dobre nie wyszło.

Kiedy wyszli z pizzerii, Paula bez najmniejszego skrępowania chwyciła go za rękę. Drzwi wejściowe do lokalu były oddalone od jego zaparkowanego auta o zaledwie kilka metrów. Nie przeszkodziło jej to w wykonaniu kilku tanecznych obrotów. Jej włosy rozwiewał wiosenny wiatr, rozsiewając dookoła ich zapach. Mikołaj patrzył na to z zachwytem i przepadał w każdym ruchu, geście i słowie dziewczyny. Otworzył jej drzwi do auta, za co podziękowała mu słowami: „Pan jest dżentelmenem, zupełnie tak jak Edward z filmu *Pretty Woman*, który oglądałam z mamą". Uśmiechnął się, odpowiadając, że do Richarda Gere mu trochę daleko, po czym zatrzasnął drzwi i usiadł za kierownicą auta.

Jechali ulicami Szczecina w kierunku domu Słupskich. W radiu leciała piosenka *Shape of you* śpiewana przez Eda Sheerana. Paula podskoczyła na fotelu zadowolona, że może posłuchać swojego ulubionego kawałka. Podniosła poziom głośności, nie pytając Mikołaja o zdanie. Zaczęła śpiewać razem z wokalistą, poruszając się przy tym rytmicznie. Móc ją obserwować było po prostu pięknie. Kiedy piosenka dobiegła końca, ściszyła radio i nieoczekiwanie zdjęła sandały, kładąc bose stopy z pomalowanymi na krwistą czerwień paznokciami w pobliżu przedniej szyby jego auta. Zaczęła głaskać go po karku tam, gdzie lubił najbardziej, a kiedy na nią spojrzał, nieoczekiwanie zadowolona z siebie powiedziała: „Kiedy jestem najedzona, jestem bardzo szczęśliwa", uśmiechając się przy tym zabójczo. Niby nie robiła nic takiego, a nie mógł nasycić się chwilami spędzonymi przy niej.

Jak zwykle to bywa w najmniej oczekiwanym momencie, zaczął dzwonić jego telefon, o czym bezlitośnie poinformował go zestaw głośnomówiący.

– To z pracy – wytłumaczył się.

– Nie odbierzesz?

– Nie teraz. Oddzwonię wieczorem. Odebranie jednego telefonu generuje wykonanie pięciu następnych. Lepiej nie kusić losu. Po co mają mi zepsuć tak fantastyczny nastrój, w który mnie wprowadziłaś?

– Dziękuję za komplement – ucieszyła się szczerze.

Kiedy dojechali na miejsce, myślał tylko o tym, aby ją dotknąć gdziekolwiek, a najlepiej pocałować. Kliknął guzik na pilocie, którego zadaniem było otworzenie bramy umożliwiającej wjazd na teren własności Słupskich. Kiedy znaleźli się wewnątrz, otworzył jej drzwi, aby podtrzymać w jej wyobraźni sylwetkę szarmanckiego Edwarda z *Pretty Woman*. Wysiadła, zabierając ze sobą sandały.

– Uwielbiam chodzić boso po trawie, a ty? – zapytała.

– Nie wiem.

– Jak to, nie wiesz? Nie wiesz, czy lubisz chodzić boso po trawie?

– Nie pamiętam, kiedy ostatni raz to robiłem – zamyślił się, usiłując przypomnieć sobie szczęśliwe momenty ze swojego życia.

Zatrzymała się na chwilę, zastanawiając się, czy mężczyzna, z którym właśnie zjadła obiad, może powiedzieć o sobie, że jest szczęśliwy. Gdy patrzyła na niego, można było stwierdzić, że otoczony jest pięknymi rzeczami, nafaszerowanymi gadżeciarską modą. Posiadanie ich miało zapewne czynić z niego kogoś z pozoru szczęśliwego.

Dla niej nie wyrażało się ono w gromadzeniu przedmiotów, lecz w kolekcjonowaniu chwil takich jak ta, kiedy bez skrępowania może stąpać boso po świeżej wiosennej trawie. Wzniosła ramiona do góry, wdychając przy tym powietrze pachnące lilakami z ogrodu sąsiadów.

– Jest wprost cudownie! – krzyknęła.

Do jej nóg podbiegł Stinki, wypuszczony z domu przez Mikołaja. Pogłaskała go, serdecznie przytuliła i pochwaliła za to, że jest takim dzielnym pieskiem, który tyle czasu wytrzymuje, siedząc sam w domu.

Weszła do środka, otworzyła taras i już miała zamiar pójść do kuchni, by przygotować gorącą czekoladę, kiedy przed nią stanął on. Był tak duży, że przysłonił jej cały widok pomieszczenia.

Nie pytając o zdanie, wsadził swoje duże dłonie w gąszcz jej włosów, pachnących teraz mieszanką wiatru i szamponu. Spojrzał jej w oczy i pocałował. Nie było to delikatne muśnięcie wargami o wargi. Nie było to ani niewinne, ani nieśmiałe. Dało się odczuć, że ten mężczyzna w tych sprawach wie, od czego zacząć i potrafi po to sięgnąć zdecydowanie. Całowali się jak opętani. Ich poplątane w namiętnym tańcu języki zdolne były do przyjęcia każdej wyszukanej pieszczoty. Wziął ją na ręce, aby przenieść ją w miejsce, w którym będzie im wygodniej, a jej przez myśl przemknęły słowa przyjaciółki, przestrzegające o tym, aby nie robili tego w jej pokoju. Uśmiechnęła się. Wybrał swoje łóżko.

– Jesteś taka piękna, kiedy się uśmiechasz, nie mogę oderwać od ciebie oczu – zachwycił się, po czym wrócił do tego, czym był całkowicie zaaferowany.

Kiedy ściągał z niej bluzkę, pomyślała tylko, że gdyby przewidziała fakt, że wyląduje z nim w sypialni, z pewnością włożyłaby bieliznę do siebie pasującą. Teraz przynajmniej nie musiałaby myśleć o tym, że jej różowy stanik nijak nie pasuje do granatowych majtek. Mikołaj jednak raczej tego nie zauważył. Zbyt mocno pochłonięty był smakowaniem całego jej ciała. Pieścił ją tak długo, że nie mogła doczekać się, kiedy nastąpi ten moment. Kompletnie odebrało jej rozum, liczył się tylko ten mężczyzna i ta chwila.

Doznania, jakimi ją obdarował, były inne od tych, które przytrafiały się w jej dotychczasowym, prawie nieistniejącym seksualnym życiu. Jeszcze nikt nie był nigdy tak dogłębnie skupiony na niej, nie oczekując nic w zamian. Jakimś cudem udało jej się pocałować jego nagi tors, pokryty seksowną warstwą ciemnych, krótkich włosków. Poczuła woń jego potu, idealnie stapiającą się z ciepłem jej warg. Nieznany dotąd prąd wnikał w całe jej ciało, kołysząc je najpierw powoli, a później szybko i zdecydowanie.

Dotykała jego pleców. Ich początkowa gładkość z chwili na chwilę zmieniała się w uszkodzoną pod wpływem jej namiętności powierzchnię. Nie kontrolowała swoich odruchów, całkowicie zapominając o tym, kim jest i w jakim celu się tu znalazła. Było tylko tu i teraz.

Po wszystkim słodko zmęczona opadła na poduszkę. Zapadła się w jej miękkości. Była szczęśliwa i zaspokojona. Jeszcze przez kilka minut leżała obok niego, delektując się błogim stanem nieświadomości.

Kiedy już ostygła, zapytała:

– Jak ty właściwie masz na nazwisko?

***

Leżała w wannie po brzegi wypełnionej pianą. Może nie powinna uciekać, kiedy on brał prysznic. Czuła się tak, jakby ktoś obcy zrobił jej zdjęcie, gdy dłubie w nosie, i wykleił nim wszystkie drzewa w okolicy. Jak miała mu spojrzeć w oczy? Znali się przecież dopiero trzy dni! Dopiero po wszystkim poznała jego nazwisko!

Wstyd, wstyd, wstyd, wstyd, wstyd, wstyd, wstyd, wstyd. – Zakrywała oczy obiema rękami i powtarzała to słowo na głos tak wiele razy, aż jego brzmienie odcięło się od znaczenia. Może nie powinna była uciekać. Wyszła na infantylną małą dziewczynkę i nie wiedziała już sama, które z uczuć przygnębia ją bardziej.

Jej telefon dzwonił i dzwonił. Wiedziała, kto jest nadawcą połączenia, ale wolała go nie odbierać. Bo niby co mu powie? Że ona wcale nie jest puszczalska, że nigdy jej się przedtem to nie przytrafiło? Gdyby jej ktoś się kiedyś tak tłumaczył, w życiu by mu nie uwierzyła. Nie wiedziała, co robić. Może zadzwonić do Dagmary, ona zawsze coś doradzi... nie, lepiej nie. Lepiej przespać się z tym wszystkim. Rano na pewno wszystko się rozwiąże.

Wyszła z wanny, wytarła ciało ręcznikiem i wskoczyła w piżamę z aplikacjami śmiesznych pączków. Nie schodziła nawet na kolację. Bała się, co wyczyta ojciec z jej oczu.

– Córeczko, a ty nie będziesz nic jadła? – Mama weszła do jej pokoju, kiedy właśnie układała się pod kołdrą.

– Dziękuję mamusiu, jadłam na mieście.

– Na mieście? Przecież wiesz, że mnie nie oszukasz.

– Nie próbuję nawet.

– Próbujesz, próbujesz. To jak? Powiesz mi, gdzie byłaś, kochanie?

Rozmowa kobiet nie zdążyła się rozwinąć, gdyż przerwał ją dźwięk dzwonka.

– Kto to może być o tej porze? – zdziwiła się Paula.

– Nie mam pojęcia, ale zapewne Pietrzykowa do ojca przyszła, żeby podzielić się konserwą kupioną na promocji w „internacie". – Matka zażartowała, po czym obie kobiety buchnęły śmiechem.

Po chwili jednak nie było im do śmiechu. To nie była Pietrzykowa.

– Dzień dobry, a w zasadzie powinienem powiedzieć: dobry wieczór.

– Dobry wieczór, panu. Czy my się znamy? – zapytał ojciec zaciekawiony przybyłym gościem.

– Przepraszam, nie przedstawiłem się. Nazywam się Mikołaj Klimant. Jestem przyjacielem Patryka Słupskiego, aktualnie opiekuję się jego domem.

– Ach, to pan – zareagował ojciec, któremu w tym momencie połączyły się w całość wszystkie elementy zagadkowej układanki. – To pan odwoził naszą Paulinkę do domu wczoraj?

– Tak, to ja – odparł zgodnie z prawdą.

– Nasza sąsiadka zdążyła już mi o tym donieść. Podobno strasznie hałasuje ten pana samochód.

– Przepraszam, jeśli komuś zakłóciłem spokój.

– Jest pan w moim domu dopiero od dwóch minut, a już dwukrotnie pan przeprosił. Proszę się tak nie stresować, mnie ten samochód nie przeszkadza – rzekł ojciec, zerkając za okno. – No, chyba że ma pan coś na sumieniu? – Nie zmieniając ułożenia głowy, skierował sam wzrok w kierunku mężczyzny.

Paula stała na górze, trzymając matkę za rękaw i prosząc ją, aby coś zrobiła, zanim ojciec poćwiartuje na kawałki Mikołaja. Nie wydając z siebie żadnego dźwięku, a jedynie ruszając ustami, usiłowała przekazać jej, że nie miała bladego pojęcia o tym, że mężczyzna zamierza tu przyjechać. Matka dała się wciągnąć w bezszelestny lament córki, machając rękami i równie bezgłośnie odpowiadając jej, że teraz to już musztarda po obiedzie i choćby miała tu teraz zacząć tańczyć nago, to nie zdoła odwrócić uwagi ojca.

– Ma pan rację, nie mam za co przepraszać. Chciałem być jedynie miły – powiedział Mikołaj nieco spokojniej.

– Cóż pana sprowadza?

– Chciałbym zapytać, czy zastałem pańską córkę.

– Uważa pan, że pora, którą pan wybrał, jest odpowiednia? – Słowo „odpowiednia" zostało mocno zaakcentowane przez Edwarda oraz okraszone wymownym spojrzeniem na zegarek.

– Pewnie ma pan rację, jednak tym razem nie przeproszę. Skoro już tu jestem, to czy mógłbym zamienić z pańską córką kilka słów?

– Ależ oczywiście, oczywiście. Skoro już pan tu jest i skoro pan MUSI, to nie ma innej rady, jak tylko owo MUSI zaspokoić. Nie chciałbym jednak interweniować w chwili, gdy to MUSI przełoży się na inne spotkania, przy których nie będę miał szansy być obecny. Rozumie pan? – Edward zacisnął usta w kreskę, zmrużył oczy i porozumiewawczo kiwnął głową w stronę gościa.

– Rozumiem doskonale. Pozwoli pan, że to, co muszę, będę wykonywał bez konsultacji z panem. Jak zdążył pan już pewnie zauważyć, jestem dużym chłopcem i nie trzeba mnie pilnować. Pańskiej córce nic nie grozi – odparł Mikołaj tonem tak miłym, na jaki tylko było go stać.

Edward patrzył na gościa, jakby nagle ujrzał padający śnieg z majowego nieba. Wziął wdech, chcąc coś dodać, lecz słowa przez niego wypowiedziane zaskoczyły jego samego:

– Paulinko, Paulinko, Paulinko, słyszysz mnie? Masz gościa. Pan Mikołaj Kliment na ciebie czeka.

– Klimant – poprawił go Mikołaj.

Ojciec machnął ręką i oddalił się w kierunku kuchni.

Stojące na górze kobiety przysłuchiwały się rozmowie. Kiedy największe niebezpieczeństwo minęło, matka postanowiła zejść na dół. Pokonując schody, uśmiechała się sama do siebie zadowolona, że w końcu trafiła kosa na kamień. Chociaż nie wiedziała jeszcze, jaki czeka ją widok, była pewna, że jakikolwiek by nie był, to z pewnością się jej spodoba. Mężczyzna rozmawiający z jej mężem niewątpliwie miał charakter. Nie pozwolił się zagonić do kąta nawet komuś tak stanowczemu, jak Edward.

– Dobry wieczór, Laura Leońska – przedstawiła się.

– Dobry wieczór pani. – Złapał jej dłoń, schylając się nisko, aby ją ucałować.

– Pan do Paulinki?

– Tak, ja tylko na chwilę. Czy mógłbym? – zapytał z grzeczności.

– Naturalnie, jednak córka jest już w piżamie.

– Przepraszam, dzwoniłem wielokrotnie, chcąc ją uprzedzić, jednak nie odbierała.

– Spokojnie, proszę się nie denerwować. Paulinko, masz gościa. Niech pan idzie na górę.

– Dziękuję, mamusiu – odpowiedziała dziewczyna.

Mikołaj był szczerze rozbawiony tą sytuacją. Może gdyby miał trochę mniej lat, czułby się niezręcznie, lecz teraz po prostu chciało mu się śmiać. Kiedy tylko pomyślał o tym, jaka Paula jest piękna, od razu rozumiał ojca dziewczyny i gotów był wszystko bez mrugnięcia okiem wybaczyć.

– Przepraszam – powiedziała, zapraszając go do pokoju. Miała spuszczoną głowę i czuła się tak, jakby ktoś zdjął z drzewa zdjęcie jej samej podczas wykonywania wiadomej czynności. Wstyd, wstyd, wstyd, wstyd, wstyd.

– Za co przepraszasz? – zapytał, wkładając jej za ucho kosmyk blond włosów.

– Uciekłam dziś, kiedy się kąpałeś, a teraz jeszcze tata ci dowalił.

– Twój tata? Dowalił?

– Nie przesłuchiwał cię? – zapytała.

– Nie zauważyłem. – Uśmiechnął się. – Bardzo miły człowiek z twojego ojca. Gawędziliśmy sobie.

– Gawędziliście sobie? – powtórzyła zdziwiona.

– Pytał mnie o moje auto i coś tam opowiadał o waszej sąsiadce.

– Kłamiesz – stwierdziła, głośno się śmiejąc. – Obrzydliwie kłamiesz, wariacie.

– Ja? Wariat? Ależ Paulinko, ja tylko przyjechałem oddać ci sweterek. – Wyciągnął go z papierowej torebki. – Dobrze, że go zgubiłaś u mnie, bo dałaś mi możliwość, abym poczuł się jak książę szukający swej księżniczki.

– Chyba pomyliłeś bajki. Powinieneś się czuć raczej jak Gargamel w wiosce smerfów.

– No tak, a Papa Smerf właśnie szykuje na mnie zasadzkę. – Zbliżył się do niej, aby ją pocałować. – Nie boję się go i nie zamierzam uciekać. Tobie też nie radzę, piękna. Znajdę cię wszędzie – żartował, składając na jej ustach szczęśliwe pocałunki.

Paula była oszołomiona całą tą sytuacją. Nigdy wcześniej nie przyszedł do niej do domu żaden mężczyzna. Nie zapraszała ich, bo była święcie przekonana, że po rozmowie z jej ojcem uciekaliby, przebierając nogami tak szybko, że nie można by było odróżnić, która jest która. Mikołaj był pierwszy, który przedostał się przez zasieki z kolczastego drutu. Nie wyglądał na przestraszonego, wręcz przeciwnie. Czuła, że świetnie się bawił. Radosny nastrój udzielał się jej samej.

– Fajna piżama – pochwalił. – Lubię pączki.

– Tata mi kupił.

– Mogłem się domyślić.

W tym samym czasie Edward Leoński odchodził od zmysłów. Maszerował przez całą długość pokoju w tę i z powrotem.

– Co oni tam robią? – zapytał żonę.

– Rozmawiają.

– Tak długo?

– Przecież minęło dopiero pięć minut.

– Jakie pięć, jakie pięć, Laura? Przynajmniej dziesięć minęło.

– Edziu, usiądź sobie i przestań się denerwować. Pan Mikołaj wygląda na poważnego człowieka.

– No właśnie, Laura, no właśnie! Za poważnego! Zanieś im ciasteczka.

– Że co? – zapytała zdziwiona Laura.

– Zanieś im ciasteczka i zobacz, co robią? – powtórzył prośbę.

– Edziu, co mogą robić? Najwyżej się całują – droczyła się z mężem.

– Nawet mnie nie denerwuj. Sam pójdę.

Mężczyzna wyciągnął z szafki pierwsze lepsze ciastka, wysypał je do miseczki i zamierzał zrobić to, czego nie chciała zrobić w jego imieniu żona. Laura w ostatniej chwili powstrzymała Edwarda przed dokonaniem czynu, który bez wątpienia by go ośmieszył. Niemalże wyrwała mu z rąk miseczkę z ciastkami, nakazała usiąść na kanapie i przestać dramatyzować.

– Paulince nic nie grozi, nie denerwuj się. Ona ma dwadzieścia cztery lata. Pozwól jej żyć.

– Pozwól jej żyć, pozwól jej żyć. Żebyś potem nie płakała, jak zupa wykipi.

– Wykipi, jak będziesz nad nią sterczał bez przerwy.

– Pożyjemy, zobaczymy.

Gdy wymiana zdań między małżonkami dobiegła końca, do uszu Edwarda dotarł długo wyczekiwany dźwięk trzeszczących drewnianych schodów, który mógł oznaczać tylko jedno: intruz opuszcza jego gniazdo!

Zerwał się na równe nogi, aby osobiście dopilnować, czy oby na pewno zamknie za sobą drzwi. Zgasił w kuchni światło i stanął za firanką tak, aby nikt go nie widział. Z tego miejsca doskonale widział wejście do swojego własnego domu. Zerknął w kierunku domu Pietrzykowej, zauważając, że i u niej ktoś, siląc się na dyskrecję, obserwuje sytuację.

Paula odprowadziła Mikołaja do drzwi, modląc się, by nie spotkać po drodze ojca.

– Czuję się jak w ukrytej kamerze – zażartował Mikołaj.

– Oko wielkiego brata cały czas cię śledzi. Założę się, że ojciec siedzi w kuchni i obserwuje po ciemku, czy na pewno wychodzisz z domu.

– Zobaczymy się jutro?

– Mikołaj, ja muszę się uczyć.

– Pouczymy się razem – przekonywał.

– Z tobą? Chyba anatomii.

– Przyjadę po ciebie rano. Co ty na to?

– Proszę cię, wpędzisz ojca do grobu. Zadzwonię do ciebie. Idź już.

– Nie wyjdę, dopóki mnie nie pocałujesz.

Pocałowała go krótko, lecz z namiętnością, której wystarczyłoby dla wszystkich małżeństw zamieszkujących mierzyńskie osiedle Pod Lipami.

Wyszedł zadowolony i miał szczerą ochotę pomachać w kierunku okna, w którym stał jego prawdopodobnie przyszły teść. Uznał jednak, że byłoby to bezczelne. Wsiadł do auta i odjechał szczęśliwy, że mógł ją widzieć chociażby przez te kilka chwil.

W drodze powrotnej do swojego pokoju dziewczyna natknęła się na ojca. Stał z wyrazem twarzy bezgłośnie zadającym jej pytania.

– Tatusiu, kocham cię – powiedziała, całując ojca w czoło. – Nie mam jednak siły ci wszystkiego tłumaczyć.

– Paulinko, ale ja jeszcze nie skończyłem! – Ojciec próbował ją zatrzymać.

– Ja skończyłam, tatusiu. Dobranoc.

Zostawiła ojca stojącego na środku holu, z wymalowanym na twarzy wielkim znakiem zapytania. Laura Leońska obserwująca z boku całą sytuację zapytała:

– Nalać ci wina, kochanie? Dostałam od pacjentki, której robiłam implanty. Bardzo dobry rocznik.

– Nalej, Laura, nalej – rzekł zrezygnowany i ciągnąc nogę za nogą, podreptał do salonu.

***

Cieszył się, że zostawiła u niego ten sweter. Miał przynajmniej pretekst do tego, aby ją odwiedzić. W piżamie w pączki wyglądała naprawdę bardzo seksownie. Była z tego typu kobiet, które przyodziane w cokolwiek wyglądają niczym gwiazdy z wybiegów. Uzmysłowił sobie, że nie pamięta, kiedy po raz ostatni wykonał taki gest w stosunku do jakiejkolwiek kobiety. W jego warszawskim mieszkaniu można było dopatrzyć się wielu przedmiotów pozostawionych przez płeć przeciwną z nadzieją na coś więcej, a jednak nic z nimi nie robił.

Znał Paulę parę dni, a miał wrażenie, że zna ją całe życie. Włączył piosenkę Eda Sheerana i uśmiechał się na wspomnienie jej małych stóp, których odciski dotąd były widoczne na przedniej szybie jego samochodu. Złapał się na tym, że kompletnie mu to nie przeszkadza. Jeszcze kilka dni temu pucowałby tę szybę rękawem najlepszej koszuli a dziś… dziś tylko się uśmiechnął i pomyślał, że mogłoby już tak pozostać.

Dojechał do domu, wyprowadził psa, zjadł kolację, napisał do Pauli krótką wiadomość i zasnął z uśmiechem na ustach.

Wiadomość odczytała dopiero rano.

Zobaczyć Cię odzianą w te wszystkie pączki było niesamowitym doznaniem.

Uśmiechnęła się od ucha do ucha, po czym postanowiła, że koniecznie musi zwolnić tempo, bo jak tak dalej pójdzie, to za dwa tygodnie staną na ślubnym kobiercu.

Ten dzień zamierzała spędzić na nauce do obrony, która zbliżała się wielkimi krokami.

Kiedy zeszła na dół, ojca na szczęście nie było w domu. Mama siedziała w kuchni, popijała swoją ulubioną herbatę imbirową i przyglądała się córce z uwagą. Nie śmiała zadawać pytania o wczorajszy wieczór.

– Ser żółty się skończył? – zapytała Paula. – Chciałam sobie tosty zrobić.

– Tata poszedł do sklepu. Zaraz przyniesie, możesz poczekać – odpowiedziała matka.

– Och, to chyba raczej wolę zjeść grzanki z dżemem. Przygotuję je i pójdę do siebie. Muszę się uczyć.

Matka obserwowała każdy ruch córki. Wymownie przewracała oczami, nie zadając pytań. Była świetna w umiejętności wyciągania informacji, bez konieczności wydobywania z siebie głosu.

– Chcesz mnie o coś zapytać, mamusiu?

– Ja? Nie. Dlaczego tak uważasz? Myślę, że gdybyś miała mi coś do powiedzenia, zrobiłabyś to. Prawda? Ufam ci córeczko i mam nadzieję, że wiesz, że działa to w dwie strony.

– Dobra, co chcesz wiedzieć? – Dała zielone światło matce, a ta w mig skorzystała z przyzwolenia.

– To coś poważnego?

– Nie wiem, mamo. Znam go trzy dni, o przepraszam, dziś jest poniedziałek. – To pięć dni. Nie planuję z nim dzieci, jeśli o to pytasz.

– Ulżyło mi, naprawdę – odparła ironicznie.

– Ale byłabyś świetną babcią, masz tyle energii – prowokowała matkę.

– Masz szczęście, że nie mam niczego pod ręką, bo byś oberwała. – Laura roześmiała się, czując, że ta historia nie będzie miała szybkiego zakończenia i prosząc w myślach los o to, aby było szczęśliwe.

Paulina usiadła do biurka i zanim zabrała się do nauki, zrobiła milion innych niecierpiących zwłoki rzeczy. Jedną z nich, było napisanie do Mikołaja.

Przepraszam, że wczoraj uciekłam. Wiesz, ja nie robię takich rzeczy tak szybko. Głupio wyszło. Powinniśmy najpierw się poznać, a potem dopiero... no wiesz... w każdym razie nie jestem taka, jak myślisz. W zasadzie... jesteś drugim mężczyzną, z którym to zrobiłam...

Fajnie, że przyjechałeś. Mniej fajnie, że teraz jestem skazana na robienie uników przed ojcem. Wiem, to niedorzeczne, wydawałoby się, że jestem już dużą dziewczynką, a boję się ojca...

Kliknęła „wyślij".

Co ja najlepszego narobiłam? Drugim mężczyzną, z którym to zrobiłam? Jak tak dalej będzie, to moja infantylność przyczyni się do jego „śmiechowej" śmierci – pomyślała i wróciła do książek. Odpisał jeszcze, że bardzo chciałby się z nią spotkać, ale rozumie, że musi się uczyć. Ostatecznie stanęło na tym, że spędziła dzień tak, jak powinna, a nie tak, jak serce jej podpowiadało.

Wieczorem rozmawiała przez telefon z Dagą. Okazało się, że wracają wszyscy razem w piątek. Przyjaciółka cieszyła się, że jej mama coraz więcej się uśmiecha i nawet rozmawia z ojcem. Terapeuta zaproponował im wspólną rodzinną terapię i prawdopodobnie po powrocie do domu zdecydują się na nią uczęszczać.

Przepływ informacji działał bardzo szybko, bo chwilę po tym, jak Dagmara podzieliła się z nią wieścią o powrocie, otrzymała wiadomość od Mikołaja, że chata wolna tylko do piątku, a później będzie trzeba o czymś pomyśleć. Najwyraźniej rozmawiał z Patrykiem. Było jej miło, że tak zabiega o kontakt z nią. Może jednak nie pomyślał sobie o niej niczego złego? Może warto by było wykorzystać te kilka dni, które im pozostały?

Po całym dniu nauki miała kompletnie dość. Czuła się wypruta z jakiejkolwiek emocji, powstającej na skutek działania sił zewnętrznych. Cały dzień spędziła w pokoju, wyciszając nawet telefon, aby jej nie rozpraszał. Po tym, co się wydarzyło, jej zdolność koncentracji i tak zdecydowanie zmalała. Musiała naprawdę bardzo się natrudzić, aby wkuwać to, co wkuwać musiała. Odebrała jeszcze wiadomość z dziekanatu, że jeśli by chciała, to jej obrona może odbyć się w szybszym terminie. Musi tylko do końca tego tygodnia złożyć wszystkie stosowne dokumenty.

Może to nie jest taki zły pomysł? Zdałaby to wreszcie i miała za sobą cały ten stres związany z przygotowaniami. Zawsze wszystko zaliczała dużo wcześniej. Wśród wykładowców miała więc opinię osoby sumiennej i zorganizowanej.

Koleżanki śmiały się z niej, mówiąc, że „ustny to Leońska zdaje dzięki marce, którą sobie wyrobiła". Teraz, po raz pierwszy w życiu czuła, że chciałaby tę „markę" wykorzystać i mieć to już za sobą.

ROZDZIAŁ 7

Następnego dnia złożyła na uczelni wszystkie dokumenty. Zgodnie z wcześniejszą propozycją, termin obrony ustalono za sześć dni. Tylko sześć dni dzieliło ją od egzaminu, którego ważność nagle zeszła na dalszy plan.

Siedziała na ławce przy Wydziale Humanistycznym Uniwersytetu Szczecińskiego i myślała o swoim życiu. O tym, jak to ciągle myśli o przyszłości, mimo że tego nie chce. Ciągle robi coś, aby kiedyś było jej lepiej. W szkole podstawowej myślała o tym, aby dostać się do dobrego liceum, w liceum myślała o tym, aby dostać się na studia, a na studiach myślała o tym, aby je ukończyć i rozpocząć kolejne, potem praca, potem dom, potem dzieci, potem wszystko przeżyje od nowa, bo dla odmiany będzie myśleć o tym, aby jej dzieci po szkole podstawowej dostały się do dobrego liceum, a po dobrym liceum na dobre studia.

Całe życie osadzeni jesteśmy w przyszłości. To ona zawsze ma być lepsza, bardziej wartościowa i ma nas prowadzić znowu do lepszej przyszłości. Jeśli jednak noga nam się powinie, to wędrujemy w przeszłość i zastanawiamy się, co zrobiliśmy nie tak, że nie poszło po naszej myśli. I tak dalej, i tak dalej…

Wszystko wydało jej się strasznie nudne. Zmrużyła oczy, wystawiła twarz do słońca i cieszyła się chwilą. Wdychała powietrze, skupiła się na oddechu.

Z natłoku myśli przemierzających właśnie jej głowę, wybrała tę jedną, za którą postanowiła podążyć. Wyjęła smartfon.

Co robisz?

Czekam na wiadomości od Ciebie.

Wydział Humanistyczny, ul. Krakowska, siedzę na ławce. Przyjedziesz?

Pół godziny.

Odłożyła telefon do torby i wróciła do tego, czym zajmowała się przed chwilą. Ku jej rozpaczy w kierunku ławki właśnie podążała Monika – słodko pierdząca lalka (tak określiłaby ją Daga), której się zawsze wydawało, że jest lepsza od innych dlatego, że jakimś cudem zainteresował się nią studiujący medycynę Maksymilian. Tuż za nią podążały Edzia i Anka, gotowe spijać każde słowo z dzióbka swojej przywódczyni. Farsa niczym z serialu dla nastolatek.

– No cześć, Paulinko. Co tu tak sama siedzisz? Czekasz na księcia z bajki, ale niestety same ropuchy w stawie? – przywitała się miłym głosikiem Monika, na co jej koleżanki parsknęły gromkim śmiechem.

– Cześć, dziewczyny. Na księcia może i nie, za to zaraz przyjedzie tu facet, który mógłby być moim ojcem, ale nie przeszkadza mi to wcale uprawiać z nim świetny seks – odpowiedziała równie miło, hołdując swojej zasadzie: „powiedz prawdę, nikt ci nie uwierzy".

Dziewczyny spojrzały na siebie wymownym wzrokiem, informującym Paulinę, że mają ją za idiotkę.

– Dobry żart, Paulinko. Wszystkie dobrze wiemy, że nie wyścibiasz swojego szanownego noska dalej, niż sięga zakres twojej torebeczki z książkami. – Monika skierowała wzrok na teczkę, która nosiła znamiona nieco wysłużonej. – Niech zgadnę, to pamiątka rodzinna. Dostałaś ją od babci?

– Niestety mylisz się, kochana, przykro mi, ale muszę cię rozczarować. Ukradłam z pomocy dla powodzian.

Jej odpowiedź chyba wydała się śmieszna, bo zauważyła, że „przyjaciółki" Moni ze wszystkich sił starały się ukryć swoje rozbawienie.

– No dobrze, skoro już wstępnie wymieniłyśmy uprzejmości, to chciałabym cię o coś prosić. – Miss uniwersytetu nagle zmieniła front.

– Ty mnie? Niby o co? Czyż twój Maksiu nie załatwia wszystkich twoich problemów, zanim zdążysz jeszcze o nich pomyśleć? – Tym razem, to ona była złośliwa.

– Mój MAKSYMILIAN – wypowiedziała jego imię głośno i wyraźnie. – BĘDZIE LEKARZEM i lepiej bądź miła, bo w przyszłości może się okazać, że…

– Hm… Hm… – Błyskotliwym chrząknięciem wtrąciły się milczące dotąd koleżanki. Owo chrząknięcie przywołało Monisię do porządku i postanowiła grzecznie wrócić do sedna sprawy.

– Paulinko, po co się sprzeczać, lada chwila nasze drogi się rozejdą. Lepiej przecież rozstać się w przyjaźni, prawda?

– Absolutnie masz rację. Powiedz, w czym może ci pomóc ktoś taki jak ja?

– Och, nie doceniasz siebie. Może trochę z modą masz na bakier, ale masz wiele innych zalet. Wiesz, chodzą słuchy, że jako jedyna bronisz się już w maju. Pomyślałyśmy zatem, że może, oczywiście nie za darmo, zapłacimy ci.

– No właśnie, zapłacimy, zapłacimy – poparła ją Edzia.

– Zapłacimy – powtórzyła Anka.

– Za co chcecie mi zapłacić? – zapytała Paula, rozbawiona całą sytuacją, mimo że domyślała się, że chcą od niej wydobyć opracowane odpowiedzi na pytania egzaminacyjne.

– No, za… za odpowiedzi na pytania egzaminacyjne. Na pewno masz je opracowane. To zajmuje dużo czasu, a czas to pieniądz, więc…

– Wyjątkowo w tej kwestii muszę się z tobą zgodzić, Monia. Czas to pieniądz, ale wiesz co?

W tym momencie pod budynek uniwersytetu podjechał Mikołaj. Uwaga świętej trójcy została natychmiast przekierowana na ryk silnika lamborghini, które na przekór swoim możliwościom powoli wtaczało się na studencki parking.

– Monia, fajne ciastko przyjechało – zagadnęła Edzia.

– Przecież widzę. Poczekaj, zaraz pewnie wysiądzie, to zapytam go, czy przypadkiem nie potrzebuje pomocy. – Monika poprawiła jednym gestem biust odważnie wystający z jej dekoltu. – Zaraz wrócimy do rozmowy, Paulinko. – Poklepała koleżankę po plecach i ruszyła (niby przypadkiem) w kierunku auta.

Mikołaj wysiadł z samochodu, który zdaniem jej koleżanek, dodawał mu atrakcyjności. Paula pomyślała sobie, że jak dla niej, to mógłby tu przyjechać na wrotkach, a i tak jej serce biłoby równie szybko, co teraz.

Rozglądał się dookoła w poszukiwaniu znajomej blond czupryny o zapachu rumianku. Moment, kiedy ją zauważył, uwidocznił się wyraźnie na jego twarzy przez rozchylenie ust ukazujących śnieżnobiałe zęby. Zdecydowanym krokiem podążył prosto do namierzonego celu.

Nagle w pobliżu jego nóg upadła paczka chusteczek do nosa należąca do Moniki. Schylił się, aby je podnieść i wtedy uniwersytecka gwiazda przystąpiła do działania. Ku jej zaskoczeniu biust śmiało wylewający się z jej bluzki w momencie sięgania po swoją „zgubę" nie zrobił wrażenia na właścicielu sportowego przez nią auta. Mężczyzna oddał paczuszkę właścicielce, wyprostował się i miło, lecz zdecydowanie pożegnał dziewczynę. Paulina dygotała wewnątrz ze śmiechu, żałując, że nie ma przy niej teraz Dagmary. Przypomniała jej się scenka z filmu *Legalna blondynka*, w której odegraniu Monia śmiało mogłaby konkurować z występującą tam aktorką.

– Już jestem kochanie, pół godziny. Tak, jak obiecałem. – Złożył na jej ustach pocałunek. Jego rodzaj niepodważalnie wskazywał, że ów mężczyzna nie jest ani jej kuzynem, ani wujkiem, ani bratem, ani nikim innym, jak właśnie kochankiem.

– Nie szkodzi. Miło mi się gawędziło z koleżankami. Poznaj je, proszę. To jest Edytka. – Dziewczyna, zanim podała mu rękę, wytarła ją o nogawkę swoich białych spodni. – A to Ania. – Ta na dźwięk swojego imienia dygnęła, uginając nogi w kolanach niczym pięcioletnia dziewczynka po występach w przedszkolu. – Poznaj jeszcze Monię…

– Panią Monikę już chyba poznałem.

– Tak, tak, przed chwilą. – Wargi Moniki przykleiły się do siebie, ukazując swoją wydatność podrasowaną świeżo wstrzykniętą substancją niewiadomego pochodzenia.

– Cieszę się, że mogłem poznać koleżanki mojej Paulinki – rzekł uprzejmie, obejmując dużą dłonią wąską talię dziewczyny.

Pożegnali się i ruszyli oboje w kierunku auta Mikołaja. Mężczyzna otworzył jej drzwi, szarmancko je za nią zamykając, po czym sam wsiadł za kierownicę, odpalił silnik i powoli ruszył w kierunku wyjazdu z parkingu.

– Zwolnij, proszę, chciałabym coś jeszcze powiedzieć koleżankom – poprosiła i opuściła szybę.

– Monia, napisz mi SMS-em adres swojego maila. Wyślę wam te odpowiedzi. – Już miała zamknąć szybę, ale po chwili zastanowienia dodała: – Aaa, i nie musicie mi nic płacić. Moje finanse mają się nieźle. Trzeba sobie pomagać. Paaa.

Zadowolona z siebie zamknęła szybę, śmiejąc się w głos jak szalona.

– „Moje finanse mają się nieźle?" – powtórzył Mikołaj zdziwiony.

Opowiedziała mu pokrótce zdarzenie, za którego sprawą owe słowa padły. Również wybuchnął śmiechem. Była piękna i bystra. Jej intelekt dodawał jej seksapilu. Czuł się przy niej tak, jak gdyby znowu miał dwadzieścia lat.

– Cieszę się, że napisałaś. Tęskniłem za tobą – wyznał.

– Ja też za tobą tęskniłam – odpowiedziała. – Mam obronę w nadchodzący poniedziałek, a ty masz do piątku wolną chatę, więc pomyślałam...

– Co pomyślałaś?

– Nie wiem, co przyniesie przyszłość, ale do piątku chcę żyć chwilą. Nie myśląc o konsekwencjach, chcę spędzić te kilka dni tak, aby zapamiętać je na całe życie. Napisałeś, że niewiele masz mi do zaoferowania. Tylko marne chwile wyrwane z codzienności. Uczyńmy zatem z nich to, co najlepsze, i cieszmy się teraźniejszością.

Mikołaj nacisnął pedał gazu tak, że w ułamku sekundy jej plecy przywarły mocno do fotela samochodu. Oboje odważnie przekroczyli linię startu przygody. Jej finał nie zaprzątał obecnie ich uwagi.

***

Pierwszy raz w całym swoim dotychczasowym życiu nie zadzwoniła do rodziców i nie wytłumaczyła się z tego, gdzie jest i o której będzie z powrotem.

Patrzyła na jego męskie dłonie obejmujące kierownicę, potem na twarz, skupioną na drodze. Nie zapytała, dokąd jadą. Było jej wszystko jedno, byle z dala od codzienności, którą była przesycona. Kochała swoich rodziców ponad wszystko, lecz czasami czuła się jak napompowany helem balon, który nie uleciał gdzieś daleko, tylko dlatego, że ciągle jest przywiązany. Matka dawała jej więcej luzu, natomiast ojciec... nie mógł znieść nikogo, kto tylko pojawiał się obok niej. Gdyby mu zdradziła swoje plany na kilka dni przed obroną, to zamknąłby ją na klucz w jej własnym pokoju i dla pewności, że nie ucieknie, zablokowałby jeszcze drzwi szafą.

Odkąd pamiętała, świat jej rodziców zaczynał i kończył się na niej samej. Bez wątpienia była kochanym dzieckiem.

– Lubisz lody? – zapytał Mikołaj, wyrywając ją z zamyślenia.

– Jasne, uwielbiam. Potrafię zjeść całe pudło lodów za jednym posiedzeniem, co niestety później odbija się, no wiesz... – Wskazała palcem swój tyłek.

– Nie zauważyłem. Wyglądasz doskonale.

– Kłamstwo, ale miłe – podziękowała.

– Tylko nie mów, że masz kompleksy.

Znała go chwilkę i nie wiedziała, czy może być z nim absolutnie szczera. Nadmierna prawdomówność często obracała się przeciwko niej. Ludzie nie lubią, gdy inni narzekają. Nie lubią u innych kompleksów, gorszych dni i wszelkiego rodzaju depresji. Mamy być cały czas uśmiechnięci, wysportowani i nafaszerowani fit jedzeniem. W przeciwnym razie zostaniemy wykluczeni poza margines społeczności.

– Halo, jesteś tam? – odezwał się ponownie. – Zamyśliłaś się. Może jednak nie jesteś gotowa na wyprawę w nieznane, z nieznanym facetem.

– Jestem gotowa. Bardziej niż ci się wydaje. Po prostu zastanawiałam się, czy mam być z tobą szczera. Wiesz, zauważyłam, że wszyscy na początku znajomości przyjmują pewne maski. Udają kogoś, kim nie są.

– Wolę, abyś była sobą – stwierdził.

– Nawet, jak ci powiem, że mój tyłek jest za wielki?

– To jest twoje zdanie. Ja tak nie uważam. Nadal podtrzymuję to, co powiedziałem. Bądź sobą i bądź szczera.

– Widzisz, wielu autorów poradników nie podzieliłoby twojego zdania. W jednym z nich przeczytałam, że nie wolno absolutnie narzekać i mówić o naszych słabościach, przynajmniej w początkowej fazie znajomości. Podobno mężczyźni nie chcą kobiet z problemami.

– Jeśli twoim jedynym problemem jest za duży tyłek, to jestem w stanie to przeżyć – skwitował.

– A jakbym ci powiedziała, że oprócz wielkiego tyłka czasami mam lęki, nie wiem, co ze sobą zrobić, wydaje mi się, że moje życie kręci się dookoła własnej osi i nic konkretnego mi nie daje, co doprowadza mnie czasami do frustracji tak dużej, że mam ochotę zamknąć się w domu, wskoczyć pod koc i nie wychodzić stamtąd, dopóki wszystko nie minie?

– Odpowiedziałbym, że jesteśmy do siebie podobni – rzekł bez zbędnego namysłu.

– Tylko mi nie mów, że też uważasz swój tyłek za wielki. – Roześmiała się szczerze.

– Myślę, że tyłek akurat mam okay. Jestem już na tyle dużym chłopcem, że nie mam problemu z własną cielesnością. Wszystko inne, o czym wspomniałaś, absolutnie nie jest mi obce.

Znowu się zamyśliła. Siedziała w aucie mężczyzny, którego znała raptem kilka dni i jechała z nim nie wiadomo dokąd.

– Wiesz, bo ja czasami czuję się jak chomik w klatce. Biegam w tym kołowrotku życia tak szybko, że siła odśrodkowa jest zbyt duża, więc czasami już nawet nie muszę machać nogami, aby czuć ten pęd. Ciągle wzorowa, ciągle najlepsza, ciągle zadbana, jedząca wszystko bez glutenu, bez laktozy, bez cukru... Wiesz, czasami chciałabym wpieprzyć, nie zjeść, a właśnie wpieprzyć pączka i popić go colą.

– Dlaczego tego nie zrobisz? – zapytał.

– Bo potem mam wyrzuty sumienia, że nie jestem taka idealna. Czuję, jak cellulitis biegnie do mojej dupy, chwyta się jej swoimi zębiskami i patrząc mi prosto w twarz, krzyczy: „Nigdy cię nie opuszczę, nigdy cię nie opuszczę".

Oboje wybuchnęli śmiechem. Mikołaj myślał o tym, jaka Paula jest wyjątkowa, a Paula starała się nie myśleć o tym, jak jej infantylne rozważania o sensie życia przeplatane ambitnym wywodem o cellulitisie wpłyną na ich znajomość.

– Zjedz pączka i niczym się nie przejmuj, jak chcesz, to zatrzymamy się na najbliższej stacji i ci go kupię.

– Nie wiem, chyba nie powinnam. Moja mama ma świra na punkcie zdrowej żywności. Codziennie ćwiczy i jest, wiesz... taka eko.

Nie jesteś nią. Jesteś sobą.

– Czasami zapominam, kim jestem. Chcąc być miłą dla każdego, gdzieś po drodze gubię siebie. Ten cały fit idealny świat mnie męczy. Facebook też mnie męczy... W wirtualnym świecie dla innych jesteśmy warci tyle, ile liczba lajków pod naszym ostatnim postem. Dlatego zdecydowałam się z tobą pojechać. Bo mam dość tej swojej idealności. Mam dość życia pod linijkę i w zgodzie z oczekiwaniami innych. Masz rację, wpieprzę pączka i popiję go colą, i wcale nie taką light, ale taką obrzydliwą z cukrem. Potem beknę, jeśli pozwolisz, mogę to zrobić tak, abyś nie słyszał.

– Nie krępuj się. Nic, co ludzkie, nie jest mi obce. – Uśmiechnął się do dziewczyny.

To, co mu wyznała, może i było śmieszne, lecz jej wcale nie było do śmiechu. Idealność ją męczyła, sprawiając, że z coraz większym trudem łapała oddech tak potrzebny do życia. Spojrzała jeszcze raz na Mikołaja i postanowiła, że do piątku nie pomyśli o tym, co powinna, a zajmie się wszystkim, czym zajmować się nie powinna. Nagle poczuła niesamowitą wolność. Oddech w płucach stał się przyczyną radości, którą przeżyła w trakcie następnych dni. Dni, które miały zmienić jej życie już na zawsze.

***

Może i była małolatą, na którą nie powinien był zwracać uwagi, może i za te trzy dni przyjdzie mu zapłacić wysoką cenę, lecz nie zamierzał zawracać z kursu, który obrał godzinę wcześniej. Jego auto mknęło tak szybko, że karoseria rozmywała się na oczach przechodniów. Miał poczucie, że zostawia za sobą wszystko, co przeżył dotychczas, i zbliża się ku nowemu. Otwiera się na nieznane.

Zaskoczyły go jej słowa: „Jesteśmy warci tyle, ile liczba lajków pod naszym ostatnim postem". Były nad wyraz przemyślane i dojrzałe jak na słowa dwudziestoczterolatki. Nie mógł się jednak z nimi nie zgodzić. Nigdy nie był zwolennikiem wirtualnego świata i rządzących nim praw. Jego także zaczynała już denerwować moda na wystawianie zdjęć nagich brzuchów, których kratka wynikała z bycia na niewyobrażalnie trudnej diecie oraz katowania się jeszcze bardziej niewyobrażalną liczbą treningów. Oczywiście wszystko sukcesywnie podsycane było motywacjami płynącymi z profili ludzi, którym wystarczyło wysłać za darmo opakowanie białkowej odżywki, aby w poczuciu wdzięczności głosili wyssane z palca brednie o tym, że jeśli nie wykonamy codziennego treningu, zostaniemy uznani za ludzi leniwych i zaniedbanych. Nie dziwił się, że dziewczyna ma tego dość.

Sam kiedyś był uzależniony od bycia perfekcyjnym. Ćwiczył i biegał każdego dnia, wydawało mu się bowiem, że w ten sposób uzyska kontrolę nad własnym ciałem i życiem. Ciało zaczęło szwankować, a życie się rozsypało. Nikt nie pamiętał już, jaką miał życiówkę na maratonie, za to doskonale pamiętały ją jego stawy.

– Chce mi się siusiu, czy możesz się zatrzymać? – zapytała.

– Jasne, wytrzymasz do najbliższej stacji czy mam zatrzymać się w lesie?

– Wytrzymam – odparła i wróciła do swoich rozmyślań.

Jej bezpośredniość była rozbrajająca. Każda siedząca na jej miejscu kobieta powiedziałaby, że chce skorzystać z toalety, a ona po prostu nazywała sprawy po imieniu. Chciało jej się siusiu, chciała zjeść pączka i napić się coli, po której mogłaby siarczyście beknąć. Wszystko razem opakowane w wygląd cherubina dodawało jej niebywałego uroku, któremu nie mógł się oprzeć.

Chwilę potem zatrzymali się na stacji benzynowej. Kiedy poszła do łazienki, on w tym czasie zatankował auto, kupił jej pączka i napój, o którym tak marzyła.

– Może nie jest to pączek najwyższych lotów, ale zawsze pączek. – Podał jej plastikowe pudełko z zawartością tłustego ciastka i odkręcił butelkę z gazowanym napojem.

Za radość w jej oczach zapłacił niespełna dziesięć złotych. Nie pamiętał już, kiedy ostatnimi czasy tak mało wydał na zaspokojenie kobiecych marzeń. Nie przeszkadzało mu, że razem z tym pączkiem zapakowała się do jego wozu. Nie przeszkadzał mu ani jego zapach, ani nic, na co dotychczas nigdy w życiu by się nie zgodził. Jadła z takim smakiem i radością, że za ten widok mógłby zapłacić po stokroć więcej. Kiedy przełknęła ostatni kęs i popiła wszystko colą, stwierdziła z przerażeniem: „nie zapytałam, czy chcesz gryza". Roześmiał się, informując ją, że gdyby chciał, toby sobie kupił.

Nie odważyła się beknąć, chociaż może jej się nie chciało? A może bała się, że ta czynność pozbawi ją kobiecości. Patrząc na nią, był w stu procentach przekonany, że gdyby nawet zobaczył ją siedzącą na toalecie, pociągałaby go tak samo.

Przez całą drogę nie zapytała dokąd ani na jak długo jadą. Kręciła się na fotelu, dając mu do zrozumienia, że chciałaby już wysiąść. Nieoczekiwanie wyciągnęła lakier do paznokci w kolorze wściekłego euforycznego różu, odkręciła go i zaczęła sobie malować paznokcie. Postawiła odkręconą buteleczkę na desce rozdzielczej auta, za którego równowartość można by było zbudować dom. Zdawała się nie widzieć tego, co ją otacza.

Była skupiona na tym, że właśnie wylogowała się z życia codziennego i zamierza fajnie spędzić czas, bez względu na okoliczności. Mikołaj bez słowa przytrzymał buteleczkę, która podczas zakrętu o mały włos nie wylądowała na jego spodniach. Uśmiechnęła się, podziękowała i wróciła do zajęcia. Po wszystkim poprosiła o opuszczenie oparcia fotela, położyła dłonie na kolanach swoich skrzyżowanych nóg, zamknęła oczy i odpłynęła. Wyglądała na szczęśliwą. Jej twarz wyrażała głęboką ufność. Przyrzekł sobie w myślach, że jej nie zawiedzie. Choćby nie wiadomo co, dla tej dziewczyny był gotów zrobić wiele... Jeśli nie wszystko.

***

Żal mu było ją budzić. Spała jak małe dziecko. Ramiona rozłożone miała po bokach ciała w taki sposób, że mógł się przyglądać wnętrzu jej małych dłoni. Palcem wskazującym pogłaskał jej gładki policzek. Nieoczekiwanie otworzyła oczy i zapytała:

– Długo się tak na mnie patrzysz?

Postanowił zignorować to pytanie w obawie, że powiedzenie prawdy ją wystraszy. Patrzył tak na nią prawie godzinę.

– Dojechaliśmy na miejsce.

– Gdzie jesteśmy?

– Wyjdź i sama zobacz.

Narzuciła na siebie bluzę, którą prawdopodobnie przykrył ją, kiedy spała. Pachniała nim tak bardzo, że jej aromat na chwilę przyćmił zapach morza ukazującego się jej oczom.

– Zabrałeś mnie nad morze! To cudownie! Uwielbiam morze, wiesz. – Niespodziewanie wskoczyła na Mikołaja, obejmując go w pasie nogami. Otworzyła szeroko ręce i zaczęła krzyczeć:

– Jestem królową życia, jestem królową życia, jestem królową życia!!!

Była naprawdę piękna w tej radości. W kąciku jej ust dostrzegł okruchy zjedzonego wcześniej pączka, to tylko dodawało jej uroku. Trzymał ją w swoich silnych ramionach, całując tak, jakby jutro miało nie nadejść. Zeskoczyła z jego rąk, tym samym przerywając pocałunek. Jego bluza sięgała jej do kolan, co wcale nie przeszkadzało w tańcu. Wirowała biodrami, poruszała klatką piersiową i śmiała się w głos. Tętniło w niej życie.

– Zostaniemy tu na noc? – zapytała.

– Jeśli tylko chcesz – zgodził się szybciej, niż pomyślał.

– To cudownie! – Wróciła do tańca, a jego naszły wątpliwości.

– Paulinko, zostaniemy pod warunkiem, że zadzwonisz do rodziców.

– Daj spokój, wyluzuj trochę. Jak zadzwonię, to będą usiłowali mnie przekonać, że to nie jest dobry pomysł.

Faktycznie, było w tym trochę racji.

– Mama to może i jeszcze zrozumie, ale ojciec zaraz tu po mnie przyjedzie.

– To chociaż napisz im SMS. Będą się o ciebie martwić.

Spojrzał na nią surowym wzrokiem.

– Dobrze, tatooo – odpowiedziała, po czym przerwała taniec, chwyciła za swój smartfon i szybko wystukała wiadomość do matki. – Gotowe! Jesteś zadowolony?

– Jestem spokojny, że twoi rodzice nie będą cię szukać.

– Teraz jeszcze muszę wyłączyć telefon, bo za chwilę zacznie się istne bombardowanie. – Jak powiedziała, tak zrobiła.

W tym całym wylogowaniu z życia ktoś musiał zachować resztki rozsądku. Na samo wyobrażenie tego, co poczuje jej ojciec, gdy ona nie wróci na noc, zrobiło mu się gorąco.

– Jestem głodna – oznajmiła.

– Zaraz pojedziemy coś zjeść. Na co masz ochotę?

– Ale nie mam pieniędzy – dodała.

– Niczym się nie martw. Zapraszam. Na co masz ochotę? – ponowił pytanie.

– Zjadłabym pizzę albo makaron. Sama nie wiem. Może to i to! Tak, jestem taka głodna, że zjem wszystko.

Wsiedli do auta i pojechali do pizzerii położonej przy samym molo. Paulina, zgodnie z postanowieniem, zamówiła makaron i pizzę. Pochłonęła wszystko, domawiając jeszcze deser.

– Jestem taka najedzona, że chyba stąd nie wyjdę. Trochę głupio, że nie mam kasy, aby dorzucić się do rachunku, ale... najwyżej odpracuję to dzisiejszej nocy. – Roześmiała się, składając na jego ustach pocałunek. Jej bezceremonialność wprawiała go w osłupienie. Przy niej przenosił się w inną rzeczywistość. Widział świat jej oczami, bawiąc się doskonale.

– Tak naprawdę, to żartowałam z tym wielkim tyłkiem – wypaliła między jednym a drugim kęsem tiramisu. – W sumie to lubię swoje ciało. Lubię być kobietą, nosić koronkowe majtki i fajne staniki. Lubię jeszcze się psikać perfumami i robić wszystkie te rzeczy, które często uważane są za oznakę próżności. Nie uważam, abym była próżna dlatego, że maluję paznokcie. Ładny jest ten kolor prawda? – Zamachała mu przed oczami świeżym manikiurem.

– Bardzo ładny – odpowiedział zgodnie z prawdą.

– A ty co lubisz?

– Ja?

– Tak, ty. Chciałabym się dowiedzieć o tobie czegoś więcej, niż wiem.

– A co o mnie wiesz? – zapytał, próbując zyskać na czasie.

– Niełądnie jest odpowiadać pytaniem na pytanie, ale dobrze, odpowiem ci. Wiem, że się rozwiodłeś, wiem, że masz małego synka, wiem, że lubisz szpanerskie auta i wiem, że czasami kłamiesz?

– Ja? Kłamię? – zdziwił się.

– Oczywiście. Dzisiaj, kiedy spałam, gapiłeś się na mnie przynajmniej z godzinę. Tylko mi nie mów, że to coś – wskazała na zaparkowane auto – wlokło się ze Szczecina do Międzyzdrojów prawie trzy godziny? Na bank mi się przyglądałeś. – Klasnęła w ręce, jakby dokonała wielkiego odkrycia.

– Okay, przyłapałaś mnie. Przyznaję się, masz rację. Przyglądałem ci się. – Rozłożył ramiona w geście poddania.

– To teraz mi powiedz grzecznie, co lubisz.

Pytanie na pozór nie było trudne, ale on sam już tak dawno go sobie nie zadawał, że nie wiedział, jaka jest odpowiedź. Po chwili namysłu zaczął mówić:

– Kiedyś lubiłem układać puzzle. Bardzo mnie uspokajały. Kiedy matka kłóciła się z pijanym ojcem, uciekałem w świat małych oderwanych od siebie elementów całości. Kiedy udało mi się złożyć cały obrazek, miałem poczucie, że nad czymś panuję. Lubiłem jeszcze jeździć na rowerze. Miałem taki składak, którego szprychy owijałem kolorowymi drucikami. Niestety ojciec go sprzedał... zapewne brakowało mu do wódki. Wydawało mi się, że gdy kupię sobie fajny samochód, będę go lubił tak bardzo, że zapomnę o tamtym rowerze.

Później lubiłem bardzo moją dziewczynę. W zasadzie kochałem ją, ale... jej już nie ma i nie powinienem ci tego mówić, ale zapytałaś, co lubię, więc... Dziś, kiedy przyglądałem się tobie, gdy spałaś, sprawiło mi to ogromną przyjemność, więc chyba to lubię. Lubię cię słuchać i przyglądać się, jak się śmiejesz. Przypominasz mi kogoś…

Nieoczekiwanie rozmowa z lekkiej przybrała postać nieco zawirowaną. Paula nie spodziewała się tak szczerego wyznania. Czuła się przy nim swobodnie, ale nie na tyle, aby zadawać kolejne pytania o jego dawną przeszłość. Postanowiła więc wrócić do rzeczywistości.

– Musimy wracać do Szczecina – zarządziła.

– Czyżbym cię znudził swoim wyznaniem? – wystraszył się, że jego nadmierna wylewność spowodowała w niej chęć powrotu.

– Przecież zostawiliśmy Stinkusia! – krzyknęła. – Trzeba podlać też kaktusy pani Hani i zrobimy coś, co kiedyś lubiłeś.

– Czyli?

– Poukładamy puzzle i pojeździmy rowerami. Może nie takimi z drucikami w szprychach, ale takimi miejskimi, wiesz, wypożyczymy sobie.

– Jesteś szalona, dziewczyno. – Przytulił ją do siebie tak mocno, że zabrakło jej tchu.

***

Kiedy wracali, zatrzymali się na stacji benzynowej. Tradycyjnie Paula poszła zrobić siusiu. Gdy zniknęła za rogiem, Mikołaj wyciągnął swój smartfon, wyszukał w internecie strony gabinetu, w którym pracowała jej matka, i wykonał telefon. Jakimś cudem udało mu się przekonać przemiłą pracownicę recepcji, aby przekazała słuchawkę doktor Leońskiej.

– Laura Leońska przy telefonie – przedstawiła się starym, poczciwym sposobem.

– Dobry wieczór, miałem szczęście, że zastałem panią w pracy o tej porze. – Ucieszył się, gdy ją usłyszał.

– Dziś akurat pracuję do końca zmiany. W czym mogę panu pomóc? – zapytała miło.

– Nie przedstawiłem się, przepraszam. Nazywam się Mikołaj Klimant, mieliśmy przyjemność poznać się u pani w domu.

– Proszę chwileczkę zaczekać. – Kobieta przeprosiła pacjenta, opuściła gabinet i poszukała sobie miejsca do swobodnej rozmowy. – Już jestem, przepraszam.

– Nic nie szkodzi.

– Panie Mikołaju, obawiam się, że pan zwariował do reszty, porywając moją córkę.

– Pani Lauro, zwariowałem to ja raczej na punkcie pani córki. Proszę mi wybaczyć to młodociane zachowanie. W moim wieku to raczej nie przystoi, wiem. Chciałem jednak zapewnić panią, że ze mną nic Pauli nie grozi. Przywiozę ją do domu w piątek rano.

– W piątek? Panie Mikołaju, mój mąż pana zastrzeli. Jak nic będzie na pana czekał z wiatrówką. Zachowuje się pan…

– Wiem, jak się zachowuję. Proszę mi na to pozwolić. Pani córce włos z głowy nie spadnie.

Paula właśnie wyszła z toalety i pomachała wesoło do Mikołaja, po czym oddaliła się w kierunku gabloty z pączkami.

– W piątek o dziesiątej proszę przywieść Paulę. Będę w domu, to postaram się jakoś uratować pana przed zagładą.

– Poradzę sobie, ale dziękuję. A i jeszcze jedno…

– Błagam, tylko niech mnie pan już o nic nie prosi.

– Właśnie chciałbym prosić, aby ta rozmowa została między nami.

– Paulinka nie wie, że rozmawiamy? – zdziwiła się.

– Nie wie. Właśnie wybiera sobie pączka i ...nie chciałbym jej psuć nastroju. Zadzwoniłem, bo też jestem rodzicem i domyślam się, co mogą państwo czuć.

– Pączka? Moja córka je pączka?

– Jeszcze nie je, ale za chwilę...

– Teraz to ja przepraszam, czasami zapominam, że Paula już od dawna jest pełnoletnia. Proszę ją uściskać, chociaż tak w tajemnicy.

– Uczynię to z pewnością.

– Nie wątpię, panie Mikołaju. Nie wątpię – powtórzyła, opuszczając toaletę, w której zmuszona była tę rozmowę przeprowadzić.

Kiedy skończył z nią rozmawiać, wysłał jeszcze SMS do Patryka. Poinformował przyjaciela, że wszystko jest okay i że czeka na nich w piątek, w ich domu. Kiedy to uczynił, wyłączył telefon i dołączył do stojącej przy pączkach Pauli. Objął ją od tyłu, zanurzając nos w zapachu jej włosów.

– Wybrałaś już?

– Właśnie nie mogę się zdecydować.

– Przecież wszystkie są takie same – zauważył.

– Mylisz się, niektóre są z dżemem, a niektóre z nutellą. Wezmę oba. – Uśmiechnęła się. – Najwyżej tylko nadgryzę.

– Świetna decyzja.

– Z kim rozmawiałeś? – zapytała, gdy płacił za benzynę i pączki.

– Później ci powiem.

– Okay. – Nie drążyła tematu, bo właśnie zajęła się pałaszowaniem tłustego ciastka. Mikołaj miał nadzieję, że wyleci jej to z głowy i nie wróci już do tematu. Nie chciał kłamać i, jak się później okazało, nie musiał.

***

Stinki przywitał ich wesołym merdaniem ogonem i błagalnym spojrzeniem w kierunku pustej miski na jedzenie. Paula wyściskała zwierzę i nasypała świeżej karmy. Miała wyrzuty sumienia, które przerodziły się w smakowite wynagrodzenie tego psiakowi dodatkową kostką.

Lodówka Słupskich świeciła pustkami. Na szczęście znalazła w niej karton mleka, więc przygotowała gorące kakao. Do kubka z gorącym napojem wrzuciła dwie kostki mlecznej czekolady. Ten drobny zabieg sprawił, że nie sposób było oderwać się od napoju. Mikołaj czekał na nią na tarasie, rozkoszując się powietrzem wiosennego wieczoru. Usiadła przy nim, opierając swoje plecy o jego klatkę piersiową. Pili kakao, ciesząc się przyjaznym milczeniem. Potem wstali bez słowa i udali się do łazienki. Spędzili godzinę na wspólnej kąpieli i rozmowach o wszystkim i o niczym. Mikołajowi nie przeszkadzał fakt, że użyła jego szczoteczki do zębów. Każdy jej ruch, gest, spojrzenie spotykały się z jego aprobatą. Przebywanie z nią nie było iluzją bliskości, było bliskością samą w sobie. Takich odczuć nie jest w stanie zapewnić najlepiej skonstruowany portal społecznościowy na świecie.

Wziął ją na ręce, pozwalając, aby oplotła jego ciało swoimi nogami. Bez słowa położył ją na łóżku w sypialni, którą zajmował. Cieszył oczy widokiem dziewczyny, upajając się aksamitną gładkością jej ciała. Zabawne w tym wszystkim było to, że jej ruchy i gesty niczym nie przypominały ruchów młodych kobiet onieśmielonych pierwszymi seksualnymi uniesieniami. Była pewna siebie i nad wyraz otwarta, dokładnie wiedziała, czego chce i potrafiła bezwstydnie się o to upomnieć, prowadząc jego dłonie w miejsca dostępne tylko dla niego. Kochali się. Długo, powoli i namiętnie. Nie potrafili nasycić się smakiem własnych ciał.

Przy niej nie potrzebował lampki wina na rozluźnienie, nie udawał kogoś, kim nigdy nie był, z prostej przyczyny... ona tego nie wymagała. W jej oczach widział akceptację i szacunek do tego, co wyrażał wnętrzem, a nie zawartością portfela. Mógł podarować jej wszystko, mógł podarować jej cały świat, a ona... ona cieszyła się z pączka, piła z nim kakao z jednego kubka i myła zęby jego szczoteczką. To miała być tylko chwila wyrwana z codzienności. To miała być tylko przygoda...

Położył głowę pomiędzy jej nagimi piersiami i słuchając przyspieszonego bicia jej serca, wiedział, że gdyby tylko chciała, byłby gotów zmienić dla niej wszystko. Usnął z tą myślą.

Rankiem, zanim zdążyła otworzyć oczy, w jej policzkach pojawiły się dołeczki. Ich widok nie zdołał umknąć jego uwadze. Na poduszce przy jej twarzy leżał bukiet bzów. Zapach gałązek mieszał się z zapachem kawy, dżemu i maślanych rogalików.

– Znowu byłeś u sąsiada? – zapytała wesoło, wskazując na bukiet.

– Oj tam, znowu, dopiero drugi raz. Byłem też w sklepie – próbował się tłumaczyć.

– Zobaczysz, poszczuje cię psami.

– „Dla ciebie mógłbym zrobić wszystko, co zechcesz, powiedz tylko, naprawdę na dużo mnie stać” – zanucił kawałek piosenki.

– Już kiedyś mi śpiewałeś coś podobnego, to miłe, dziękuję. – Pocałowała czubek jego nosa, zostawiając na nim kawałek dżemu.

Patrzył, jak je, a sam nie mógł nic przełknąć. „Dla ciebie mógłbym wszystko zmienić, mógłbym nawet uwierzyć, naprawdę na dużo mnie stać" – dokończył w myślach.

– Skoro zrobisz dla mnie wszystko, to mam świetny pomysł.

– O, matko…

– Nie „o, matko", nie „o, matko"! Idziemy na rowery!

– Właśnie tego się obawiałem – żartował.

– Nie będziesz żałował – krzyknęła, wyskakując z łóżka.

Usłyszał strumień wody, obijający się o kabinę prysznica. Poszedł za nią i zrobił z nią to, co mógłby robić już zawsze, gdyby tylko mu na to pozwoliła. Po wszystkim zostawiła go samego, oświadczając, że idzie się ubrać. Mył się, przyglądając się temu, jak rozczesuje mokre włosy, smaruje twarz kremem i owinięta w biały frotowy ręcznik znika za drzwiami łazienki tylko po to, aby po chwili wrócić.

– Jak wyglądam? – Rozkładając szeroko ramiona, okręciła się dookoła.

– Włożyłaś moją koszulę? – zapytał.

– Pasuje mi, prawda? Całkiem fajna sukienka się z niej zrobiła – zachwyciła się swoim pomysłem.

Wyglądała obłędnie. Błękit koszuli podkreślał błękit jej oczu i efektownie zgrywał się z jasną czupryną. Przyciągnął Paulę do siebie, aby pocałować. Wilgoć jej włosów musnęła jego szorstką twarz. Gładził jej plecy, powoli zjeżdżając w dół rękoma.

– Nie masz majtek! – zauważył.

– Nie bądź taki drobiazgowy – obruszyła się.

– Przeziębisz się!

– Skarbie, na dworze jest wyjątkowo ciepło! Prędzej się spocę, niż przeziębię. Poza tym nie zapominaj, że mnie porwałeś spod uczelni. W mojej torbie mam tylko parę książek, telefon i błyszczyk do ust. No i jeszcze lakier do paznokci. Nie noszę ze sobą całej garderoby.

– Fakt, masz rację. Pojedziemy na zakupy – zadecydował.

– Nie ma mowy! Idziemy na rowery!

– Bez majtek? Chcesz jeździć na rowerze bez majtek? – Otworzył szerzej oczy ze zdziwienia.

– Lepiej bez majtek, niż w brudnych majtkach, wszystko jest kwestią wyboru. W gacie Dagi raczej się nie wbiję. Tak szczerze mówiąc, to jak będę wpierdzielać te pączki, to niedługo nawet w swoje gacie się nie wbiję. Twoje też na mnie nie pasowały, przykro mi – Rozłożyła dłonie.

– Mierzyłaś moje majtki? – Był zszokowany.

– Tylko dwie pary, ale ja nie lubię bokserek. Poza tym ta kieszonka z przodu na, wiesz, no… no wiesz na co… w każdym razie ona mi odstawała i nie pasowała do tej sukienki, to zrezygnowałam.

– Jesteś niemożliwa. – Złapał się za głowę. – Jesteś niemożliwa, jesteś niemożliwa – powtórzył jeszcze kilka razy, śmiejąc się w głos między słowami.

– Ale lubisz mnie?

– Czy się lubię? – Ja cię… – Przerwał na chwilę po to, aby wziąć głęboki oddech. – Ja cię uwielbiam, dziewczyno. – Dodał po chwili, choć na usta cisnęły mu się słowa o dużo głębszym znaczeniu.

Jadąc w kierunku miasta, wielokrotnie próbował ją przekonać do tego, aby po drodze zajechali kupić majtki, jednak się nie zgodziła, twierdząc, że ma gdzieś wszystko, co powinna robić, bo tak trzeba.

– Do piątku mamy wszystko gdzieś, pamiętasz? – przypomniała mu. Przestał więc dyskutować.

Wypożyczyli dwa rowery oraz przyczepkę dla Stinkiego. Paula uparła się, że koniecznie muszą zabrać psa na wycieczkę. Dziewczyna kompletnie go zdominowała, na co bez żadnych oporów jej pozwalał, co więcej, sprawiało mu to przyjemność. Uparła się, że to ona będzie ciągnęła za sobą przyczepę, argumentując swoją decyzję tym, że na pewno prędzej zauważy dołki mogące spowodować dyskomfort w podróżowaniu zwierzaka. Przyglądał się jej, kiedy wsiadała na rower, zabawnie okręcając swoje nogi jego koszulą.

– Nie chcę się przeziębić – odparła, zauważywszy, że ją obserwuje.

– Jasna sprawa, przecież nic nie mówię – odpowiedział.

– Ale patrzysz na mnie, tak dziwnie na mnie patrzysz.

– Przepraszam, już nie będę. – Zamknął oczy, dygocząc wewnątrz ze śmiechu.

– Dobra, możesz otworzyć – zezwoliła.

Mikołaj otworzył jedno oko, aby sprawdzić, czy nie zmieni zdania.

– Przecież nie będziesz jechał z zamkniętymi oczami, prawda? Jeszcze się przewrócisz.

Miłe było to, co powiedziała. Nieświadomie przekazała mu informację, że się o niego martwi i że jest dla niej ważny. Jechał za nią, a wiatr rozwiewał jej włosy, roznosząc dookoła ich zapach. Przyglądał się szczecińskim jasnym błoniom.

W miejscu, w którym kiedyś stała ławka, na której całowali się ze Sterną, ustawiono klomby z różnokolorowymi kwiatami. Tuż za klombami stał krępej budowy mężczyzna sprzedający pstrokate balony. Jakaś matka próbowała pogodzić dwójkę rozkrzyczanych dzieci, awanturujących się o coś, co było niesłyszalne dla jego uszu. Miał wrażenie, że nie przeżył wszystkich tych lat, które nastąpiły po tym, jak ostatni raz trzymał w ramionach miłość swojego życia. Ktoś jakby wcisnął pauzę. Odblokowała ją dziewczyna jadąca przed nim.

Rower, na którym jechał, może i nie miał kolorowych drucików wplecionych między szprychy, ale miał jedną nieporównywalną z niczym zaletę – w ciągu kilku minut wymieszał przeszłość z teraźniejszością, siejąc nadzieję na to, że jeszcze nic nie jest do końca stracone i że „naprawdę na dużo go stać".

Podziękował Pauli za tę wycieczkę i zaproponował, że tym razem on zadecyduje, co dzisiaj zjedzą i że na pewno nie będzie to ani pizza, ani pączki. Zgodziła się natychmiast, ale pod warunkiem, że potem pojadą na jej ulubione lody. Obiecał spełnić jej życzenie, stawiając własny warunek (miała włożyć majtki).

Ostatecznie pojechali do sklepu, w którym kupił wszystko, co było mu potrzebne do przygotowania posiłku. W drodze do kasy wrzucił do koszyka pudełko z bielizną w rozmiarze „xs".

– Dziękuję za komplement, ale w to, co właśnie wrzuciłeś do kosza, może zdołam wcisnąć jedną swoją nogę. – Wymieniła majtki na rozmiar „m", śmiejąc się z sytuacji.

– Gdybyś mi tylko pozwoliła, zabrałbym cię do normalnego sklepu i kupiłbym ci bieliznę, jaką tylko byś chciała.

– Przecież jesteśmy w normalnym sklepie, prawda? Rozejrzyj się, tu jest naprawdę fajnie, zobacz.

Oparła nogę o kant wózka i odepchnęła się, zmieniając go w jednej chwili w hulajnogę. Niewiele myśląc, dołączył do niej i teraz oboje jechali przed siebie na sklepowym wózku. Już nie pamiętał, kiedy robił coś równie ekscytującego. Zapomniał o całym świecie, sięgając po kiść winogron, którą oboje skonsumowali w trakcie przejażdżki. Kiedy już zmęczyli się tym wyścigiem, śmiejąc się i żartując, udali się do kasy. Na końcu czekała nieoczekiwana „niespodzianka".

– Przepraszam państwa, czy mogę prosić na słowo? – zagadnął mężczyzna, przyodziany w służbowy uniform koloru czarnego. Szerokie nogawki zdecydowanie pomieściłyby jeszcze jego brata bliźniaka.

– Coś się stało? – zapytał grzecznie Mikołaj, oddalając się od kasy.

– Owszem – odparł mężczyzna.

Paula złapała Mikołaja za rękę, przybierając nieco bardziej poważną postawę.

– Kamery zarejestrowały, że spożyli państwo na terenie sklepu winogrona, za które nie została uiszczona płatność – rzekł zadowolony z siebie ochroniarz, dumnie prezentując przed ich nosem gałązkę. Mikołaj prawdopodobnie pozbył się jej w chwili uniesienia.

Paula wybuchnęła śmiechem.

– Proszę się nie śmiać, młoda damo, bo zaraz zawołamy policję i pani tatuś będzie musiał złożyć zeznania. – Mężczyzna próbował ją straszyć.

– To nie jest mój tata, to mój chłopak. Spieszymy się do domu na seks, więc może zapłacimy za te winogrona i będzie po sprawie, okay? Nie mam na sobie majtek i trochę mi zimno od tej waszej klimatyzacji.

Mikołaj szturchnął Paulę, próbując przywołać ją do porządku. Twarz ochroniarza przybrała barwę dorodnego pomidora, za niego akurat zapłacili.

– Proszę pana, moja przyjaciółka ma rację. Absolutnie się z panem zgadzam, proszę przynieść kiść winogron, zważymy ją, zapłacę i będzie po sprawie.

– Tak też uczynię – rzekł służbowym tonem ochroniarz, udając się w kierunku stoiska z owocami.

Kiedy oddalił się na tyle daleko, aby nie móc usłyszeć ich rozmowy, Paula zapytała:

– Może zwiejemy?

– Paulinko, ja jestem dość znanym warszawskim prawnikiem. Nie chcesz chyba, aby jutro w każdym radiu trąbili, że łamię prawo, rozbijając się po sklepie wózkiem i kradnąc winogrona? Jeszcze dodatkowo o pedofilię mnie posądzą, kochanie, proszę cię. Twój ojciec na pewno się z nimi zgodzi i sam dobrowolnie zgłosi się na świadka.

– Masz rację. To lepiej poczekajmy – zgodziła się, siląc się na powagę. – Jestem trochę głodna, a ty? I chce mi się siku.

– Wytrzymasz, maleńka.

Po chwili wrócił ochroniarz z o wiele za dużą porcją winogron. Paula postanowiła wyrazić swoje niezadowolenie.

– Tak dużo? Przecież w życiu tyle nie zjedliśmy!

– Jak pani woli, to możemy zawołać policję i wyjaśnimy tę sprawę, przeglądając monitoring.

– Nie, nie. To nie będzie konieczne. Zapłacimy i po sprawie – wtrącił się Mikołaj, wciskając mężczyźnie pięćdziesięciozłotowy banknot.

– To za dużo, proszę pana.

– Resztę niech pan zatrzyma, za fatygę. Bardzo przepraszam za swoje zachowanie. Odebrało mi rozum przy narzeczonej – rzekł, próbując domknąć temat.

Ochroniarz wydawał się niewzruszony papierkiem koloru niebieskiego.

– Zaraz przyniosę resztę i udamy się na zaplecze spisać protokół – oznajmił.

– Jaki protokół, proszę pana? Przecież to niedorzeczne! – Tym razem Mikołaj się obruszył.

– Spokojnie, kochanie, może być fajnie, byłeś kiedyś na zapleczu spożywczaka? Bo ja nie i chętnie zobaczę, jak tam jest.

– Paulinko, zabiorę cię w milion innych miejsc, w których jeszcze nie byłaś, i przywieziesz z nich cudowne wspomnienia. Nie uważam, aby było coś godnego uwagi na zapleczu spożywczaka.

– No, chodź. – Pociągnęła go za rękaw i oboje podreptali za ochroniarzem.

Weszli do pomieszczenia, które wyglądem całkowicie odbiegało od wyobrażenia Pauli na temat zapleczy sklepów spożywczych. Odcień ścian oznajmiał, że od momentu oddania ich do użytkowania, nie zaznały radości miziania pędzlem. Wewnątrz nie było żadnego okna. Na środku stało biurko, a na nim leżały protokoły bezlitośnie zdradzające, że położenie tych dwojga wcale nie jest sytuacją wyjątkową i niespotykaną.

Do pokoju wszedł kierownik sklepu i poprosił ich o dowody osobiste. To, co się stało później, zaimponowało Pauli do tego stopnia, że zaczęła patrzeć na Mikołaja całkiem innym okiem. Obiekt jej westchnień w trzech żołnierskich słowach wytłumaczył panom zajmującym zaszczytne służbowe stanowiska, że zgodnie z prawem nie mogą ich zmusić do wylegitymowania się. Za winogrona uiszczono opłatę, sprawa została wyjaśniona, a sytuacja, w którą zostali wciągnięci, jest nikomu niepotrzebną stratą czasu. Panowie, widząc, że niewiele mogą jeszcze zdziałać, wymienili między sobą porozumiewawcze spojrzenia, i aby nie tracić swojej twarzy do końca, nakazali im podpisać ten nieszczęsny protokół.

Paula szybko poskładała fakty, skoro nie mogą ich wylegitymować, to przecież nie wiedzą, jak naprawdę brzmią ich nazwiska. Ma więc niepowtarzalną szansę, tę jedną jedyną w życiu, aby stać się kimś, kim nigdy, przenigdy nie będzie, a kim bardzo chciałaby być.

Niewiele myśląc, napisała: „Madonna", po czym wręczyła długopis Mikołajowi. Ten, kiedy to zobaczył, spojrzał na nią oczami wyrażającymi bezsilność, pomieszaną z obezwładniającą potrzebą ryknięcia głośnym śmiechem. Wziął długopis do ręki i podpisał się pod protokołem: „James Bond". Po czym wyszli stamtąd, powstrzymując się od głośnego wyrażenia tego, co czuli. Kiedy szklane drzwi zasunęły się za nimi, wybuchnęli głośnym śmiechem.

– Nie wiedziałem, że sypiam z Madonną!

– A ja nie wiedziałam, że jesteś Jamesem Bondem!

– Ci dwoje chyba nie mieli romansu? – zapytał.

– Romansu? Skądże znowu? W sklepie nazwałeś mnie narzeczoną, słyszałam wyraźnie.

Mikołaj już próbował coś powiedzieć na swoje wytłumaczenie, ale Paula mu na to nie pozwoliła.

– Spokojnie, nie musisz się tłumaczyć. Dobrze jest, jak jest – zakończyła temat. – Jestem potwornie głodna, a do obiadu pewnie jeszcze daleko. – Spojrzała na torbę z zakupami.

– Dobrze, pojedziemy na ten twój makaron i pizzę, będzie szybciej. Ale jutro zjemy normalny polski obiad – zarządził.

– Potrafisz gotować? – zdziwiła się.

Nie odpowiedział, tylko obdarzył ją zniewalającym uśmiechem.

Otworzył dla niej drzwi auta, po czym sam usiadł za kierownicą, chwycił jej małą dłoń i złożył na niej pocałunek, który mówił więcej, niż zdołała z niego wyczytać.

– Świetny kochanek i jeszcze umie gotować, niesamowite.

– Nic już nie mów. Jedziemy coś zjeść.

ROZDZIAŁ 8

Kolejny dzień razem minął im nad wyraz szybko. Rozmawiali, śmiali się, układali puzzle, bawili się z psem, kochali długo, namiętnie i za każdym razem bardziej dojrzale. Żadne z nich nie chciało doświadczyć tego, czego nadejście zbliżało się z minuty na minutę.

Piątkowe słońce, wdzierające się przez uchylone okno, obudziło ich bardzo wcześnie. Leżeli przytuleni do swoich nagich ciał. Powoli i niechętnie witali się z rzeczywistością.

Gdyby tak można było zatrzymać czas, byłaby teraz najszczęśliwszą dziewczyną na całej kuli ziemskiej. Niestety nie było to możliwe. Mikołaj, na którego piersi opierała swoją głowę, nie obiecywał jej niczego oprócz właśnie tych marnych chwil wyrwanych z rzeczywistości. Starała się porzucić oczekiwania, które niekontrolowanie mnożyły się w jej głowie. Czy robili coś złego? Czy to, że chyba się w nim zakochała, jest czymś złym? Czy muszą pytać o zdanie wszystkich tych, którzy będą wytykać palcami ich związek?

Jaki związek? Jaki związek? Jaki związek? – To pytanie głośno huczało w jej głowie i domagało się odpowiedzi.

Zmuszała się do tego, aby przyznać, że tak naprawdę żadnego związku między nimi nie ma i pewnie nigdy nie będzie.

Co z tego, że nazwał ją narzeczoną? Nawet gdyby tak myślał, to myślał tak wczoraj albo może przedwczoraj? Wraz z wyłączeniem telefonu i wylogowaniem się do życia zatraciła się w nim tak bardzo, że straciła rachubę czasu. Robiła te wszystkie euforyczne rzeczy, mówiła te wszystkie rozbrajające słowa, dając sobie prawo do braku jakiejkolwiek kontroli. Nie myślała o tym, co będzie, kiedy to się skończy. Doświadczała życia w każdej jego minucie. Rozluźniała ciało, pozwalając na to, aby było pieszczone, puszczała wolno umysł i żyła…

Teraz, leżąc obok niego, mogłaby przysiąc, że takiej zawartości życia w życiu nie doświadczyła nigdy.

Oddychał szeptem, w obawie, że wytrąci ją ze snu. Wiedział, że ten poranek nadejdzie, a chwil, których doświadczyli, nie da się odkupić. Z widokiem jej jasnych pleców nie chciał się żegnać. Odebrało mu rozum. Zaczęły do niego docierać fakty, które niczym układane dzień wcześniej puzzle bezlitośnie obnażały doświadczone prawdy. Rozum podpowiadał, że nie powinien tego przedłużać. Powinien odwieźć ją do domu, pożegnać się i zniknąć. Intuicja przekonywała, że ich koniec nie tak powinien wyglądać. Pomimo że od początku był uczciwy i jasno określił zasady, które zaakceptowała, teraz miał wyrzuty sumienia. Pierwszy raz, odkąd Sterna bezpowrotnie zniknęła z jego życia, miał wyrzuty sumienia w stosunku do kobiety.

Atmosfera między dwojgiem zrobiła się gęsta od myśli o tym, czego by chcieli, a czego nie powinni czynić. Wszechobecne stereotypy zatruły spontaniczność, w której ramionach jeszcze wczoraj ufnie przebywali.

Paula wstała i bez słowa poszła pod prysznic. Jeszcze wczoraj pobiegłby za nią a dziś... dziś nie potrafił. Nie chciał brać niczego na zapas.

Śniadanie zjedli w milczeniu, co jakiś czas kradnąc sobie pocałunki przesiąknięte tęsknotą.

Czy można za kimś tęsknić, kiedy ten ktoś siedzi przed nami? – zastanawiała się Paula. Tęskniła za nim bardzo. Zbliżając twarz do jego twarzy, wdychała zapach jego skóry, próbując nauczyć się go na pamięć. Zatopiła palce w jego gęstych włosach i patrząc mu głęboko w oczy, bez słowa prosiła o jeszcze kilka marnych chwil.

Komuś mogłoby się wydawać, że to nie ma sensu, że lepiej nie przedłużać trwającej agonii krwawiącego serca. Może lepiej zalogować się ponownie w swoim przewidywalnym życiu i wieść je spokojnie, bez większych emocji.

Emocje sponsorują czyny, które komplikują ludziom życie, często wystawiając ich na pośmiewisko. – Tak powiedziałaby mama. Paula jednak wolała przeżyć życie po swojemu. Chciała wejść do sklepu z marnymi chwilami i poprosić o jeszcze kilka. Zapłacić za nie łzami, wziętymi na kredyt. Chciała być stałym klientem, proszącym wciąż o to samo, choćby miała żyć skromnie, od pierwszego do pierwszego.

Nasypała karmy do psiej miski. Stinki, o dziwo, nie zerwał się po to, aby zacząć jeść, lecz przykleił swojej ciepłe futro do jej nóg, domagając się pieszczot. Może chciał odwrócić jej uwagę? Gdyby tak mogła cofnąć się w czasie o kilka dni i nie dopuścić do tego, z czym tak trudno było jej się teraz rozstać, może skorzystałaby z tej możliwości, lecz... nie była pewna, czy to byłoby dla niej lepsze.

Tradycyjnie otworzył jej drzwi auta, po czym usiadł za kierownicą i odpalił silnik. Gdyby nie jego warkot, można by było usłyszeć ciche cykanie zegarka, który zdobił przegub jego lewego nadgarstka. Chciał na nią patrzeć, a jednocześnie bał się spojrzeć w jej stronę. Kiedyś wydawało mu się, że nie ma serca. Mylił się. Zastanawiał się, co powinien w tej sytuacji zrobić. Po tym wszystkim, co się wydarzyło, ma teraz wyjść, odprowadzić ją do drzwi i powiedzieć „do widzenia"?

Z drugiej strony, co może jej zaoferować facet, który mógłby być jej ojcem. Nie należała do kobiet, którym imponowały jego pieniądze. Czymże one są? Kiedyś tak bardzo o nie zabiegał. Dzięki nim kupił sobie akceptację wielu ludzi, mógł im zaimponować i zostać dopuszczonym do obcowania w środowisku, które wydawało mu się atrakcyjne. Dziś na tę myśl ogarniał go pusty śmiech. Za żadne pieniądze świata nie kupiłby tych wszystkich momentów doświadczonych z nią.

Jeszcze siedziała obok. Skóra jej jasnych nóg prosiła o dotyk, a on miał sparaliżowane ręce. Co robić, kiedy nie wiemy, co robić?

Dojechali wreszcie pod jej dom.

– No, to co? Pocałujesz mnie i wrócimy grzecznie do pełnienia naszych społecznych ról – zarządziła.

Uśmiechnęła się przy tym prawie tak szeroko, jak jeszcze poprzedniego wieczoru. Nie dała po sobie poznać, że boli ją wszystko, łącznie z końcówkami włosów. Złapał ją za twarz i pocałował tak, jakby chciał nasycić się jej smakiem, chociaż wiedział, że to niemożliwe.

– Odprowadzić cię do drzwi?

– W paszczę lwa? Odważny jesteś – odparła z humorem, w który jeszcze kilka dni temu może by uwierzył. Otworzyła furtkę i wbiegła na podwórko swojego domu.

– Niczego się nie boję – krzyknął przez otwarte okno.

Usłyszawszy jego odważne wyznanie, odwróciła się i rzekła:

– To się dopiero okaże. Trzymaj się, Mikołaj. Dziękuję.

Nie zdążył jej podziękować. Nawet na to nie wpadł. Jak mógł nie pomyśleć o tym, że nie powinien rozstawać się z nią w ten sposób? Tylko jak miał się z nią rozstać? To, co zrobił, było chyba jednak najlepsze. Między nimi było ponad dwadzieścia lat różnicy. Miała przed sobą całe życie, podczas gdy on swoje życie zdążył już dokumentnie spaprać. Była czystą kartką, na której scenariusz powinien napisać ktoś w jej wieku. Ktoś, z kim wspólnie powinna przeżywać wszystko, co pierwsze. On mógł jej dać wszystko, nawet miłość, lecz nie mógł jej dać świeżości. Przynajmniej tak mu się wydawało.

Kiedy zniknęła za drzwiami rodzinnego domu, domyślał się, jakiego wykładu będzie zmuszona słuchać. Tak, jak się umówili, nie był to już jego problem. Umówili się na chwilę, parę westchnień, kilka dni... Powinien się teraz tego trzymać. Wracał w kierunku domu przyjaciela i myślał, że powinien być wdzięczny losowi za to, co mu podarował. W swoich oczach był starym obleśnym kapciem, któremu jakimś cudem dopisało szczęście i młoda dziewczyna ofiarowała kilka swoich dni.

Trzeba było spojrzeć prawdzie w oczy. Ten czas mógł minąć na podlewaniu kaktusów i wyprowadzaniu psa. Przypomniał sobie, co powiedział do niej w sklepie: „zabiorę cię w wiele pięknych miejsc". Bardzo chciałby się z tej obietnicy wywiązać. Nie rzucił słów na wiatr, nie powiedział ich, aby zyskać w jej oczach. Kiedy był z nią, czuł, że ma wszystko. Kiedy zniknęła, nie miał nic.

***

Zdjęła sandały w progu i uruchomiła swój smartfon. Dźwięk nadchodzących wiadomości natychmiast przywołał ojca. Stanął przed nią z twarzą wyrażającą gniew.

– No, młoda damo, co masz mi do powiedzenia?

Nie miała najmniejszej ochoty na emocjonalne przepychanki z własnym ojcem. Przed chwilą wykorzystała całą swoją energię, aby z udawaną radością pożegnać mężczyznę, o którego istnieniu nie chciała zapomnieć.

– Cześć, tatuś. Co u ciebie? – przywitała się, jak gdyby nigdy nic, po czym minęła ojca i poszła do kuchni. Nalała sobie kompotu i jednych haustem ugasiła pragnienie. – Mama zrobiła ten kompot czy ty? Bardzo dobry – grała na zwłokę.

– Ty mnie tu teraz kompotem nie zagaduj. Laura, Laura, gdzie jesteś? Wróciła córka marnotrawna. – Ojciec wrzeszczał na cały dom.

– Tatuś, nie krzycz. Uszy pękają – poprosiła.

– Uszy pękają? Mnie co innego pękło, jak ignorowałaś moje telefony. Serce mi pękło.

– Przepraszam, potrzebowałam chwili dla siebie. Wyłączyłam telefon.

– Chwili dla siebie? Na miłość boską, dziewczyno, ta twoja chwila trwała cały tydzień!

Do kuchni weszła matka.

– Co się tutaj dzieje? O, cześć, córeczko. Jak się czujesz? Dobrze cię widzieć. Odpoczęłaś?

Ojciec zdębiał po tym, co usłyszał z ust swojej własnej żony. Chwycił chochlę i zaczął sobie nalewać kompot. Dziewczyna też była zdziwiona tak spokojną reakcją matki.

– Czy ktoś tu mi wreszcie powie, co się dzieje? Gdzie byłaś tyle dni? Odpowiedz, bo za chwilę wyjdę…

– …bo za chwilę wyjdziesz z siebie i staniesz obok, tato – dokończyła.

– Będziesz mówić czy nie?

– Powiem ci, oczywiście, że ci powiem, ale nie wrzeszcz tak.

Laura podeszła do męża, by pogładzić jego plecy. Ten gest zawsze go relaksował. Nic nie dziwiło Pauli. Schemat przesłuchania zazwyczaj wyglądał tak samo. Paula robiła coś, z czego ojciec nie był zadowolony, potem musiała się do tego przyznać, zachowując dla siebie pewną część historii. Dziś jednak postanowiła wyznać prawdę bez cenzury. Było jej wszystko jedno, jakiego kalibru burzę rozpęta.

– Tatuś, musiałam wyjechać. Chciałam zastanowić się nad sobą i swoim życiem. Wszystko zawsze jest zaplanowane i poukładane. Męczy mnie ten porządek.

– To nie mogłaś się zastanawiać tutaj? Złe masz warunki do zastanawiania się? Musisz wyjeżdżać i wyłączać telefon? Spać nie mogłem. Na policję chciałem dzwonić. – Ojciec chodził po jadalni i wymachiwał rękami, dając w ten sposób upust nagromadzonym w nim nerwom. Matka podeszła do niego, złapała za ramiona i odsunąwszy krzesło, zdecydowanie posadziła na nim męża.

– Daj jej wreszcie coś powiedzieć, Edward – szepnęła wyraźnie, aby tylko on to usłyszał.

Mężczyzna się poddał.

– Powiesz wreszcie, gdzie byłaś i z kim? – ponowił pytanie.

– Tak jak już powiedziałam, postanowiłam trochę odpocząć. Masz rację, powinnam była chociaż zadzwonić, ale wysłałam SMS. Zrozumcie mnie, proszę. Ciągle jestem taka idealna i poukładana. Czasami mam wrażenie, że przez tę nagminną kontrolę zachowań życie przelatuje mi przed nosem, niczym jakiś kruchy motyl.

– Nadal nie wiem, gdzie byłaś i z kim? – Ojciec domagał się odpowiedzi.

– Powiem ci, tato, ale chciałabym, abyś zamilkł, zanim powiesz coś, czego później będziesz żałował.

– Szantażujesz mnie? Laura, czy ty to słyszysz? Nasza córka mnie szantażuje – zwrócił się do żony.

– Ależ skąd! Ja tylko chciałabym, abyś zobaczył i wysłuchał mnie prawdziwej, a nie takiej, jak ci się wydaje, że jestem.

Nastała cisza. Rodzice, nie podnosząc głosu, zgodzili się ze słowami wypowiedzianymi przez ich dziecko. Kiedy dziewczyna nabrała pewności, że nikt jej nie przerwie, zaczęła mówić.

– Przez całe życie wmawiano mi, że moim marzeniem jest studiowanie stomatologii. Nie będę oryginalna ani nie odkryję Ameryki, jeśli powiem, że powtórzone milion razy kłamstwo staje się prawdą. Wreszcie i ja uwierzyłam, że marzę o tych studiach. Kiedy się nie dostałam na nie, znowu zaczęliście mi wmawiać, że miałam pecha, że jestem mądra i na pewno jeszcze się dostanę. Wiem, że nie miałam żadnego pecha. Ja miałam szczęście! Gdybym się dostała, teraz byłabym nieszczęśliwym stomatologiem. Czy takiego chcecie dla mnie życia? Poszłam na pedagogikę i lubię to, przyznaję, ale nie wiem, czy na tyle, aby spędzić życie na opiekowaniu się innymi. Nie wiem, co chcę w życiu robić. W poniedziałek mam obronę, a potem należałoby podjąć jakąś decyzję, tymczasem ja nie mam bladego pojęcia, co będzie dla mnie szczęściem. Wiem, że przez te pięć lat usilnie starałam się wynagrodzić wam, że nie studiuję stomatologii. Przynosiłam same piątki zdobywane w zerowych terminach. Nawet obronę mam dwa miesiące wcześniej niż wszyscy. Od lat nie było takiego przypadku na wydziale. Ktoś by pomyślał, że jestem wybrana. Gówno, gówno, gówno! Nie jestem wybrana ani wyjątkowa. Jestem niewolnikiem waszych oczekiwań i jestem nim dlatego, że wam na to pozwoliłam. Na własne życzenie wyzbyłam się spontaniczności, radości i możliwości celebracji życia i kiedy nadarzyła mi się okazja, aby z tego życia skorzystać, uczyniłam to. Po prostu!!! Nie myśląc o tym, czy mam ze sobą gacie na zmianę, czy mam bluzkę i szczoteczkę do zębów, wybrałam się w nieznane z mężczyzną, którego znałam raptem kilka dni. Wiecie, co się przydarzyło? Przez te kilka dni doświadczyłam życia bardziej niż przez te dwadzieścia cztery lata, w trakcie których wcieliłam się w oskarową rolę grzecznej, poukładanej dziewczynki z dobrego domu. – Paula powiodła wzrokiem po rodzicach, odetchnęła głęboko i mówiła dalej: – Pojechałam z Mikołajem. To ten mężczyzna, którego poznaliście. Ten, którego wypatrzyła Pietrzykowa przez okno swojej magicznej chatki na kurzej nodze. Nie chcę się stać kiedyś kimś takim jak ona. Nie chcę podglądać przez lornetkę cudzego życia, żałując, że własne zaprzepaściłam bezpowrotnie. Chciałam żyć! Czy te kilka dni, kiedy nie byłam kimś, kogo znacie, to tak dużo? Mam wrażenie, że właśnie wczoraj i w środę, i we wtorek byłam sobą najbardziej, jak to możliwe. Śmiałam się, jadłam pączki, pizzę i piłam colę, nie zwracając uwagi na to, czy jej zawartość wypłucze wapń z mojego organizmu. Mam w dupie ten wapń. Wiem, co zaraz powiesz, tato, powiesz mi, że mam się tak nie wyrażać, że nie tego mnie nauczyliście. Ty, mamo, powiesz mi zapewne, że cola jest niezdrowa… i tak dalej, i tak dalej… Co z tego? Ile ludzi, których szczęka nie zaznała smaku czekolady, siedzi na twoim fotelu każdego dnia? Czy są z tego powodu szczęśliwsi? Nikomu nic się nie stało... Ja tylko... Ja tylko byłam szczęśliwa. Jeździłam na rowerze, układałam puzzle, jadłam kradzione winogrona, kochałam się z nim i... nie nosiłam majtek...

Wiedziała, że wypowiedzianych słów nie da się cofnąć żadną mocą. One już padły i zostały bezpowrotnie wchłonięte w pamięć jej rodziców.

– Laura, trzymaj mnie... Powiedz, że mi się to wszystko śni, uszczypnij mnie albo zrób cokolwiek, co sprawi, że się obudzę. – Edward złapał żonę za dłoń, na próżno szukając ratunku.

– Nie śpisz, tato. Może przez te wszystkie lata spałeś, nie chcąc dostrzec tego, kim jestem naprawdę. Nie pasuję do was? Może w kapuście mnie znaleźliście? – Dziewczyna zdenerwowała się i pobiegła do swojego pokoju.

Edward i Laura przez dłuższą chwilę siedzieli bez słowa przy kuchennym stole. Żadne z nich nie chciało przerywać ciszy. Zakłócały ją tylko bolesne strzępy płaczu ich jedynego dziecka. Mężczyzna nie wytrzymał i odezwał się do żony.

– Kto mógł jej powiedzieć? – zapytał, wydawałoby się zupełnie od rzeczy.

– Czyś ty zwariował? Nie ma możliwości. Pójdę z nią porozmawiać, a ciebie proszę po raz ostatni, daj jej oddychać swoim powietrzem, bo udusisz ją tą swoją małpią miłością, Edziu.

– Odezwała się...

– Edziu, nie chcesz chyba, abyśmy się pokłócili, prawda? Na dziś już wystarczy.

– Masz rację. Porozmawiaj z nią, bo przecież osiwieję do reszty.

Kiedy ona tak urosła? Kiedy ta mała śliczna dziewczynka stała się dorosłą kobietą? Edwardowi stanęły w oczach łzy na wspomnienie chwil, w których robili razem ludziki z kasztanów zebranych w parku. Jeszcze wczoraj, ubrana w kolorowe kalosze, skakała po kałużach, prosząc go, aby jej towarzyszył. Prawie zawsze odmawiał. Dziś, gdyby ktoś oddał mu tę małą dziewczynkę bodaj na jeden dzień, taplając się z nią w błocie, byłby królem życia. Teraz siedział jednak w kuchni i zastanawiał się, co zrobił źle, że przed nim uciekała. Analizował każdy rok, miesiąc, a nawet dzień swojego rodzicielstwa, nie mogąc dopatrzyć się w nim błędów.

Może faktycznie Laura miała rację, że osaczał córkę swoją miłością. Chciał dla niej dobrze, ale tylko z własnego punktu widzenia. Tak mocno skupił się na jej uszczęśliwianiu, że zapomniał zapytać, czy dla niej szczęście oznacza to samo. Zakrył twarz rękami wspartymi na łokciach. Małe dzieci – małe kłopoty.

Tymczasem Laura stała pod pokojem córki, zastanawiając się, czy dobrym pomysłem jest tam teraz wchodzić. Płacz jej jedynego dziecka przypominał dźwięk ocierającego się o szkło styropianu. Trudno było go znieść. Każda łza uroniona przez Paulę rozdzierała jej serce. Gdyby mogła zabrać na siebie jej rozterki, uczyniłaby to natychmiast. To, co przed chwilą usłyszała, zaskoczyło ją bardzo. Nigdy nie chciała leczyć na córce własnych kompleksów. Zawsze jej się wydawało, że nie wciska jej w swoje buty. Chciała, aby Paula wyrosła na pewną siebie, świadomą swojej siły kobietę. Gdyby tylko wiedziała, że dziewczyna ma inne priorytety, inne marzenia, nigdy nie namawiałaby jej na studia sprzeczne z jej osobistymi zainteresowaniami.

Najzwyczajniej w świecie, zrobiło jej się przykro, smutno i żal. Uważała się za dobrą matkę, starała się, aby tak było. Mimo to jej jedyne dziecko, o którego istnienie walczyła tak zacięcie, oddalało się od niej. Nie mogła na to pozwolić. Stojąc pod drzwiami pokoju dziewczyny, przysięgła sobie, że uczyni wszystko, co tylko w jej mocy, by ratować tę relację.

Stukanie do drzwi uciszyło na chwilę płacz Pauli.

– Córeczko, mogę wejść? – zapytała.

– Mamo, jestem zmęczona. Nie mam siły słuchać twoich kazań.

– Słonko moje, nie będę prawić ci kazań, proszę, pozwól mi wejść.

– Zaraz ojciec za tobą przyleci.

– Nie przyleci, obiecuję. – Laura wzniosła w górę dwa palce, ale uświadomiła sobie jednak, że córka tego gestu nie widzi. – Słowo harcerza – dodała.

Drzwi otworzyły się same. Stała w nich Paula wyglądająca jak przysłowiowe siedem nieszczęść. Patrzyła na matkę wzrokiem świadczącym o jej emocjonalnym rozbiciu.

– O ile mi wiadomo, nigdy nie byłaś harcerzem.

– Masz rację, przyłapałaś mnie na kłamstwie.

Kobiety przywarły do siebie, zastygając na dłuższą chwilę w uścisku. Potem usiadły na łóżku i zaczęły rozmawiać.

– Córeńko, to, co powiedziałaś, zaskoczyło mnie bardzo.

– Wiem, mamo, przepraszam. To nie jest twoja wina i nie miej, proszę, wyrzutów sumienia, że jesteś złą matką, która nie zna marzeń swojego dziecka. Jak cię znam, już na pewno zdążyłaś tak pomyśleć. Ja po prostu jestem rozbita.

– Paulinko, czy opowiesz mi, co takiego się stało? Zawsze mi się wydawało, że mamy dobry kontakt. Mówimy sobie prawdę, jesteśmy szczere. Pamiętasz? Dlaczego ukrywałaś swoje prawdziwe marzenia? My chcemy tylko twojego szczęścia, nieważne, kim będziesz. Zawsze będziemy cię wspierać. Jesteśmy twoimi największymi kibicami. Pamiętasz o tym?

– Tak, mamo, pamiętam. Wiem… Tylko że…

– Dobrze, zostawmy ten temat. Powiedz mi lepiej, jak było. Przyznam szczerze, że pojechałaś po bandzie przed chwilą, tak to się teraz mówi? Pojechałaś po bandzie, czyli dałaś czadu, tak?

Otarła córce łzy z policzków. Dostrzegła maleńkie dołeczki. Odetchnęła z ulgą. Paula się uśmiechała.

– Tak, mamusiu, dokładnie tak się mówi.

– Córcia, ale kradzież winogron i chodzenie bez majtek mogłaś sobie darować. Wiesz, ojciec ma słabe serce.

– I kto to mówi? Ta, która ceni sobie prawdę ponad wszystko!

– Wiem, wiem. Ale czasami wiesz… pewne szczegóły można przemilczeć. – Mrugnęła okiem. No, mów. Jak było?

Paulina zaczęła opowiadać wszystko ze szczegółami, zupełnie zapominając, że nie rozmawia z Dagmarą. Zdradziła, że nigdy wcześniej z nikim tak dobrze się nie bawiła. Opowiadała o Mikołaju, jak o pięknym baśniowym śnie. Używała słów, których znaczenie wcześniej znała tylko z opowiadań. Jej oczy promieniały, a ciało optymistycznie gestykulowało, nie uzmysławiając sobie, jakie informacje wysyła współrozmówcy.

– Ten Mikołaj – zaczęła matka. – Zapytam wprost. Czy zamierzasz się z nim spotykać, Paulinko?

Paula wróciła na ziemię. Twarz przybrała smutny wyraz i zgasł płomień rozmarzonych oczu.

– Mamusiu, on jest rozwiedziony. Ma synka.

– No, to chyba dobrze, że jest rozwiedziony. Istnieje szansa, że tym razem nikt mnie w klinice nie odwiedzi. Moje koleżanki nie będą miały o czym gadać.

Roześmiały się obie tak bardzo, że siedzący na dole Edward nie wiedział, o co w tym wszystkim chodzi.

– Mamusiu, ale on ma czterdzieści pięć lat.

– Jaki w tym problem? Skoro jest wam razem dobrze?

– Jak byliśmy w sklepie, wzięto nas za ojca z córką. Co dopiero, gdybym wstawiła nasze zdjęcie na Facebooka. Chyba pożarliby mnie żywcem.

– Martwisz się tym, co o twoim życiu powiedzą inni, zupełnie niemający znaczenia ludzie? – dopytywała matka.

– Wiesz… każdy z nas chce, aby to, co robi, podobało się innym. Chcemy tworzyć związki, których inni będą nam zazdrościć. Robimy sobie zdjęcia ze znanymi osobami, aby chociaż przez chwilę ogrzać się w ich cieple. Nie wiem, jak zareagują moje koleżanki. Wiesz… Mikołaj jest dobrze sytuowany. Zaraz wszyscy pomyślą, że poleciałam na pieniądze.

– A poleciałaś?

– Coś ty, mamuś. Mnie to kompletnie nie interesuje.

– To w czym problem?

– Powiedziałam ci przecież. Trochę tak głupio.

– Coś ci powiem, córeczko. Głupio, to jest wtedy, jak przysłowiowa krowa w kapustę wejdzie. Nie uważam, aby było coś złego między dwojgiem ludzi, którzy spędzając razem czas, czują się ze sobą dobrze. Nie wiesz, co ci życie przyniesie. Jest naprawdę bardzo kruche i zaskakujące. Kiedy do mojego gabinetu przyszła ta kobieta z dzieckiem na ręku…

– Mamo, ja naprawdę nie wiedziałam…

– Wiem, że nie wiedziałaś. Pozwól mi dokończyć. Więc kiedy przyszła do mnie ta kobieta, było mi naprawdę wstyd. Baby miały o czym gadać jeszcze przez tydzień. Córka Leońskiej rozbija małżeństwo. Wiesz, że tego nie pochwalałam przede wszystkim dlatego, że żal mi było tego dzieciątka, a nie dlatego, że ktoś coś mówił za moimi plecami. Zapamiętaj, jeśli ktoś cię obgaduje, oznacza to tylko tyle, że sam ma bardzo smutne życie i zajmuje się twoim. Nie trać ani chwili na to, by zyskać aprobatę w oczach ludzi, którzy nie wnoszą do twojego życia niczego sensownego.

– Mamo, to, co mówisz, jest na pewno dojrzałe, ale ja… ja chyba jeszcze nie dorosłam, aby mieć tak ogromny dystans.

– Wiem, córeczko. Dlatego masz mnie. Pomyśl o tym. Mikołaj jest rozwiedziony, a ty nie byłaś przyczyną rozpadu tego związku. Czasami lepiej, jak ludzie się rozchodzą. Dziś świat jest bardziej tolerancyjny i chwała mu za to! Niestety za tę tolerancję płacimy odczuwaniem wścibstwa. Musimy się na nie uodpornić. W innym przypadku zwariujemy. – Matka uśmiechnęła się do córki.

– Mamusiu, czy ja dobrze rozumiem? Czy ty mnie zachęcasz do tego, abym związała się z mężczyzną, który mógłby być twoim kolegą z klasy?

– To miłe, co mówisz. Myślę, że raczej nie mógłby być ani moim, ani ojca kolegą z klasy. Nie zapomnij, że pojawiłaś się w naszym życiu wtedy, kiedy już zaczynaliśmy tracić nadzieję.

– Wiem, wiem. Pewnie dlatego tata tak świruje.

– Cieszę się, że mam taką mądrą córkę, która samodzielnie potrafi wyciągać wnioski. Wracając do Facebooka, to… przecież nikt ci nie każe wstawiać tam żadnych zdjęć. Świat tam kreowany nie ma nic wspólnego z tym, co przeżywamy na co dzień. Patrzymy na kolorowe zdjęcia z wakacji, wypielęgnowane prawie nagie ciała bez skazy, czytamy o podwyżkach, medalach zdobytych podczas ulicznych biegów, lecz... zapamiętaj, każdy medal ma dwie strony. Absolutnie każdy. Aby pojechać na wakacje, ktoś musiał na to zarobić w pocie czoła. W pracy, która często nie jest szczytem jego marzeń. Podwyżka? Okupiona wrzodami na żołądku. Jeszcze raz powtórzę. Każdy zdobyty medal ma także swoją drugą stronę. Tę, którą zauważą tylko nieliczni. Dlatego najważniejsze jest to, co sama o sobie myślisz. Nie żyj obrazami. Nigdy nie wiesz, jakie drugie dno w sobie kryją.

– Pewnie masz rację, jak zawsze. Kocham cię, mamuniu.

– Ja też cię kocham, córeczko. Kocham cię najbardziej na świecie. Jesteś najlepszym, co mnie w życiu spotkało. Pamiętaj, miłość w metrykę nie zagląda.

Gdy Laura zamknęła za sobą drzwi pokoju córki, odetchnęła z ulgą, wierząc, że domowy kryzys właśnie został zażegnany. Wiedziała także, że jej mężowi nie spodobałoby się to, co powiedziała córce. Uważała jednak, że akceptacja tego, co akurat przeżywała Paula, jest jedynym, co mogą w tej sytuacji uczynić. W przeciwnym razie mogą stracić zaufanie córki.

Zeszła na dół, nalała sobie soku i wyszła na taras pooddychać świeżym powietrzem. Zaraz za nią przyszedł mąż. Rozmawiali bardzo długo. Rozmowa miała raczej charakter monologu Laury. Tłumaczyła, tłumaczyła i tłumaczyła mężowi wszystko to, co wcześniej tłumaczyła córce.

Edward nie zgadzał się z żoną. Nie wyobrażał sobie, jak miałby wyglądać związek jego córki z mężczyzną o tyle od niej starszym. Laura uspokajała męża, że pewnie nic z tego nie będzie, dlatego też nie powinni stawiać oporu, ponieważ może to zadziałać tylko na ich niekorzyść. Prosiła o spokój. Co ma być, to będzie, a jeśli Paula się zakocha, nic jej nie powstrzyma. Edward słuchał, słuchał i słuchał, a im dłużej słuchał, tym bardziej wydawało mu się, że to, co myśli, nie ma znaczenia, bo kobiety jego życia zawsze robiły, co chciały i uważały za słuszne. Nie przeszkadzało mu to jednak mieć na ten temat własne zdanie. Nie akceptował tego faceta i już. Nie podejrzewał siebie o to, aby kiedykolwiek zdołał to zmienić.

***

W domu Słupskich na nowo zagościło życie. Cała rodzina po raz pierwszy od dawna usiadła wspólnie do kolacji. Mikołaj przygotował swoje popisowe burgery, podając je z pieczonymi batatami oraz sałatą ze świeżych warzyw. Zależało mu, aby odwdzięczyć się za możliwość spędzenia w ich domu niewątpliwie trudnych dla niego chwil. Mógł przecież zatrzymać się w hotelu albo wynająć jakiś apartament, jednak nic nie jest w stanie zastąpić atmosfery domu, choćby takiego, który ma cząstki smutku.

Hanka przyjęła go bardzo ciepło. Zawsze mieli ze sobą dobry kontakt. Wystarczyło jej jedno spojrzenie na Mikołaja, aby dostrzec, że jego wnętrze targane jest sprzecznymi emocjami. Patryk opowiadał jej o rozwodzie. Była wtajemniczona w problemy, które nastąpiły wraz z rozstaniem Mikołaja z Małgosią. Wyczuwała jednak obecność kogoś trzeciego, nie chciała zadawać pytań w obecności Dagmary, słusznie twierdząc, że niezręcznie mu będzie na nie odpowiadać. Rozmawiali więc o wszystkim i o niczym. Stinki nie odstępował swojej pani na krok. Nagle jakby ożył, a jego oczy wyrażały całkowite oddanie. Miłość między zwierzęciem a człowiekiem bezspornie zasługuje na miano idealnej. Strony nigdy siebie nie oceniają, co niestety rzadko można powiedzieć o związkach międzyludzkich.

Cała czwórka nie mogła nacieszyć się radością spotkania. Starali się omijać trudne tematy, mogące popsuć spotkanie po latach. Nie padło pytanie o terapię Hani ani o to, co Mikołaj zamierza dalej zrobić.

Prawdziwi przyjaciele mogą nie mieć ze sobą kontaktu przez długie lata, lecz kiedy dojdzie wreszcie do spotkania, nikt nie zauważa minionego czasu. Tak było i tym razem, wszystkim wydawało się, że ostatni raz widzieli się wczoraj.

– Co tam u Paulinki? Dzwoniłaś do niej, córeczko?

– Dzwoniłam. Właśnie trochę mnie niepokoi jej stan, jest jakaś dziwnie rozkojarzona. Pewnie balowała, kiedy mnie nie było. Muszę się z nią spotkać.

– Mogłaś ją zaprosić na dzisiejszą kolację, szkoda, że jej nie ma. Mikołaj, poznałeś już naszą Paulinkę?

Mikołajowi zrobiło się gorąco, serce waliło mu jak młotem, a on sam ze wszystkich sił starał się ukryć swoje chwilowe rozchwianie. Nie zdążył otworzyć ust, gdy do odpowiedzi wyrwała się Daga. Na szczęście nie wchodziła zbytnio w szczegóły. Mógł więc bez stresu nadal przeżuwać swoje bataty.

– Tak, poznali się. Pierwszego dnia, kiedy Mikołaj przyjechał.

– To świetnie. Może wybierzemy się gdzieś w niedzielę?

– Ja raczej nie dam rady – odezwał się Mikołaj. – Muszę wracać do Warszawy. Jutro chciałbym wyjechać.

Powiedział szybko, bojąc się, że gdy ją spotka, nie będzie w stanie utrzymać przy sobie rąk.

– Jutro? Przecież jutro jest sobota. Zostań chociaż do niedzieli, wyjedziesz sobie rano. Twoja maszyna nie potrzebuje wiele czasu na pokonanie trasy Szczecin – Warszawa. Zaprosimy na jutro Paulinkę. Może gdzieś wyskoczymy? – drążyła Hania.

– Stary, nie przesadzaj. Naprawdę musisz wracać? Przecież miałeś zostać dłużej – wtrącił się Patryk. – Jakieś kłopoty?

Hania i Patryk naciskali na przyjaciela, nie wyczuwając prawdziwej przyczyny chęci jego nagłego wyjazdu. Dagmara popijała małymi łykami świeżo wyciskany pomarańczowy sok, domyślając się tego, czego nie zdołali domyślić się jej rodzice. Bawiła się doskonale, patrząc, jak Mikołaj próbuje ukryć przed nimi prawdę.

– Skądże. Wszystko jest w porządku.

– No, to nie ma o czym mówić. Zostajesz do niedzieli, a na jutro zapraszamy Paulinkę – zarządziła Hania.

– Świetny pomysł. Zadzwonię do niej zaraz. – Dagmara uśmiechnęła się od ucha do ucha, wystawiając na widok publiczny cząsteczki owocowego miąższu w kolorze żółtym. Mrugnęła porozumiewawczo okiem do Mikołaja. Była święcie przekonana, że on wie, że ona wie.

***

Bałagan po kolacji Dagmara wzięła na siebie. Kiedy jej rodzice wraz z Mikołajem przenieśli się do salonu, ona krzątała się po kuchni, rozmyślając o tym, co prawdopodobnie wydarzyło się podczas jej nieobecności. Znała swoją przyjaciółkę na tyle długo, że bezbłędnie odgadywała targające nią stany. Podczas ostatniej rozmowy telefonicznej Paula ewidentnie coś ukrywała. Dziś przy kolacji zrozumiała co, a dokładniej kto może być przyczyną roztargnienia przyjaciółki. Czuła, że nie dowie się niczego przez telefon, musiała ją po prostu odwiedzić.

Nie wiedzieć czemu, jej przeczucia nie były pozytywne. Dlaczego on jej unikał? Czyżby ją wykorzystał? Nie powinna tworzyć w swojej głowie historii, mogących okazać się nieprawdą. Patrzyła na Mikołaja rozmawiającego z rodzicami, zastanawiając się, czy ten wyglądający na poczciwego facet byłby w stanie skrzywdzić kogoś takiego jak jej ukochana Paulinka.

Wkładane do zmywarki naczynia hałaśliwie się o siebie obijały, na co matka zwróciła uwagę, pytając, czy coś zdenerwowało Dagę, że postanowiła wyżyć się na brudnych garach. Córka przeprosiła natychmiast, obrzucając Mikołaja przenikliwym spojrzeniem. Zapytała mamę, czy nie miałaby nic przeciwko temu, aby po sprzątaniu mogła spotkać się z Paulą. Zależało jej na tym. Dawno się nie widziały i stęskniła się za przyjaciółką. Hania oczywiście wyraziła zgodę. Dagmara, idąc za ciosem, zapytała, czy Mikołaj nie mógłby jej zawieźć. Tłumaczyła się niezatankowanym autem oraz niechęcią nocnych wędrówek po stacjach benzynowych. Wtem wtrącił się Patryk, żeby nie przesadzała i wzięła taksówkę. Mikołaj oznajmił, że nie widzi najmniejszego problemu. Wytłumaczył, że chętnie przewietrzy głowę, bo cały dzień pracował.

Jechali w milczeniu, nie prowokując rozmowy. Finalnie mogłaby się ona okazać kłótnią. Daga nie chciała znać jego wersji prawdy, zanim nie usłyszy tego, co ma do powiedzenia Paulina. Ewidentnie coś wisiało w powietrzu. Kiedy dojechali na miejsce, zapytał tylko, o której ma po nią przyjechać. Zastanowiła się krótko, po czym odpowiedziała, że się do niego odezwie. Wolała zostawić sobie alternatywę powrotu taksówką, gdyby okazało się, że jest draniem, którego nie ma zamiaru już więcej widzieć na oczy.

Zanim otworzyły się drzwi domu Pauliny, po Mikołaju nie było już śladu. Pani Leońska zaprosiła Dagmarę do środka, tłumacząc, że córka wyszła na spacer. Kobiety usiadły razem przy kuchennym stole i zaczęły rozmawiać.

Wieczór był ciepły. Majowe powietrze nastrajało do spacerów. Paula nie zabrała ze sobą telefonu. Chciała przewietrzyć głowę od nadmiaru myśli w niej krążących. Cały czas myślała o nim. Zastanawiała się, czy on także myśli o niej. Czuła się jak licealistka zabujana w nauczycielu wuefu. Fantazjowała na jego temat, uśmiechając się pod nosem. Uśmiech znikał chwilę po tym, jak do głosu dochodziła rzeczywistość. Obiecali sobie tylko chwilę. Bawili się świetnie i teraz każde powinno iść w swoją stronę, nie czyniąc drugiemu pretensji. Nie sądziła, że będzie to dla niej takie trudne. Przed oczami miała ich wspólny seks, jakiego nigdy wcześniej nie zaznała z nikim innym. Mikołaj był dżentelmenem, zwłaszcza w łóżku. Nie zachowywał się jak sprinter egoista, wręcz przeciwnie – był niespiesznym maratończykiem. Pieścił ją, całował, dotykał tak długo, że usypiała przy nim słodko zmęczona. Imponowała jej jego dojrzałość. Nie musiała mu matkować. Pierwszy raz w życiu czuła, że to nią się ktoś opiekuje. Mogła sobie pozwolić na spontaniczność tylko dlatego, że stwarzał jej ku temu warunki. Przy nim nie musiała nic, a mogła wszystko.

Nie powinna spacerować sama tak późnym wieczorem, jednak nie mogła już znieść, że ojciec co chwila trzaska drzwiami i wzdycha, jak gdyby zrobiła mu coś złego. Nie czuła potrzeby, by się tłumaczyć. Wszystko, co było do powiedzenia, powiedziała matce, a ta zapewne mu przekazała.

Gdyby tylko wiedziała, że po rozstaniu z Mikołajem będzie czuła taką pustkę, prawdopodobnie nie zgodziłaby się na kilkudniową przygodę. Skąd mogła przypuszczać, że zacznie liczyć na coś więcej? Rozum podpowiadał jej, że wszystko już zostało powiedziane, lecz serce rzucało skrawki nadziei, którymi się pocieszała.

Wróciła do domu, gdzie od progu została przywitana przez Dagmarę, entuzjastycznie podskakującą na jej widok. Padły sobie w objęcia. Gdy fala euforii opadła, Paulina przygotowała gorącą herbatę z cytryną, ukroiła kruchej babki upieczonej przez mamę i zaprosiła przyjaciółkę do swojego pokoju.

– Nie powinnam jeść na noc tej babki – zaczęła Paula. – Poszłam na spacer spalić trochę kalorii, a teraz oczywiście wszystko nadrobię z nawiązką.

– Daj spokój. Dałabym wiele, aby mieć takie krągłości jak ty.

– My kobiety nigdy nie doceniamy tego, co mamy, a skupiamy się na tym, czego często nie możemy mieć – rzekła refleksyjnie Paula.

– Czegoż ty nie możesz mieć? Jesteś piękna, kończysz studia, faceci się za tobą oglądają. Całe życie przed tobą – rzekła Daga, przegryzając ciacho. – Trochę przesadzam z tym żarciem. Przed chwilą zjadłam kolację przygotowaną przez Mikołaja. Wiesz, że on nawet smacznie gotuje? Zrobił świetne burgery. – Celowo o nim wspomniała, chcąc sprawdzić, jaką reakcję wywoła.

Paulina czuła, że nie uniknie tematu Mikołaja. Potrzebowała rozmowy z kimś, kto spojrzy na wszystko z dystansem. Matka to matka, a przyjaciółka to przyjaciółka. Przed tą drugą znacznie łatwiej jest się otworzyć. Kiedy skończyła opowiadać, zrobiło jej się lżej na duszy. Wiedziała, że Dagmara nie będzie jej oceniać.

– Do tej pory szalałyśmy w dyskotekach, bawiłyśmy się na domówkach i wszystko miałyśmy gdzieś. Ostatnio nasze życie towarzyskie trochę ucichło. Ja nigdzie nie ruszam się bez Miśka, a ty…

– Ja nie chcę być piątym kołem u wozu – dokończyła Paula. – Chciałam coś przeżyć, zaszaleć. Rozumiesz? Nie sądziłam, że te kilka dni wywali mój świat do góry nogami.

– Co zamierzasz? – zapytała Daga.

– Nie wiem.

– Wiedziałam, że tak będzie. Wiedziałam. Czułam przez skórę, że jak się z nim bzykniesz, to już tak fajnie nie będzie.

– Skoro wiedziałaś, to mogłaś mnie ostrzec.

– Jasne. Już widzę, jakbyś mnie posłuchała. Poza tym przynajmniej coś przeżyłaś. Ciągle taka idealna i poukładana no… to teraz poleciałaś po całości. Mam nadzieję, że nie robiliście tego w moim łóżku? – zapytała z nadzieją w głosie.

– No, coś ty!

– Uf… ulżyło mi. Ale zabezpieczyłaś się? Założył gumę?

Twarz Pauliny przybrała odcień purpury, otwarcie demaskując malujący się na niej niepokój.

– Nie. Nie wierzę… to niemożliwe, Paula! Nie użyliście prezerwatywy? Czyś ty oczadziała?

– Cicho bądź.

– Co cicho, co cicho? Lada chwila mogę zostać ciotką, a ty mi mówisz, że mam być cicho? Do zawału mnie doprowadzisz.

– Zawału to zaraz mój ojciec dostanie, jak będziesz się tak wydzierała. Nie zabezpieczyłam się, ale mam dni niepłodne teraz. Kalendarzyk prowadzę.

– Dwudziesty pierwszy wiek, a ty mi tu z kalendarzykiem wyskakujesz. Wiesz, co możesz sobie w nim zapisać? Promocje na podpaski co najwyżej. Chociaż nie, teraz to mogą ci już nie być potrzebne.

Paulina wiedziała, że przyjaciółka ma rację. Wiedziała, że kochając się bez zabezpieczenia, postąpiła skrajnie nieostrożnie. Wcale się nie dziwiła nerwom Dagi. Rozstały się w nieco mniej przyjaznej atmosferze.

Dagmara wróciła do domu taksówką. Wolała nie kusić losu i nie prowokować spotkania, które mogłoby być tragiczne w skutkach. Cichutko na palcach przemknęła do swojego pokoju i zamknęła się w nim, aby trochę ochłonąć. Z tego wszystkiego zapomniała zaprosić przyjaciółkę na jutrzejszy obiad. Prędko wystukała SMS:

Od: Dagmara
Do: Paulina

Przyjedziesz jutro na obiad? Mikołaj w niedzielę wyjeżdża – to pomysł mamy. Wiedz, że cokolwiek by nie było to... zawsze możesz na mnie liczyć.

Nim zdążyła odłożyć telefon na półkę, nadeszła odpowiedź:

Od: Paulina
Do: Dagmara

Nie przyjadę. W poniedziałek obrona, muszę się uczyć. Poza tym... wiesz... Nie chcę cierpieć... Przepraszam za wszystko. Dziękuję, że jesteś.

To był długi dzień. Rano jeszcze żegnała się z Mikołajem, próbując myśleć, że przeżyła fascynującą przygodę. Później przeprowadziła wyczerpującą emocjonalnie rozmowę z rodzicami, a na deser uświadomiła sobie, jaką idiotką była, idąc do łóżka z mężczyzną i nie sięgając po żadne zabezpieczenie.

Najlepsze w tym wszystkim było to, że żadne z nich nawet nie zająknęło się na temat antykoncepcji. Oboje wydawałoby się dorośli ludzie, a zachowali się tak, jakby miał to być ostatni tydzień ich życia.

Długo nie mogła zasnąć. Wierciła się raz w prawo, raz w lewo, nie mogąc znaleźć sobie dogodnej do snu pozycji. Myślała, co będzie, gdy najczarniejszy scenariusz się ziści i faktycznie będzie w ciąży. Po co jej to było? Miała się wyluzować na chwilę, na moment, na sekundę... Tymczasem puściła wodze fantazji tak ostro, że ta chwila, moment i sekunda mogły zaważyć na całym jej życiu. Miała ogromną chęć skorzystać z zaproszenia na obiad, lecz wiedziała, że kiedy to uczyni, rozszarpie sobie serce na strzępy. Będąc blisko niego, nie mogłaby się powstrzymać, by go nie dotknąć. Poza tym zostały jej tylko dwa dni do obrony. Musiała się skupić przede wszystkim na nauce.

***

Mikołaj otworzył skrzynkę mailową, z której wysypały się służbowe wiadomości. Powinien wracać do Warszawy i to jak najszybciej. Wiele spraw wymagało jego obecności. Ostatnie dni, kiedy nie odbierał telefonu, dały się we znaki, brutalnie ściągając go na ziemię.

Popracował trochę, po czym zamknął laptop, oddając się myślom o dziewczynie. Tęsknił za nią i jednocześnie bał się spotkania. Chciał uciec, lecz wiedział, że postępując w ten sposób, zachowałby się jak szczeniak. Jego dojrzałość wcale mu nie pomagała. Kiedyś wziąłby to, co oferowało mu życie, a dziś niestety nie potrafił. Za bardzo analizował. Dzieliło ich kilka pokoleń. To, co się wydarzyło, było piękne i powinno pozostać wspomnieniem. Nie miał sumienia zabierać jej młodości. Mogła mieć kogoś w swoim wieku… kogoś, przy kim wszystko będzie pierwsze.

Leżał, rozmyślając o wydarzeniach ostatniego tygodnia. Jego poduszka pachniała dziewczyną, która jeszcze dzisiejszego poranka była przy nim. Tęsknił… Bardzo tęsknił.

ROZDZIAŁ 9

Okazało się, że Paula nie pojawi się na zaplanowanym przez panią domu obiedzie. Miał mieszane uczucia. Z jednej strony mu ulżyło, a z drugiej poczuł się rozczarowany, że jej nie zobaczy. Miała przecież obronę, więc wyobrażał sobie ją skupioną na treści zagadnień egzaminacyjnych.

Hanka była nieco zawiedziona, że jej powitalny obiad odbędzie się bez kogoś tak ważnego dla rodziny Słupskich. Zatelefonowała do Paulinki i wspólnie ustaliły, że po egzaminie wszystko nadrobią. Potem zwróciła się do Mikołaja z prośbą, aby przyjechał do nich, jak tylko załatwi wszystkie niezbędne sprawy w Warszawie.

– Musisz koniecznie bliżej poznać Paulinkę, wiesz, jest taka… – Nie mogła znaleźć słów.

– Podobna do Sterny – zauważył.

– Masz rację. Gdyby nie to, że znamy jej rodziców, mogłabym przysiąc, że…

– Haniu, z przyjemnością ją poznam. Jednak najbliższy termin, w którym mogę przyjechać, to dopiero lipiec. Mam trochę formalności do załatwienia i wiesz... Chciałbym zmienić auto na jakieś bardziej cywilizowane.

– Wydoroślałeś, co? Już niczego nie musisz sobie udowadniać. Powiedz mi, jak Małgosia sobie radzi? Jak Tadzio?

– Tadzio w porządku. Jest mały i wydaje mi się, że jakoś daje radę. Staram się utrzymywać poprawne relacje z Gosią, chociaż to wszystko jest dla niej trudne.

– Będzie dobrze. Spójrz na nas. Myślałam, że nigdy nie wybaczę Patrykowi zdrady. Zranił mnie tak bardzo, zaczęłam pić. Wszystko zawsze dzieje się po coś. Im jestem starsza, tym bardziej zdaję sobie sprawę z tego, że w życiu nie ma przypadków.

– Wy to co innego. Patryk cię kocha. Wie, że nawalił i całe życie stara się to wynagrodzić, a ja? Ja nigdy Gośki nie kochałem.

– Spotkasz jeszcze w życiu miłość, jestem o tym przekonana.

Hanka podeszła do Mikołaja, otoczyła go ramieniem i złożyła na jego czole przyjacielski, matczyny pocałunek. Nie zauważyła zupełnie, że ich rozmowie przysłuchuje się Dagmara. Usłyszała za dużo. Zdecydowanie za dużo.

***

– Jeszcze trochę ziemniaczków, Dagmarko? – zapytała matka.

– Nie, dziękuję.

– To może kurczaczka? Upiekłam według przepisu babci. Przecież lubisz.

– Daga się odchudza, z kości na ości – wtrącił się ojciec.

Po jego słowach apetyt Dagmary zniknął całkowicie. Wytarła usta świeżo uprasowaną przez matkę serwetką i rzuciła ją z impetem na stół. Gdy wstawała, dźwięk szurającego o podłogę krzesła bezdyskusyjnie zdradził nastrój, w którym przebywała od kilku godzin.

– Możesz zjeść moją porcję, tobie to już nic nie pomoże – rzuciła, zerkając wymownie na pokaźnych rozmiarów brzuch ojca.

– Córeczko, co się dzieje?

– Nic. Po prostu straciłam apetyt. Przepraszam, Mikołaj – zwróciła się do gościa. – Jak widzisz, nie ma domu bez złomu.

Opuściła jadalnię, wyraźnym tupaniem dając znak, że nie życzy sobie rozmowy z kimkolwiek.

– Powiedziałem coś nie tak? Przecież to był żart, Hanusiu. – Mężczyzna obrzucony spojrzeniem żony zaczął się tłumaczyć.

– Nie przejmuj się, pewnie hormony. – Mikołaj go pocieszał.

Hanka zmrużyła oczy, westchnęła głośno i rzekła:

– To nie jest ani brak poczucia humoru, ani hormony. Myślę, że chodzi zupełnie o coś innego. Panowie, posprzątacie po obiedzie, dobrze? Porozmawiam z nią – zarządziła.

Wymiany zdań między kobietami nie można było nazwać rozmową. Dagmara krzyczała na całe gardło, jak bardzo czuje się oszukana. Domagała się od matki wyjaśnień. Chciała wiedzieć dokładnie, co takiego się wydarzyło, że matka zaczęła pić. Zagroziła, że wyniesie się z domu, jeśli nie dowie się, z kim tak naprawdę mieszka pod jednym dachem.

– Oszukiwaliście mnie tyle lat! – krzyczała. – Słyszałam, co powiedziałaś Mikołajowi. To dlatego zaczęłaś pić? Bo ojciec nie był w stanie utrzymać fiuta w spodniach?

– Dagmarko, uspokój się, proszę. Porozmawiajmy spokojnie.

– Porozmawiajmy spokojnie? Przez te wszystkie lata uważałam, że to ty jesteś rysą na szkle naszej idealnej rodzinki. Bywało, że obwiniałam cię o to, że nie potrafisz powstrzymać się od picia. Kiedy pytałam go, dlaczego nie mam rodzeństwa, to odpowiadał, że to ty nie jesteś gotowa, że jesteś chora i tak dalej. Sranie w banie! Wciskał mi te kity, bo jest tchórzem. Nie miał odwagi przyznać się przed córeczką, że to on nawalił.

– Proszę, nie mów tak o ojcu.

– Jeszcze go bronisz? Łajdaczył się po kątach, a ty go bronisz? Kiedy leżałaś pijana, to on lansował się na tych swoich spotkaniach śmietanki towarzyskiej. Kłamał, że jesteś chora. Teraz wszystko rozumiem. Mój tatuś jest mistrzem zamiatania syfów pod dywan.

Zaniepokojony krzykami córki Patryk postanowił udać się na górę na rodzinne mediacje.

– Co tu się dzieje? Dagmara, dlaczego tak krzyczysz, wiesz przecież, że mama nie powinna się denerwować.

– Proszę, proszę i kto to mówi? Mężulek świętojebliwy się znalazł. Będziesz mnie teraz pouczał? Sam matkę w chorobę wpędziłeś. Kiedyś ty to zdążył zrobić, co? Podobno tak ciężko pracujesz na ten cały przesycony kasą majdan. – Dziewczyna rozłożyła ręce, wskazując z kpiną życiowy dorobek rodziców.

– Dagmarko, córeczko. Uspokój się, proszę. Mama cała się trzęsie. Przysięgam wszystko ci wyjaśnić, tylko daj mi szansę. – Patryk zamknął w silnych ramionach drobną żonę tak, jakby chciał ją ochronić przed całym światem.

– Wyjaśnić? Co tu jest do wyjaśniania? Brzydzę się tobą. Wielki prawy mecenas, wiecznie pouczający innych, jak mają postępować. Mediator od siedmiu boleści się znalazł.

– Przestań, przestań, dość!!! – Przeraźliwy krzyk wydobywający się z ust Hanki zaskoczył nawet nią samą. Ona nigdy nie podnosiła głosu… Była mistrzynią duszenia wszystkiego w sobie. Dopiero terapia uświadomiła jej, że problem nie leżał w świecie zewnętrznym, lecz w niej samej. Nie umiała wyrażać jasno i klarownie tego, co czuje i tego, czego żąda od innych. Aż do teraz. Pierwszy raz Hanna Słupska podniosła głos, dając do zrozumienia domownikom, że nie tylko ich cierpienie godne jest uwagi.

Dagmara wybiegła z pokoju. Trzasnęły drzwi, a Hanka drgnęła nerwowo. Dziewczyna zbiegła po schodach, rzuciła do Mikołaja zdawkowe „do zobaczenia kiedyś", trzasnęła kolejnymi drzwiami i tyle ją widzieli. Biegła, ile sił w nogach, nie zważając na to, że jej stopy odziane są w domowe kapcie z różowymi pomponami.

Po pokonaniu mniej więcej kilometra straciła moc, usiadła na chodniku i zaczęła płakać. Kochała matkę nad życie. Nigdy nie mogła zrozumieć, jak tak mądra osoba mogła stoczyć się na takie dno. Teraz wszystko było jasne – ktoś jej w tym dopomógł. Najgorsze, że tym kimś był jej własny ojciec. Nie mogła pojąć, jakim cudem matka trwa przy ojcu, podczas gdy ten dopuścił się tak niedopuszczalnego czynu. Przed oczami miała całe życie rodziny. Oczy ojca patrzące na matkę z politowaniem, chwile, kiedy wnosił ją do domu kompletnie pijaną, momenty, gdy opróżniał jej portfel z kart kredytowych, aż wreszcie czas, gdy nieprzytomną pakował ją do samochodu po to, aby zawieźć na odwyk.

Gdy nie piła, była cudowna. Rozmawiały razem godzinami, malowały paznokcie, piły gorące kakao i czesały się w najdziwniejsze fryzury. Ten czas był wyjątkowy. Wtedy ich dom był domem, o jakim marzy każde dziecko. Czasami trwało to pół roku, czasami miesiąc, czasami tydzień, albo i jeden dzień. Zawsze potem wszystko „wracało do normy" i zamieniało się w dom, którego tak naprawdę nie było. Kiedy matka trzeźwiała, zawsze przysięgała, że nigdy więcej. Obiecywała, że to już na pewno ostatni raz. Łkała, błagając o przebaczenie. Na zadawane pytanie „dlaczego?", odpowiadała tylko w chwilach, gdy była na rauszu. „Bo lubię". Kiedy trzeźwiała, nie potrafiła już udzielić odpowiedzi. Dziewczyna pytała więc ojca, lecz on także milczał. Przez tyle lat milczał po to, aby siebie chronić.

– Pieprzony egoista, pieprzony egoista, pieprzony egoista!!! – Dagmara wrzeszczała na całe gardło. Przypadkowi przechodnie przyglądali jej się z zaciekawieniem. Uciekając, nie wzięła nawet telefonu. Nie chciała wracać do domu, zanim zdoła ochłonąć. Mawia się, że po takich nowinach trzeba chwilę odpocząć i poukładać sobie wszystko w głowie. Dziś nie wierzyła, że kiedykolwiek cokolwiek sobie poukłada. Głowę miała ciężką od nadmiaru myśli. Szła przed siebie, aż w końcu dotarła pod dom Pauliny. Nacisnęła guzik znajdujący się przy furtce i wsłuchawszy się w jego monotonny dźwięk, straciła równowagę i upadła.

– Daga, Daga, co ci jest? Matko Święta, co się stało? – Do jej świadomości docierał mglisty głos przyjaciółki.

– Wszystko w porządku. Po prostu nagle zrobiło mi się słabo. Co się dzieje?

– Ty mi powiedz, co się dzieje. Przez okno widziałam twoją głowę, nie minęła minuta, jak podeszłam do drzwi, aby ci otworzyć, patrzę, a ty leżysz jak długa i to jeszcze w kapciach.

– Och, nie bądź taka drobiazgowa. Każdy ubiera się, w co chce. Ja nie oceniam twoich kiecek w kwiatki.

Po chwili przybiegła Laura, przynosząc ze sobą szklankę wody. Kazała ją wypić dziewczynie. Przy pomocy kobiet Dagmara zdołała wstać. Chwilę później leżała już na łóżku Pauliny z nogami wspartymi o stertę poduszek.

– Dobrze, że jesteś taka chuda, bo nie wiem, jak byśmy dały radę cię tu wtaszczyć – zażartowała Paulina. – Chcesz pogadać?

– Nie wiem, czy jest o czym.

– Okay, to sobie leż, a ja poczytam jeszcze trochę. Pojutrze obrona, a ja jestem w…

– …w dupie jesteś, wiem. Ucz się, ucz. Ja sobie poleżę w ciszy. Obiecuję, że nie będę przeszkadzać.

– Dobrze.

Zadzwonił telefon. Była to Hania. Paula porozmawiała z nią chwilę.

– Czego chciała?

– Powiedzieć, że cię kocha. Prosi, abyś zadzwoniła.

– Jeszcze czego. Nie mam o czym z nią gadać – burknęła.

Paula wstała od biurka i podeszła do przyjaciółki.

– Posuniesz się trochę? Mogę położyć się obok ciebie?

– Jasne.

Paula przeglądała notatki, głaskając przyjaciółkę po włosach. Jej myśli krążyły wszędzie, lecz nie tam, gdzie powinny. Wszystko tak szybko się zmieniało. Jedynym, co pewne, była właśnie zmiana. Jeszcze niedawno bujały się razem na huśtawkach, lepiły babki z piasku i jadły lody na patyku. Dziś nie pozostało z tego nic. Jej przyjaciółka przeżywała jakiś osobisty dramat niewiadomej treści. Ona sama zaś przed oczami miała obrazy dni, których doświadczyła tak niedawno. Nie musiały ze sobą rozmawiać, aby się zrozumieć.

***

– Dagmarka jest u Pauli – oświadczyła Hania.

– Może po nią pojadę? – zaproponował Mikołaj mimo danej sobie obietnicy, że więcej nie pojawi się w zasięgu wzroku Pauli.

– Nie ma szans, aby z tobą przyjechała. To tylko pogorszy sytuację. Trzeba dać jej odetchnąć. Znając ją, sama wróci wieczorem. Wszystko przeze mnie. Powinienem był już dawno jej się do wszystkiego przyznać. Ona ma rację. Przez te wszystkie lata zachowywałem się jak tchórz. Wydawało mi się, że milczenie jest lepsze, że w ten sposób ją chronię. Wszystko zniszczyłem.

– Nie dramatyzuj – uspokoił go przyjaciel. – Wszystko dzieje się po coś. Myślisz, że możesz sobie zaplanować całe życie? Powiedz Bogu o swoich planach, to się z ciebie uśmieje. Nie płacz teraz nad rozlanym mlekiem. Znajdź sposób, aby wszystko poukładać.

– Kto to mówi? Spójrz na siebie, Mikołaj. Ciągle rozpamiętujesz Sternę. Ożeniłeś się z Gośką, machnąłeś jej dzieciaka i co? Myślisz, że ciebie przeszłość nie dogoni? Myślisz, że twój Tadzio ci kiedyś nie dowali, że skrzywdziłeś jego matkę? Ja przynajmniej cały czas pokutuję za swoje grzechy, a ty zabrałeś manele i zwiałeś.

– Patryk, proszę cię. Nie oceniaj Mikołaja. Po co wy się kłócicie? Nie mogę już tego słuchać. – Hanka zakryła uszy otwartymi dłońmi.

Mikołaj unosząc, rękę, dał znak, że wszystko jest w porządku, i zaczął mówić:

– Masz rację, przyjacielu. Moja przeszłość z pewnością mnie dopadnie. Może będę się kiedyś tłumaczył, albo może nigdy nie dostanę na to szansy. Tego nie wiem. Wiem, że skrzywdziłem Gośkę, ale... myślisz, że byłoby lepiej, gdybym tkwił przy niej z litości? Myślisz, że byłaby szczęśliwa z facetem, który ją oszukuje? Popełniłem błąd, ale jestem przekonany o tym, że popełniłbym większy, gdybym z nią został. Myślisz, że nie próbowałem? Nie udało się. Zdradzałem ją na prawo i lewo i nawet nie miałem wyrzutów sumienia. Ona nie zasługuje na kogoś takiego jak ja. Wolałem zwrócić jej wolność, kiedy jeszcze ma szansę ułożyć sobie życie z kimś innym. Nawet nie wiesz, ile razy ukarałem sam siebie za to, co się wydarzyło, zanim zrozumiałem, że biczowanie się nic nie da.

Nastała bolesna cisza. Każdy patrzył w tylko sobie znany punkt. Każdy miał swoją rację i dla każdego tylko jego racja wydawała się tą prawdziwą i słuszną.

– Przepraszam, stary – powiedział Patryk po chwili namysłu.

– Nie przepraszaj. Nie będę się z tobą licytował, który z nas ma gorzej. Każdy niesie swój krzyż. Przestań dramatyzować. Masz przy sobie kobietę, którą kochasz i ona kocha ciebie. Doceń to. Jestem daleki od prawienia ci morałów, ale jeśli chcesz, to dam ci jedną radę.

– Chcę.

– Wybacz sobie to, co się stało. Wreszcie sobie wybacz. Twoja żona ci wybaczyła, córka też ci wybaczy, ale najważniejsze jest to, czy ty sam sobie wybaczysz.

Przysłuchująca się rozmowie Hania podeszła do męża i mocno uścisnęła jego rękę.

– Wszystko będzie dobrze – wyszeptała.

– Na mnie już pora, kochani – rzekł Mikołaj.

– Dlaczego? Zostań do jutra, tak jak to uzgodniliśmy – prosiła Hania. – Nie gniewaj się, proszę, za tę sytuację.

– Haniu, ja się nie gniewam. Jak bym mógł? Powinienem zostawić was samych. Obiecuję, że przyjadę, gdy tylko załatwię w Warszawie wszystkie formalności. Tęsknię za Tadziem. Obiecałem mu wypad do kina. Nie mogę zawieść, rozumiesz. – Starał się rozluźnić atmosferę.

– Trzymam cię za słowo. Widzimy się w lipcu. Hania ma urodziny, więc jesteś zaproszony na tort.

– Będę obowiązkowo.

Mężczyźni uścisnęli się po przyjacielsku.

***

Odłożyła notatki, wiedząc, że nie jest w stanie zrobić nic, co odwróciłoby uwagę od myślenia o Mikołaju. Dagmara leżała obok, oddychając równomiernie. Gdy opowiadała o zdarzeniu mającym miejsce w jej domu, spłakała się tak bardzo, że usnęła z wyczerpania. Paulina cichutko wymknęła się z sypialni, aby zatelefonować do Hani i uspokoić ją, że z jej córką wszystko jest w porządku.

– To dobrze. Bardzo się martwiłam. Powiedz jej, że czekamy na nią w domu. Mikołaj chciał po nią nawet przyjechać, ale odwiodłam go od tego pomysłu. Dagmarka pewnie i tak by nie wróciła.

– Myślę, że gdy się obudzi, będzie chciała wrócić. Zadzwonię do ciebie, Haniu, i spokojnie Mikołaj może po nią podjechać. – Wypowiadając jego imię, czuła, jakby serce miało wyskoczyć jej z piersi.

– Niestety już wyjechał. Wiesz, po tym wszystkim to jeszcze się tu z Patrykiem posprzeczali. Głowa mnie boli strasznie. Tęsknię za Dagmarką.

– Ale chyba się pogodzili? Z tego, co zauważyłam, to raczej się lubią. – Siliła się na naturalność, a równocześnie starała się nie być wścibska.

– Tak, tak. Wszystko w porządku. No szkoda, że nie zdążyliście się lepiej poznać, ale będzie jeszcze okazja. Mikołaj obiecał przyjechać na moje urodziny – rozpromieniła się kobieta.

– Ale to dopiero w lipcu! – wyrwało się Paulinie. Na szczęście Hanka nie widziała jej twarzy, z której można by wiele wyczytać.

– Dopiero? Raczej już! Och, chciałabym mieć tyle lat, co wy, dziewczynki. Zastanawiam się, czy zmieniłabym cokolwiek i wciąż nie mogę znaleźć odpowiedzi...– W słuchawce nastała cisza. Przerwała ją Paula.

– Dobrze, Haniu, w takim razie będę kończyć. Słyszę, że chyba Dagmara się budzi. – skłamała. – Porozmawiam z nią i poproszę, aby do ciebie zadzwoniła.

– Dziękuję, Paulinko. Ściskam mocno. Do usłyszenia.

– Do usłyszenia.

Więc wyjechał bez pożegnania. Nie było żadnego „cześć", „do zobaczenia" ani nic. Najgorsze, że nie mogła nawet mieć pretensji, bo od początku umawiali się tylko na kilka dni, tylko na chwilę. Miała nadzieję, że zmieni zdanie, zadzwoni, przyjedzie. Cokolwiek. Tymczasem nie było nic.

Skuliła się w kłębek, siadając pod drzwiami swojego pokoju. Nie wiedziała, czy chce jej się płakać ze smutku, czy krzyczeć ze złości. Po prostu usiadła, podkulając pod siebie nogi i patrzyła się na wyświetlacz leżącego na podłodze smartfona. Chciała ujrzeć w nim jakąkolwiek wiadomość od niego. Jak napisałby „żegnaj", mogłaby być zawiedziona, jak napisałby „potrzebuję czasu", mogłaby mieć nadzieję, jak napisałby

„wrócę", odliczałaby dni. Tymczasem nie było nic i z tym niczym nie mogła sobie poradzić.

Dlaczego to jej zawsze trafiali się mężczyźni bez przyszłości? Najpierw żonaty, teraz rozwodnik. Dlaczego nie mogła sobie poszukać kogoś, kto nie miałby za sobą całej popapranej przeszłości i nie byłby uwikłany w żadne zobowiązania?

Może dlatego, że nie lubiła prostych rozwiązań? Siedząc na tej podłodze, sama już nie wiedziała, co lubi, a czego nie. Po jej policzku popłynęła łza świadcząca o tym, że w jej sercu zapadła decyzja, co właściwie czuje.

– Jesteś smutna? – zapytała nagle Daga.

Paulina pośpiesznie otarła łzy rękawem swojej kwiecistej bluzki.

– Długo tu stoisz?

– Wystarczająco. Rozmawiałaś z moją matką. Co się stało?

– Wyjechał.

– No wyjechał, wyjechał. Z tego, co wiem, miał wyjechać jutro, ale zmęczył się atmosferką naszego domu i zwinął żagle wcześniej. Czego ty się spodziewałaś? Liczyłaś na coś więcej?

– Sama nie wiem. Głupia jestem.

– Nie jesteś głupia. Jesteś zakochana.

– Ja? – zdziwiła się szczerze.

– Nie, ja.

– Nie jestem. Na pewno nie jestem. Po prostu…

– Tęsknisz za nim? – zapytała Daga.

– Tak.

– Myślisz o nim? Uczciwie odpowiadaj.

– Nieustannie.

– Sprawdzasz co chwilę, czy zadzwonił albo napisał do ciebie?

– Sprawdzam.

– Powiedz mi jeszcze, że robisz to wszystko dlatego, że go nie lubisz i że jest ci obojętny.

Nastała cisza. Paulina użyła swojego drugiego rękawa, aby tym razem wytrzeć w niego zasmarkany nos. Pomyślała chwilę i rzekła:

– Polubiłam go, ale żeby od razu się zakochać? To się chyba nie dzieje tak szybko, prawda?

– Tego to ja ci nie powiem. Nie mam bogatych doświadczeń. Poza tym z Miśkiem też nie za bardzo mi się układa ostatnio, więc marny ze mnie doradca sercowy. Ale tak na moje oko, to przepadłaś. Zadzwoń do niego. Po prostu.

– Jeszcze czego? Zwariowałaś?

– Jeśli będziesz tak czekała, jak księżniczka, to możesz się nie doczekać. Trzeba wziąć sprawy w swoje ręce.

– Nigdzie nie dzwonię. Daj mi spokój. Muszę się uczyć.

– Obie wiemy, że z nauki to już nici. Chodź, zamówimy pizzę, bo jestem głodna. Przez tę całą aferę nie zjadłam obiadu. Żałuję, bo mama takie dobre ziemniaczki upiekła. Najwyżej sobie odgrzeję, jak wrócę.

– Wracasz?

– No jasne, że wracam. Przecież to moi rodzice. Nikt nie jest idealny, Paulina. Założę się, że twoi starzy też mają jakieś tajemnice, tylko są sprytniejsi w ich ukrywaniu. Nie wpadnij przypadkiem na pomysł, że gdybyś zakochała się w kimś innym, byłoby teraz całkiem inaczej.

Szósty zmysł przyjaciółki znowu zareagował bez pudła. Dziewczyny spojrzały sobie w oczy.

– Tak myślałam. Dobra, nie ma co dłużej nad tym dywagować. Zjemy pizzę i spadam. – Chwyciła w dłoń telefon Pauli, wystukała szybko numer pizzerii i zakrywając palcem mikrofon, zapytała:

– Wegetariańska?

Przyjaciółka skinęła głową.

ROZDZIAŁ 10

Tak, jak wszyscy podejrzewali, obroniła się na piątkę. Gratulacjom nie było końca. Mama przygotowała pyszny obiad z deserem, na który zaprosiła wszystkich ważnych dla ich rodziny ludzi.

Ojciec przez cały tydzień obdzwaniał rodzinę, bliższych oraz dalszych znajomych, aby pochwalić się, że jego córka jest już magistrem. Kiedy widziała, jaką sprawiła im radość, robiło jej się ciepło na sercu. Rodzice zaproponowali, aby nie spieszyła się z podejmowaniem decyzji związanych z jej dalszym życiem. Dostała od nich przyzwolenie, że do końca września ma prawo oddać się błogiemu lenistwu. Skorzystała z nieukrywaną radością.

Jej dni zwykle wyglądały tak samo.

Rano po przebudzeniu skanowała ciało, poczynając od palców stóp, przez łydki, uda, brzuch, ramiona, klatkę piersiową. Skupiała się na oddechu, próbując nawiązać kontakt z samą sobą. Później czytała. Zafascynowana literaturą dotyczącą samorozwoju poświęcała na czytanie dwie do trzech godzin każdego przedpołudnia. Później parzyła kawę zbożową, ozdabiając ją spienionym mlekiem z wizerunkiem serduszka. To serce przypominało Mikołaja. Przestała walczyć z myślami. Próbowała nauczyć się żyć z wyobrażeniem o człowieku, którego bardzo jej brakowało. Wiedziała, że rozsądniej byłoby o nim zapomnieć, lecz… to było po prostu niemożliwe.

Starała się nie zaglądać do internetu. Zauważyła, że rzeczywistość poza siecią jest o wiele ciekawsza i pełniejsza w doznania. Zamiast zachwycać się zdjęciami swoich wirtualnych znajomych, sięgała po ilustrowane albumy z miejscami, które chciałaby w przyszłości odwiedzić. Gdyby tylko miała fundusze, spakowałaby plecak i wyruszyła w nieznane już dziś.

Może podświadomie chciała uciec? Jeszcze kilka tygodni temu była przekonana, że po skończeniu studiów z przyjemnością zatrudni się w jakimś przedszkolu. Dziś, kiedy dyplom miała już w kieszeni, kompletnie nie czuła z niego satysfakcji. No, może maleńką. Lecz ta ociupinka nie wystarczała, aby poczuć swoją wartość i spełnienie. Tak naprawdę nie czuła niczego oprócz tęsknoty, no i jeszcze tego potwornego zmęczenia dokuczającego jej od jakiegoś czasu.

Każdego południa jechała rowerem na pobliski rynek w celu upolowania ekologicznych warzyw. Po powrocie eksperymentowała w kuchni, poszukując nowych smaków. Chciała odzyskać utracony apetyt. Ubrania wskazywały, że bardzo zeszczuplała. Po południu ćwiczyła relaksacyjną jogę, chociaż ostatnio z powodu zawrotów głowy czyniła to coraz rzadziej. Niepokoił ją ten stan, lecz o dziwo nikt go nie zauważył. Nawet bystre oko matki zdawało się nie widzieć, że ukochana jedynaczka nie jest już taka jak kiedyś, że mniej się uśmiecha.

Dagmara, wtajemniczona w jej uczuciowe rozterki, starała się robić wszystko, aby ją rozweselić. W międzyczasie sama rozstała się z Miśkiem, twierdziła, że czuła się, jakby randkowała z bratem. Postanowili jednak, że zostaną przyjaciółmi, chociaż oboje nie wierzyli w przyjaźń damsko-męską. Słowa „zostańmy przyjaciółmi" to najgorsze słowa, jakimi możemy uraczyć osobę niegdyś nam bliską. Oznaczają mniej więcej tyle, że i tak nic z tego nie będzie, ale dajmy sobie więcej czasu, aby umarło śmiercią naturalną.

Dziewczyny korzystały więc z dobrodziejstw wolnego czasu. Wieczorami chodziły do kina, na koncerty, zaliczyły też kilka spotkań autorskich z ulubionymi pisarzami. Na dyskoteki Paula nie miała nastroju ani też siły. Permanentną ospałość zwalała na przesilenie wiosenne. Ale zaczęło się już lato, a Dagmara prosiła ją, żeby poszła do lekarza. Dziewczyna jednak nie brała jej słów poważnie.

Minęły już dwa miesiące, odkąd nie miała żadnego kontaktu z Mikołajem. Nie odezwał się, a i ona nie miała odwagi, aby to uczynić. Może bała się jego reakcji? Albo swojej? A może wolała pielęgnować wyobrażenie o nich, niż zderzyć się z rzeczywistością?

– Cześć, Paulinko. – Usłyszała głos Hani w swoim smartfonie.

– Cześć, Haniu, co u ciebie? Miło, że dzwonisz.

– U mnie wszystko w porządku. Jak wiesz, zbliżają się moje urodziny. Dagmarka coś ci wspominała na ten temat?

– Tak, tak, co nieco mówiła – skłamała, chroniąc przyjaciółkę. – Które to już? – zapytała, nim zdążyła pomyśleć.

– Och, kto by tam liczył. Powiedzmy, że osiemnaste. Najważniejsze jest to, jak się czujemy, prawda? Na torcie zamiast liczby świeczek mówiącej ile mam lat, chciałabym umieścić cyfrę sześć symbolizującą mój wielki, drobny sukces.

– To już sześć miesięcy minęło?

– Tak, kochana. Nie piję już od pół roku. O ile mój wiek nie ma dla mnie większego znaczenia, to pół roku w trzeźwości jest ogromną okazją do świętowania, prawda?

– Haniu, wszyscy jesteśmy z ciebie dumni. Wiesz, że masz w nas wsparcie, prawda?

– Wiem. Dlatego nie może cię zabraknąć. Oczywiście wierzę, że wspomożesz mnie troszkę w organizacji?

– Naturalnie, co miałabym zrobić? Mówisz i masz! – zgodziła się bez chwili wahania.

– Och, nie tak dużo. Prosiłabym cię tylko o ten sernik, wiesz ten mój ulubiony.

– Z bitą śmietaną?

– Dokładnie ten! Uwielbiam go i… pochwaliłam się już Mikołajowi, że będzie miał niepowtarzalną okazję spróbować twoich genialnych wypieków – ćwierkała zadowolona.

– Mikołajowi… – Zdawało jej się, że powtórzyła jego imię w myślach.

– Tak, Mikołajowi. Pamiętasz go? Był u nas na początku maja, chyba poznaliście się w przelocie. Coś mi Dagmarka wspominała.

– Tak, tak. Poznaliśmy się – wymamrotała.

– No, to teraz poznacie się bliżej. Będzie fajnie. To fantastyczny facet, przyjaźnimy się z nim od lat.

O tym, jaki jest fantastyczny, miała okazję się przekonać na własnej skórze i to pod wieloma względami.

– Kiedy to przyjęcie, Haniu?

– Mikołaj przyjedzie w sobotę wieczorem, więc pomyślałam, że niedziela będzie odpowiednia. Nie masz chyba żadnych planów?

– Zerknę w kalendarz, ale raczej nie.
– Tylko nie próbuj się wymigać. Bez ciebie i twojego sernika będzie totalna klapa.
– Dobrze, Haniu. Nie martw się o sernik. Będziesz mogła poczęstować nim swojego gościa.
– Bardzo się cieszę. Do zobaczenia. Jesteś kochana.
– Do zobaczenia, Haniu.
Świetnie. Po prostu świetnie. Jeszcze tego brakowało, aby się z nim znienacka spotkała. Nie mogła do tego dopuścić. Nie chciała go widzieć. To znaczy chciała, ale nie mogła. Napisała szybko SMS do Dagmary.

Od: Paulina
Do: Dagmara

Twoja matka zaprosiła mnie na urodziny. Mam upiec sernik. Podobno będzie Mikołaj. Nie chcę go widzieć. Pomóż mi!!!

Po chwili otrzymała odpowiedź.

Od: Dagmara
Do: Paulina

Niby co mam zrobić? Wiesz, że ona nie odpuści. Mogę ją poprosić, aby przyjęcie było balem przebierańców. Przebierzesz się za Fionę. Na pewno nikt Cię nie rozpozna :-)

Od: Paulina:
Do: Dagmara

Znając moje szczęście, to on przebierze się za Shreka. Przyjedź, proszę. Pomóż mi coś wymyślić. Jesteś moją przyjaciółką. TO ZOBOWIĄZUJE!!!

Od: Dagmara
Do: Paulina

Tylko bez emocjonalnego szantażu. Będę około szesnastej. Nie dramatyzuj i nie panikuj, kobieto!!!

Chodziła w kółko po pokoju, próbując znaleźć sobie miejsce. Tak się zdenerwowała, że z tego wszystkiego odpuściła sobie dzisiejszy wypad na rynek oraz gotowanie. Od porannej owsianki nie wcisnęła w siebie nawet najmniejszego kęsa kanapki, którą podrzuciła jej do pokoju matka przed wyjściem do pracy, zaniepokojona jej nieobecnością.

Paulina miała ochotę wyjść na dwór, lecz zmieniła zdanie, gdy przez okno swojego pokoju ujrzała krzątającą się w sąsiednim ogrodzie Pietrzykową. Wolałaby się z nią nie spotkać. Ojciec na szczęście wybrał się na cmentarz, mogła więc nakręcać się do woli wyobrażaniem tego, co prawdopodobnie nigdy miało nie nastąpić.

***

– Jesteś wreszcie. Bardzo dobrze. Odchodzę od zmysłów. Musisz mi pomóc coś wymyślić. Ja nie mogę iść na urodziny twojej mamy.

– Spokojnie, spokojnie. Czemu tak się nakręcasz? Wdech, wydech, wdech, wydech. Połóż się i zeskanuj ciało.

– Nie nabijaj się ze mnie. To naprawdę pomaga.

– Nie nabijam się. Sama zaczęłam to praktykować. Mamę również nauczyłam.

– Okay, może masz rację. Niepotrzebnie się nakręcam, powinnam się uspokoić.

Pauli nagle zakręciło się w głowie tak bardzo, że musiała usiąść.

– Widzisz? Widzisz, do czego to doprowadza? Powiedz mi, w czym problem? Dlaczego nie chcesz tam iść? Przecież on cię nie pogryzie.

– Daga, nie chcę go widzieć. Boję się, że gdy go zobaczę, nie będę w stanie opanować emocji. Popłaczę się na jego widok. Nie masz pojęcia, jak te kilka dni z nim wpłynęły na to, co obecnie przeżywam.

– To mu to powiedz. Może razem coś zaradzicie. Uważam, że to doskonała okazja, aby sobie wszystko wyjaśnić.

– Niby co mam z nim wyjaśniać? Gdyby chciał się odezwać, toby się odezwał, co nie?

– Nie zawsze wszystko jest takie, na jakie wygląda. Skąd wiesz, co on myśli? Może być kompletnie na odwrót. Nie wpadłaś na to, że on może myśleć to, co ty i jak oboje będziecie się tak zachowywać, to może ominąć was coś fajnego?

– Niby co?

– Nie udawaj głupiej. Miłość! Kobieto. Miłość!

Nie myślała w ten sposób. Nie zakładała, że związek między młodą dziewczyną a dojrzałym mężczyzną może być po prostu wielką miłością.

– Może masz rację? – wyszeptała.

Dagmara podeszła do niej i przytuliła ją serdecznie do swojego wątłego ciała.

– Oczywiście, że mam rację. Nie martw się, wszystko będzie dobrze. Przyjdź z sernikiem i nie bój się. Przecież nie jesteś strusiem, prawda? Nie chowaj głowy w piasek. A już na pewno nie przebieraj się za Fionę. No, chyba że za tę wersję przed północą. – Paula zaczęła się śmiać, a Dagmara ucieszyła się, że wreszcie udało jej się rozbawić przyjaciółkę.

Gdy uścisk dziewczyn zelżał, Paula zdała sobie sprawę, że przez ostatnie tygodnie skupiona była na sobie do tego stopnia, że nawet nie zadała przyjaciółce pytania, jak wyglądają jej relacje z rodzicami.

– Powoli do przodu – Dagmara zaczęła mówić. – Nie ma dnia, aby ojciec mnie nie przepraszał. Dziś rano zagroziłam mu, że jeśli jeszcze raz to zrobi, to każdego wieczora będę ostentacyjnie jadła przy nim frytki i napawała się jego tekstami, że niby go to nie rusza. Wiesz, postanowił się odchudzać, więc staramy się z mamą nie wystawiać na próbę jego silnej woli.

– Patryk? Odchudzać? Poważnie? – zdziwiła się Paula.

– Poważnie. Nawet biegać zaczął. Co prawda nie jest to bieg ciągły, bo niestety lata spędzone na siedzeniu na czterech literach, zrobiły swoje. Ale truchta. Jak zmęczy się truchtem, to przechodzi do marszu, po czym ponownie wraca do truchtu. Chwalił się ostatnio, że pokonał pięć kilometrów.

– To świetna wiadomość. Bardzo się cieszę, naprawdę.

– Nie powiem, że całkiem mi przeszło, ale... co mam zrobić? Rodziców się nie wybiera, prawda?

– No raczej...

– Wiesz, wczoraj słyszałam, jak ojciec rozmawiał przez telefon z Mikołajem. Mam mówić? Czy cię to nie interesuje?

– Rozum nakazałby, abyś milczała, ale serce...

– Wybieram głos serca. Słuchaj, rozmawiali o tym bieganiu. Mikołaj doradzał ojcu, jaki ma kupić zegarek, wiesz, taki, co to ma mierzyć tętno i przebyty dystans. Potem umawiali się na jakiś wspólny start w zawodach. Ale to nie jest ważne, słuchaj teraz. Najlepsze zachowałam na koniec. Słyszałam, jak ojciec mu mówił, że przyniesiesz sernik na przyjęcie. Nie słyszałam oczywiście reakcji Mikołaja, ale słyszałam to, co powiedział później ojciec. Nie zgadniesz, co to było.

– Nie wiem, czy mam się bać?

– Ojciec powiedział, że też się cieszy, że będziesz. Wynika z tego, że Mikołaj musiał powiedzieć to samo.

– Oj tam, jeśli już tak powiedział, to pewnie z grzeczności.

– Z grzeczności czy nie, ale powiedział. Ciesz się, a nie lamentuj!

– Kocham cię, ty moja konspiratorko. Co ja bym bez ciebie zrobiła?

– Też się zastanawiam – zażartowała. – Okay, będę się zbierać, Paula. Weź się w garść i zjedz coś. Naprawdę schudłaś. Jak ty to robisz? Wszędzie cię mniej, a w cyckach mam wrażenie, że więcej.

– À propos cycków, to strasznie mnie bolą.

– Idź w końcu do tego lekarza.

– Dobra, już dobra.

– Buziaki, pa.

– Dziękuję. Pa.

ROZDZIAŁ 11

Niedziela zbliżała się wielkimi krokami. Paula nadal nie miała pewności, czy dobrze robi, wybierając się na to przyjęcie. Z jednej strony bardzo chciała iść, chciała go zobaczyć, poczuć, jak pachnie i chociażby z daleka dotykać go wzrokiem. Tak chciało jej serce. Kiedy tylko zaczynała analizować sytuację, miała coraz więcej wątpliwości. Starając się zająć głowę czymś innym, postanowiła posprzątać swój pokój i odświeżyć w nim dekoracje.

Na początek wyrzuciła z szaf wszystkie ubrania. Posortowała je na te, które nosi oraz te, które miała ostatni raz na sobie dawniej niż dwa lata wstecz. Słyszała kiedyś w jakimś programie telewizyjnym, że jeżeli właśnie przez taki okres nie włożyło się na siebie jakiejś rzeczy, to trzeba się jej pozbyć. Wyjątkiem były ubrania kupione na tak zwaną „okazję". Na szczęście nie miała ich wiele. Chciała zrobić miejsce na nową, świeżą energię. Pozostałe rzeczy pogrupowała i ułożyła na półkach. Poczuła się lepiej, widząc, jak wiele ma miejsca.

To samo zrobiła z kosmetykami. Pozbyła się tych, których termin ważności już dawno upłynął. Buteleczki po perfumach wykorzystała do zrobienia małych wazoników. Nie miała pieniędzy na nowe dekoracje, więc postanowiła zrobić najlepsze z tego, co było dostępne w jej domu. Do wazoników wstawiła zerwane w ogrodzie gałązki, które pomalowała na różne kolory, używając do tego starych lakierów do paznokci. Cieszyła się, że jest taka pomysłowa.

Potem zajęła się regałem z książkami. Miała ich naprawdę dużo. Była wdzięczna mamie, że od najmłodszych lat wpajała jej miłość do słowa pisanego. Odkąd pamiętała, rodzice każdego wieczoru czytali jej bajki. Przestali, dopiero kiedy sama nauczyła się czytać. Przypomniało jej się, jak mama pierwszy raz zabrała ją do księgarni. Mogła wybrać sobie, co tylko chce. Wróciła do domu z wszystkimi tomami *Harry'ego Pottera*, które akurat były dostępne. Zaszyła się w swoim pokoju i czytała je do późnych godzin nocnych. Nie mogła oderwać się od tych magicznych historii. Teraz, gdy trzymała te powieści w rękach, zatęskniła za chwilami beztroski, w których z wypiekami na twarzy pochłaniała historie małego magika.

Gdyby tak mogła zaczarować rzeczywistość, natychmiast przeniosłaby się w ramiona Mikołaja. Wróciła myślami do książek. Wybrała te, których nie miała zamiaru już czytać i postanowiła przy najbliższej okazji zawieźć je do małej mierzyńskiej biblioteki. Pracująca tam bibliotekarka, pani Monika, zawsze cieszyła się z wszystkiego, co tylko było jej ofiarowane.

Na koniec wytarła jeszcze kurze, zmieniła pościel na tę w drobne maki. Lubiła ich optymizm. Miała wrażenie, że gdy śpi w tej pościeli, jej sny są bardziej kolorowe. A ostatnio coraz częściej oddawała się w objęcia Morfeusza.

Nie poznawała siebie. Na ogół była bardzo dynamiczną osobą, a teraz czuła się tak, jakby ktoś głodny żuł ją godzinami, a następnie wypluł. Po zakończeniu wszystkich prac znów zrobiła się bardzo senna. Położyła się tylko na kwadrans, a obudziła po dwóch godzinach. Stan, w jakim znajdowała się od pewnego czasu, zaczynał ją martwić.

Zaspana zeszła na dół. Na szczęście nikogo nie było w domu. Chwyciła długopis i kartkę, by zrobić listę produktów potrzebnych do przygotowania sernika. Skoro już postanowiła, że jednak pójdzie, chciała, aby jej deser był nieskazitelny, chociaż na samą myśl o słodkim wypieku, nie wiedzieć czemu robiło jej się niedobrze.

Zagotowała wodę na herbatę, obrała wcześniej umytą cytrynę i plasterek wrzuciła do gorącego napoju. Zastanawiała się, czy Mikołaj woli herbatę z plasterkiem cytryny czy może z wyciśniętym sokiem, czy też wcale nie lubi, aby dodawać do herbaty cytrynę albo może nie lubi herbaty?

Nie mogła zrozumieć, jak to możliwe, że w sumie nie wie o nim nic, a nie potrafi przestać o nim myśleć. Nawet herbata przywołuje go do jej umysłu. Upiła łyk napoju, czując, jak jego ciepło rozlewa jej się po wnętrzu brzucha. Nagle strasznie ją zemdliło i o mały włos, a zwymiotowałaby na kuchenny blat. Biegła szybko do łazienki, zakrywając usta obiema rękami, jakby to miało w czymkolwiek pomóc. Zastanawiała się, gdzie mogła podłapać wirusa? Może mama przyniosła jakieś zarazki z kliniki?

Zadzwoniła do niej zapytać, jak się czuje. Matka na szczęście była zdrowa. Uznała zatem, że na razie napije się odgazowanej coca-coli, która, według mamy, na wszelkiego rodzaju żołądkowe rewolucje była po prostu najlepsza. Siedziała tak co najmniej godzinę.

Próbując wypełnić czas czymś konstruktywnym, wzięła do rąk powieść Grocholi, ale i tak nie mogła się skupić.

Przeczytała kilka stron, po czym robiła to od nowa. W rezultacie odłożyła książkę na półkę.

Wstała i udała się do łazienki po krem do rąk. Otworzyła szufladę i nerwowo przerzucając znajdujące się tam przedmioty, natknęła się na małe pudełeczko tamponów. Chwyciła je w dłoń, zastanawiając się, kiedy ostatnio miała miesiączkę? Nagle zrobiło jej się nieprawdopodobnie gorąco. Pobiegła na górę, pospiesznie odszukała swój kalendarz, w którym zaznaczała owe dni, otworzyła go i zamarła. Ostatnio miesiączkowała w kwietniu. Gorączkowo zaczęła liczyć, kiedy mogły jej wypaść dni płodne i jak na ironię wypadły właśnie wtedy, kiedy beztrosko kochała się z Mikołajem, ani przez chwilę nie myśląc o konsekwencjach. Zakryła twarz dłońmi i rozpłakała się rzewnymi łzami.

***

Stała pod drzwiami Słupskich, nie mogąc uspokoić zbyt szybko bijącego serca. Przed sobą trzymała blaszkę z ciastem, którego sam widok napawał ją odrazą. Ubrała się w spódnicę koloru czerwonego, dobierając do niej biały golf. Kiedy wychodziła, ojciec śmiał się z niej, że wygląda jak flaga Polski. Nie zamierzała jednak zmieniać swojego stroju, ponieważ był to jedyny golf z cienkiego materiału, jakiego nie pozbyła się podczas ostatnich porządków. Musiała go włożyć, ponieważ wiedziała, że gdy tylko zobaczy Mikołaja, zacznie się denerwować, co bezlitośnie obnażą pojawiające się na jej szyi plamy. Zawsze, kiedy się denerwowała, dopadała ją ta dolegliwość.

Hania z Dagmarą przywitały ją uściskiem pełnym radości. Stinkiemu o mało nie ukręcił się ogon, kiedy ją zobaczył.

Gospodyni zabrała blaszkę z ciastem oraz prezent przygotowany specjalnie na tę okazję.

– Sama to zrobiłaś? – zapytała na widok doniczki wysadzanej małymi kryształkami.

– Storczyka kupiłam, ale doniczkę przygotowałam sama. Mam nadzieję, że ci się podoba?

– Jest przepiękna. To cudowny prezent. Bardzo ci dziękuję. Jesteś kochana i zawsze wiesz, co sprawi mi największą przyjemność.

– O, przepraszam, ja też wiem. Kupiłam ci najnowszą powieść Jojo Moyes – wtrąciła się Dagmara. – Niestety nie mam manualnych zdolności, mamuniu, i jedyne, co mogę zrobić dla ciebie za pomocą swoich rąk, to posprzątać po dzisiejszej imprezie – zaoferowała.

– Trzymam cię za słowo, córeczko.

Wnętrze domu wypełniał zapach grilla, obsługiwanego przez Patryka. Sączące się przez drzwi tarasowe zapachy zachęcały, aby usiąść na zewnątrz. Rozglądała się nerwowo po domu, poszukując konturów sylwetki, którą próbowała zatuszować w pamięci.

– Mikołaj! – zawołała Hania. – Możesz podejść?

Już sam dźwięk jego imienia działał na nią hipnotyzująco. Miała wrażenie, że traci władzę w nogach, stąd też na jego widok nie zdołała zapanować nad ciałem. Nawet nie wstała, kiedy pojawił się w jej pobliżu. Wystawiła tylko dłoń w jego kierunku, którą zaraz pocałował. Pomyślała, że nigdy żaden mężczyzna nie pocałował jej w rękę na powitanie. Dziś już nie uczono małych chłopców szarmanckich gestów.

Wyglądał, jakby ostatni raz widzieli się wczoraj. Ludzie co prawda rzadko zmieniają się w trakcie kilku tygodni, chyba że są dziećmi. Zdawało jej się nawet, że ubrany był tak samo, jak w dniu, gdy porwał ją spod uczelni.

– Miło cię widzieć – powiedział, patrząc jej głęboko w oczy.

– Ciebie również – odpowiedziała.

– Pięknie wyglądasz.

– Dziękuję.

Jak na razie to, co powiedział, było całkowicie do przewidzenia. Niewymuszona kurtuazja. Pomyślała, że jeśli za chwilę zada jej pytanie o pogodę, to chyba kopnie go w kostkę. Na szczęście nie zadał.

– Jak obrona?

– Dziękuję, dobrze.

– Zapytałbym o plany na przyszłość, ale chyba lepiej nie ryzykować. Może powiedz, jakie masz plany na wakacje?

– Plan jest taki, aby nie mieć planów – odparła.

Zamyślił się przez chwilę, nad tym, co powiedziała, po czym rzekł:

– Nie mieć planu, to piękny plan.

Nastała między nimi niezręczna cisza, którą przerwała Dagmara.

– A co wy sobie tutaj tak gruchacie? Za chwilę podamy do stołu, szef kuchni poleca swoje kulinarne dzieło. Miało być dietetycznie, co prawda, ale chyba jakoś mu nie poszło, pewnie dziś ma *cheat day*. – Zaczęła się śmiać ze swojego żartu.

– Już ty się nie wymądrzaj, Daga – obruszył się Patryk. – Od czasu do czasu chyba mi wolno zjeść, jak na prawdziwego chłopa przystało, prawda, Miki? – szukał wsparcia w przyjacielu.

– Jasne, masz rację. Jeden dzień na doładowanie na pewno ci nie zaszkodzi. Dla zdrowia psychicznego jest to jak najbardziej wskazane.

– Słyszałaś, córcia? – zapytał, przeżuwając kawałek pieczonej karkówki. – Poza tym, mama dzisiaj ma swoje piętnaste urodziny i nie zamierzam sobie niczego odmawiać. Podano do stołu! – krzyknął.

Wszystko wyglądało i smakowało przepysznie. Czerwień dorodnych pomidorów cudownie komponowała się z bielą mozzarelli oraz zielenią bazylii. Świeżo wyciskane soki z pomarańczy dodawały lekkości i optymizmu kryształowym szklankom. Świeże pieczywo ułożone w wiklinowym koszyczku przykryte było serwetką, którą własnoręcznie na szydełku wykonała Hania. Całości uroku dodawał bukiet świeżych kwiatów przyniesionych prawdopodobnie przez któregoś z mężczyzn. Paula nie mogła się powstrzymać przed ich powąchaniem.

– Bukiet przepiękny, lecz jego zapach jeszcze piękniejszy. Patryk, masz gust – pochwaliła ojca przyjaciółki.

– To nie ja kupiłem. Gdybym się tu pojawił z bukietem ciętych kwiatów, wyleciałbym z nim na kopach – powiedział, zanim zdążył pomyśleć.

– Mama nie lubi ciętych kwiatów – dołożyła Daga.

– Przepraszam, Haniu, nie wiedziałem – wymamrotał Mikołaj, próbując się bronić, co wprawiło jubilatkę w niemałe zakłopotanie.

– Daj spokój, Mikołaj, nie słuchaj ich. Bardzo ci dziękuję za przepiękny bukiet. Nie pamiętam już, kiedy mogłam cieszyć oczy czymś podobnym.

– Gdybyś mi pozwoliła, przynosiłbym ci kwiaty co tydzień. – Patryk zupełnie stracił instynkt samozachowawczy.

Hanka skarciła go wrogim spojrzeniem, które nie umknęło uwadze Mikołaja.

– Haniu, nie ma najmniejszego problemu. Faktycznie, przypomniałem sobie, jak kiedyś pogoniłaś Patryka spod uczelni, gdy przyszedł po ciebie z kwiatami. To była chyba wasza pierwsza rocznica?

– Dobrze pamiętasz – wtrącił się Patryk. – Odkładałem kilka miesięcy na bukiet tych róż. Byłem z siebie taki dumny, że go kupiłem, do momentu, kiedy zobaczyłem zadowoloną minę mojej wtedy jeszcze dziewczyny. – Wypowiadając słowo „zadowoloną", uniósł w górę obie ręce, pokazując palcami cudzysłów.

– Pamiętam, jakie manto dostałeś. Hania była wściekła, że nie stać was na hot doga w budce, a ty szastasz kasą na prawo i lewo.

– To prawda, tak było. – Patryk się uśmiechnął. – Teraz może by mnie z nimi nie wygoniła, bo na hot dogi nas stać, ale tak skutecznie mnie nauczyła, że od tamtej pory kupuję tylko doniczkowe kwiaty.

– To nieprawda – wtrąciła się rozbawiona Hania. – Ja bardzo lubię cięte kwiaty, ale z naszego ogrodu. Uwielbiam tulipany, żonkile. Na święta wielkanocne nasz dom zawsze jest nimi przystrojony, prawda, córeczko?

– Prawda, mamusiu. Wszystko, co zostało tu do tej pory powiedziane, to jakieś paskudne pomówienia.

– Wiedziałam, że mogę na ciebie liczyć. – Pocałowała córkę w czoło. – To jak, kochani, nikt nie jest głodny?

– Ja chętnie zjem, tym bardziej że wszystko jest pyszne, Patryk – pochwaliła Paula.

– Mój mąż bardzo się postarał. Dziękuję ci, kochanie. – Posłała mu szczery uśmiech.

Miło było patrzeć, jak tych dwoje ludzi po wielu latach bycia razem potrafi wznieść się ponad to, co w ich życiu było złe.

Znająca kulisy ich małżeństwa Paula zerkała na nich ciepłym wzrokiem, ciesząc się w duchu, że w domu jej przyjaciółki wszystko powoli zaczyna się układać. Cieszyła się, że postanowiła tu jednak przyjść. Oderwała się trochę od dręczących ją osobistych rozterek. Podziwiała ogród Hani, który wyraźnie odżył w trakcie ostatnich dwóch miesięcy. Pnące róże przeszły same siebie, otulając szczelnie drewniane pergole. Paula schowała się za nimi w nadziei, że ochronią ją przed koniecznością prowadzenia sztucznie życzliwej rozmowy z Mikołajem.

– Tu jesteś. – Usłyszała za swoimi plecami znajomy męski głos. – Unikasz mnie? Czy tylko mam takie wrażenie? – zapytał.

– Ja? Ciebie? – zapytała zdziwiona. – Jak bym śmiała? – rzekła, upijając łyk pomarańczowego soku.

– Nie chcesz mnie widzieć? – zapytał wprost.

– Odniosłam takie samo wrażenie co do ciebie.

– Nie odzywałaś się, więc pomyślałem, że nie masz ochoty na podtrzymywanie znajomości.

Nie wierzyła własnym uszom. To, co powiedział na swoją obronę, bardziej pasowało do chłoptasia, który nie wyrósł jeszcze z krótkich spodenek, niż do dojrzałego mężczyzny, za którego go uważała. Nie wypowiedziała na głos swoich myśli, wręcz przeciwnie.

– Nie przyszło ci do głowy, że mogę myśleć tak samo?

– A myślałaś? – zapytał, wkładając jej za ucho kosmyk jasnych włosów.

Przez chwilę zastanawiała się, co mu odpowiedzieć.

– Kochani, deser – Usłyszeli głos Hanki.

Paula chciała odejść, lecz złapał ją za ramię.

– Spotkasz się ze mną dziś wieczorem? – zapytał szybko.

Przystanęła na chwilę zaskoczona jego pytaniem. Czego mógł od niej chcieć? Jeśli miał ochotę na kolejną chwilę zapomnienia, to absolutnie nie była na nią gotowa.

– Paula, Mikołaj, podano deser! – nawoływała Hania.

Dziewczyna spojrzała na niego smutnym wzrokiem, ale nie udzieliła odpowiedzi.

Zgodnie z wcześniejszymi ustaleniami na serniku, który pełnił funkcję tortu, ustawiono cyfrę sześć. Wzniesiono toast wodą mineralną, za wielki sukces Hani. Odśpiewano *Sto lat* i jeszcze raz składano jej życzenia. Była szczerze wzruszona.

– Cieszę się, że was mam. Lepiej mieć garstkę przyjaciół oddanych niż całe mnóstwo fałszywych – rzekła przez łzy, po czym zabrała się za krojenie sernika, wykładając jego solidne porcje na przygotowane wcześniej porcelanowe talerzyki.

Zapach ustawionego przed nosem Pauli ciasta spowodował, że dziewczynę zemdliło. Próbowała ratować swoją sytuację, upijając łyk wody, lecz nie przyniosło to oczekiwanego efektu. Zerwała się gwałtownie od stołu. Zdążyła szybko powiedzieć „przepraszam", po czym zniknęła za rogiem.

– Co się stało? – zapytał zdziwiony Patryk. – Przecież sama przyniosła to ciasto. Sądząc po tym, jak zareagowała na jego widok, nie wiem, czy powinniśmy je jeść – zażartował.

– Ty jak coś powiesz, ojciec, to nie wiadomo do czego to przykleić.

– Poczekajcie, kochani, sprawdzę, co się stało.

Hanka skierowała swe kroki do toalety na parterze, jednak nie zastała tam Pauli. Powoli weszła na górę, podążając za charakterystycznym odgłosem. Odnalazła ją w swojej prywatnej łazience, usytuowanej przy sypialni. Cichutko zapukała.

– Paulinko, to ja. Czy mogę wejść? – zapytała.

– Zaraz przyjdę, Haniu.

– Skarbie, chciałabym ci pomóc. Czy możesz mnie wpuścić? – Nie dawała za wygraną.

– Dobrze, wejdź.

Paula siedziała obok toalety, której uniesiona klapa bezlitośnie demonstrowała wydarzenia mające miejsce przed chwilą. Hania ukucnęła przy dziewczynie, odgarniając jej włosy.

– Najmocniej cię przepraszam, Haniu. Zepsułam ci przyjęcie.

– Co ty opowiadasz, kochanie. Niczego mi nie zepsułaś. Coś ci zaszkodziło? Nie mówiłaś, że jesteś chora. Gdybym wiedziała, przełożyłabym przyjęcie na inny termin.

– Nie, nie jestem chora. Ostatnio słabiej się czuję.

Do łazienki niespodziewanie weszła Dagmara.

– Przyniosłam twoją torebkę. Może będziesz czegoś potrzebowała. Byłaś w końcu u lekarza?

– Nic nie rozumiem – zaczęła Hanka. – Skoro trwa to już jakiś czas, to dlaczego nie sprawdzisz, co się dzieje? Dagmarka ma rację. Powinnaś iść do lekarza.

Paula siedziała na zimnej posadzce i zastanawiała się, czy nie powinna w końcu zrobić tego, z czego zamiarem zrobienia nosiła się od kilku dni. Oparła się o ścianę. Przyjemne kafle chłodziły jej plecy. Po policzkach zaczęły płynąć jej łzy. Musiała w końcu podzielić się z kimś swoimi przypuszczeniami.

– Chyba wiem, co mi jest – rzekła.

– Skoro wiesz, to zrób coś z tym. Może jakieś witaminy powinnaś zacząć brać? Ostatnio tyle przeszłaś. Sama wiem, ile nerwów kosztuje obrona dyplomu. Ty na dodatek zrobiłaś to w tak pięknym stylu – chwaliła ją Hania.

– Nie mam pewności, ale... to znaczy... w torebce mam... – Nie mogła złożyć zdania, po czym wyciągnęła maleńki biały kartonik.

– Test ciążowy?

– Ciszej, mamo. Nie musi nikt wiedzieć.

– Paulinko, nie wiedziałam, że się z kimś spotykasz.

– Bo się nie spotyka – rzuciła Daga.

– No wiatropylna raczej też nie jest.

– No raczej...

Podczas gdy kobiety toczyły między sobą niepotrzebną wymianę zdań, Paula wpatrywała się w pudełeczko, które pozwoliłoby jej w ciągu kilku minut postawić trafną diagnozę. Jej twarz wyrażała zakłopotanie pomieszane z ulgą, że wreszcie podzieliła się z kimś swoimi przypuszczeniami.

– Skarbie, czy ktoś cię skrzywdził? Mogę ci jakoś pomóc? – zapytała Hania.

– Powiedz jej, mojej mamie można zaufać – zaproponowała Dagmara.

Paula wreszcie się przełamała.

– Haniu, ja nie chciałam, ja... Proszę, nie bądź na mnie zła. Nie chcę cię stracić.

– Paula powiedz mi tylko, że to nie Patryk. Zniosę wszystko, tylko nie to, że mój mąż zrobił to po raz kolejny.

– Patryk? – zdziwiła się Paula. Zdała sobie sprawę, że faktycznie Hania tak mogła sobie pomyśleć. – To nie Patryk, absolutnie nie on – zaprzeczyła.

– Okay, skoro nie chcesz powiedzieć kto, to przynajmniej zrób test, abyśmy miały pewność.

Hania rozpakowała test, przeczytała instrukcję obsługi, po czym zarządziła opuszczenie łazienki. Paulina została sama.

– Kiedy skończysz, zawołaj nas. Poczekamy za drzwiami.

– Dobrze.

Nasikała do pojemniczka, po czym przy pomocy małej pipetki przeniosła kilka kropel do odpowiedniego okienka. Tymczasem mężczyźni zaczynali się już niecierpliwić.

– Hania, co się tam u was dzieje, bo nie wiemy, czy możemy jeść ten sernik, czy nie. Rewolucje żołądkowe to ostatnia rzecz, o jakiej marzę. – Patryk darł się wniebogłosy. – Byśmy chcieli go zjeść, ale jak Paula dodała do niego jajek z salmonellą, to raczej wolelibyśmy nie ryzykować.

– Sam jesteś salmonella. – Usłyszał w odpowiedzi z ust córki.

– Możecie jeść – Hania odpowiedziała w tym samym czasie. Szturchnęła córkę łokciem.

Kobiety stały w progu, przestępując z nogi na nogę. Od chwili, gdy opuściły łazienkę, minęły raptem trzy minuty, które zdawały się trwać całą wieczność. Wreszcie Paula otworzyła drzwi i zaprosiła je ponownie do środka. Była blada jak ściana.

– No i jak, skarbie? Jaki wynik?

– Paula, no powiedz, bo zesram się z ciekawości.

– Uważałabyś na słowa, córcia. Do ojca „salmonella", a do przyjaciółki „zesra". Będziesz prawnikiem na miłość boską. Wyrażaj się, proszę cię.

Paulina się nie odzywała. Po raz pierwszy w życiu była wdzięczna Dagmarze, że plecie, co jej ślina na język przyniesie. Na ułamek sekundy na jej twarzy pojawił się uśmiech, który zniknął w chwili, gdy wskazała palcem na leżący obok test.

– Jeszcze nie patrzyłam.

– To spójrz szybko. Wynik powinien już tam być – nakazała Hania.

– Możesz ty to zrobić?

– Nie mogę.

– Dlaczego?

– Bo nie pozbawię cię tej magicznej chwili. Cokolwiek teraz myślisz, jakkolwiek miałoby to skomplikować twoje życie, uwierz mi, nie ma nic piękniejszego od macierzyństwa.

Słowa Hanki rozczuliły Dagmarę. Zawsze wiedziała, że jej mama jest cudowną wrażliwą osobą. Po tym, co teraz usłyszała, była pewna, że już od pierwszych chwil była dzieckiem chcianym i kochanym.

Serce Pauli biło jak oszalałe. W ciągu zaledwie kilkudziesięciu sekund poczuła, jak przez jej ciało przechodzą wszelkiego rodzaju stany, począwszy od zimna, poprzez dreszcze, na uderzeniu gorąca kończąc.

– Jestem w ciąży – rzekła i zalała się łzami.

***

Przez cały wieczór próbował się do niej dodzwonić. Niestety albo nie odbierała, albo odrzucała połączenie. Zastanawiał się nad tym, co mu powiedziała, i uznał swoje zachowanie za dziecinne. Rzeczywiście powinien pierwszy się do niej odezwać, chociażby z tego względu, że to on był mężczyzną. Współczesne kobiety jednak rozpieściły go pod względem zabiegania o zainteresowanie. Nie musiał się wysilać, co spowodowało utratę jego czujności.

Tęsknił za Pauliną i wiedział, że ona też za nim tęskni. Kiedy stali przy tych różach w ogrodzie Słupskich, miał ogromną ochotę wziąć ją w ramiona i namiętnie pocałować. Mógłby przysiąc, że pragnęła tego samego. Jej oczy wyrażały tęsknotę.

Wpatrywał się bezmyślnie w huczący telewizor. Jego świadomość była teraz na zupełnie innej planecie. Nie chciał obwiniać się o brak kontaktu z nią. Chyba oboje potrzebowali czasu, aby się zastanowić. Gdyby to, co czuli wtedy, będąc razem, odeszło w zapomnienie, ich serca nie biłyby tak szybko w chwili, gdy ponownie się spotkali. Dziś już nie zamierzał się zniechęcać brakiem kontaktu z jej strony, nie zamierzał też rezygnować pod wpływem nic nieznaczących opinii innych, z którymi prawdopodobnie niebawem przyjdzie mu się zmierzyć. Postanowił dać sobie szansę na własne życie.

Myślał o tym, co wydarzyło się dzisiaj. Zastanawiał się, dlaczego tak szybko uciekła, wymawiając się złym samopoczuciem. Zauważył, że była odrobinę szczuplejsza. Może to z tęsknoty za nim straciła apetyt, schlebiał sobie. Hania też zachowywała się dziwnie. Rozmawiała uprzejmie, lecz wymijająco. Gdyby ktoś obcy przysłuchiwał się ich rozmowom, zapewne nie zauważyłby w nich niczego nadzwyczajnego, jednak on czuł, że wytworzyła się jakaś niewidzialna bariera. Przeczuwał, że mogła dowiedzieć się o tym, co przeżył z Paulą, i potrzebowała teraz chwili na zastanowienie, jak się do tego wszystkiego odnieść. Postanowił jej nie poganiać.

ROZDZIAŁ 12

Leżała w pozycji embrionalnej, rozmyślając, co teraz się wydarzy. Jak zdoła poradzić sobie z życiem rozwijającym się w jej ciele? Myślała, jak powie o wszystkim rodzicom. O ile matka powinna ją zrozumieć, a przynajmniej zaakceptować to, co się stało, o tyle ojciec prawdopodobnie wścieknie się tak, że nawet polewane przez matkę wino nie pomoże.

Nie miała apetytu. Po akcji u Słupskich nie była w stanie przełknąć niczego, choć zdawała sobie sprawę, że w tych okolicznościach powinna zadbać o solidne, wartościowe odżywianie. Jak tu myśleć o jedzeniu, gdy przez głowę niczym szalony wiatr przewijały się myśli dotyczące opieki nad niemowlakiem. Wydawało jej się, że sama jeszcze jest dzieckiem, kompletnie niegotowym na wydanie na świat potomstwa. Zastanawiała się, czy dobrze zrobiła, zwierzając się Hani z okoliczności przeżytego romansu.

Gdy Paula wyrzucała z siebie nagromadzone od tygodni w jej ciele emocje, kobieta tylko ją przytulała i głaszcząc po włosach, szeptała do ucha, że „wszystko się ułoży". Czuła, że ma wsparcie, jednak czy powinna z niego korzystać? Tego nie była już taka pewna. Słupscy mieli przecież swoje problemy jak każda rodzina.

Nie miała siły na to, aby z kimkolwiek dzisiejszego dnia rozmawiać, a już na pewno nie z Mikołajem, który dzwonił i dzwonił. Nie odbierała. Pomyślała potem, że jest na tyle odważny i może do niej przyjść, jak kiedyś, więc szybko wystukała do niego wiadomość.

Od: Paula
Do: Mikołaj

Nie jestem w nastroju. Pozwól mi odpocząć. Nie dzwoń. Odezwę się.

Od: Mikołaj
Do: Paula

Jak się czujesz? Czy to coś poważnego? Pytałem Hankę, ale milczy jak grób. Dagmara zresztą też.

Niby co miała mu odpisać? Że zapadła na nieuleczalną infekcję, która przejdzie sama po dziewięciu miesiącach? Obliczyła szybko, że w zasadzie to zostało jej jedyne siedem miesięcy, aby wymyślić coś, co ukaże jej przyszłość w sensownych barwach. Uznała, że zanim powie rodzicom, powinna powiedzieć Mikołajowi. Trudno, stało się, jak się stało. Nawet gdyby nie mieli nigdy być razem, nie zamierzała zwalniać go z chociażby finansowej odpowiedzialności za czyn, którego się dopuścili.

Unoszenie się w tej sytuacji honorem byłoby wysoce niewskazane, jak to określiła Hania. „Jak znam Mikołaja, niczego wam nie zabraknie, tylko daj mu szansę" – tłumaczyła. Paulinie wciąż dźwięczały w uszach jej słowa. Pocieszała się więc, że może nie będzie tak źle. W razie, gdyby rodzice wywalili ją z domu, to wynajmie jakąś kawalerkę, pójdzie do pracy i jakoś sobie poradzi. Na myśl o tym, że jej życie będzie wyglądało „jakoś", rozpłakała się ponownie. Nie tak to wszystko miało być. Nie miało być „jakoś", ale miało być cudownie. Miała poznać księcia z bajki, który jej się oświadczy, potem miał być ślub, a na samym końcu miały być dzieci, które by wychowywała, podczas gdy on zarabiałby na utrzymanie domu. Dokładnie taka i tylko taka kolejność. Tymczasem rzeczywistość zniszczyła jej wyobrażenie mniej więcej tak brutalnie, jak delikatny podmuch wiatru niszczy unoszącą się naiwnie nad powierzchnią ziemi mydlaną bańkę. To nie tak miało być. Nie tak. Chwyciła za smartfon i napisała:

Od: Paula
Do: Mikołaj

Nic mi nie jest. Spotkajmy się jutro, wszystko ci wytłumaczę. OBIECUJĘ.

Ostatnie słowo napisała wielkimi literami, tak by podkreślić pewność swojej decyzji. Wiedziała, że stać go na nieobliczalność. Zignorowanie jego wiadomości mogło spowodować, że za chwilę by tu przybył, a ona naprawdę miała dość, jak na jeden dzień. Przykryła się kocem i nie czekając na odpowiedź, zasnęła.

ROZDZIAŁ 13

Obudziła się następnego dnia dokładnie w tej samej pozycji. Przespała całą noc, nie ściągając z siebie ubrań. Szwy bluzki odcisnęły na bokach jej ciała drobne prążki, a policzki pokrywały okruchy wykonanego poprzedniego dnia makijażu. Wyglądała fatalnie.

Postanowiła doprowadzić się do porządku, zjeść coś i wreszcie zadzwonić do Mikołaja, aby umówić się z nim na spotkanie.

– Nie powinnam tego odkładać – powiedziała, patrząc w swoje lustrzane odbicie.

Po wykonaniu wszystkiego, co ponownie uczyniło z niej człowieka, odruchowo chwyciła za telefon. Odczytała wiadomości otrzymane poprzedniego dnia.

Od: Mikołaj
Do: Paula

Będę u Ciebie jutro po śniadaniu. Czy 10 odpowiada?

Wiadomość otrzymana godzinę później:

Od: Mikołaj
Do: Paula.

Rozumiem, że odpowiada. W takim razie do zobaczenia.

Zerknęła pospiesznie na zegarek, było za dziesięć dziesiąta. Chyba zrobiła przerażającą minę, bo na jej widok ojciec zapytał:

– Coś się stało? Jakaś niewyraźna jesteś.

– Nie, nic. Wszystko w porządku. To znaczy, muszę szybko zadzwonić – wydukała, po czym wybiegła z kuchni, aby nie słyszał jej rozmowy. Nie zdążyła jednak daleko dobiec.

– Jeśli chcesz dzwonić do niego, to już nie masz takiej potrzeby. Właśnie przyjechał – żachnął się ojciec obrażonym tonem, dodając ciszej: – Amator nastolatek się znalazł.

Już dawno przestała być nastolatką, stwierdziła więc, że będzie lepiej, gdy uda, że tego nie usłyszała.

– Chyba samochód sobie zmienił. Jak będziemy mieli szczęście, to Pietrzykowa nie zauważy.

– Tatuś, daj spokój, co? Rozmawialiśmy już na ten temat tyle razy, a ty ciągle swoje.

– Mogłaś chociaż uprzedzić, że będziesz miała gościa – burknął.

– Nie mogłam, bo nie wiedziałam. Jestem zaskoczona, tak samo, jak ty.

– Kto to widział, aby w dwudziestym pierwszym wieku zwalać się tak komuś pod drzwi, bez zapowiedzi. Po to wymyślono telefony, internety i te inne, aby ludzie się komunikowali, prawda? Ko-mu-ni-ko-wa-li!

– Nie musisz mi tego sylabizować. Dokładnie słyszę, co mówisz.

Zerknęła szybko w lustro, będąc sobie wdzięczną, że przynajmniej zdążyła się umyć. Jakby ją zastał taką wczorajszą, nigdy by sobie tego nie wybaczyła.

Mikołaj wszedł pewnym krokiem do domu Leońskich. Już od progu natknął się na Edwarda. Panowie podali sobie dłonie, co ucieszyło Paulinę.

– To znowu pan? – przywitał go ojciec.

– We własnej osobie. Dzień dobry.

– Dla kogo dobry, dla tego dobry.

– Dla mnie bardzo dobry. Kiedy widzę pańską córkę, od razu mam doskonały nastrój.

– Z tym wyjątkowo muszę się z panem zgodzić. Wie pan, mam tak samo.

Spojrzała na ojca przerażona. Czuła, że dopiero się rozkręca. Na nieszczęście matki nie było w domu, nie miał więc kto go uspokajać. Jego twarz przypominała pysk rozwścieczonego byka, przygotowującego się do ataku na torreadora.

– Panowie, dość mam tej waszej męskiej korridy – powiedziała dosadnie.

– Jakiej korridy, Paula? Jakiej korridy? Rozmawiam sobie tu z panem Mikołajem przecież. Spokojny jestem jak skowroneczek.

– Właśnie widzę, tatuś – rzuciła, chwytając za katanę, wiszącą na wieszaku.

– A dokąd to, moja panno? Znowu psa Słupskich będziecie karmić?

Już chciała coś odpowiedzieć, ale Mikołaj ją ubiegł.

– Chciałbym zabrać pańską córkę na śniadanie, jeśli pan pozwoli.

– Właśnie zjadła.

– To na kawę.

– Wypiła przed chwilą.

W bitwie na słowa Mikołaj przegrywał dwa do zera, a jej było już tak gorąco, że wyczuwała płynący po plecach pot.

– Wie pan – zaczął Mikołaj. – Co prawda nie miałem jeszcze szansy tego sprawdzić, ponieważ mój syn jest jeszcze na to zbyt mały, ale...

– Niech mi pan tylko rad nie udziela. Na to akurat to jest pan za młody.

– Dziękuję, odbieram to jako komplement. Pozwoli pan jednak, że dokończę zdanie.

– Jak pan musi?

– Jeśli wiemy, że nasze dziecko i tak zrobi coś, na co nie wyrazimy zgody, to jedyną metodą, aby wyjść z twarzą, jest się na to zgodzić.

Teraz to już zrobiło jej się zimno. Ojciec stał wściekły. Właśnie pozwolił sobie wbić gola. Nie wiedziała, co zrobić.

– Wróć na obiad. Mama planuje zrobić twoje ulubione naleśniki – zwrócił się bezpośrednio do córki.

– Postaram się wrócić. Jakby się miało coś zmienić, to dam znać – rzekła, chcąc mieć także coś do powiedzenia w sprawie bezpośrednio jej dotyczącej.

– Odwiozę Paulinkę na obiad, tak jak pan sobie życzy.

Spojrzała teraz na Mikołaja szczerze wkurzona.

– No, ja myślę.

– Miło było pana spotkać.

– Dla kogo miło, dla tego miło – burknął Edward, odwrócił się na pięcie i wrócił do kuchni.

Kiedy znaleźli się na podwórku, Paula dała upust swojemu zdenerwowaniu.

– Bądź łaskaw traktować mnie poważnie. Kiedy mówię do własnego ojca, że dam znać, o której wrócę, to ostatnią rzeczą, jakiej mi trzeba, jest podważanie tego, co akurat powiedziałam. Chyba mam prawo decydować sama o sobie, prawda? Ojciec trzyma mnie na smyczy przez całe życie i jakoś zdążyłam do tego przywyknąć, ale na pewno nie zgodzę się na to, aby ktokolwiek inny próbował robić to samo.

Mikołaj otworzył jej drzwi auta, po czym sam usiadł za kierownicą, złapał Paulę za nadgarstek i zaczął spokojnie mówić.

– Masz absolutną rację, Paulinko. Nie powinienem tego robić. Zależy mi jednak, aby twój ojciec nabrał do mnie zaufania, dlatego obiecałem odwieźć cię na obiad. Obiecuję nigdy więcej tego nie robić.

– Cieszę się, że się rozumiemy – powiedziała, udając nadąsaną jeszcze przez chwilę. Nie chciała, aby myślał, że tak szybko jej przeszło. Poza tym jego dotyk działał na nią kojąco. Miała wrażenie, że kiedy tylko Mikołaj pojawia się obok, wszystkie problemy świata zewnętrznego znikają. – Mój ojciec jest strasznym despotą – kontynuowała nieco spokojniej. – Nie wiem, jak mama to wytrzymuje, chociaż może dla niej jest inny. Pewnie gdyby mieli więcej dzieci, zachowywałby się inaczej, ale niestety. Na moje i twoje nieszczęście jestem jedynaczką, chociaż – zastanowiła się chwilę. – Chyba źle się wyraziłam. Dla ciebie to przecież obojętne.

Nie mógł uwierzyć, że tak piękna dziewczyna ma tak małą wiarę w siebie. Od kilku tygodni nie myślał o nikim innym jak tylko o niej. Nie było dnia, w którym nie ganiłby siebie za nieumiejętność wyrzucenia jej z głowy. Naprawdę starał się walczyć.

Wynajdował sobie miliony innych zajęć. Pracował do późnych godzin wieczornych, po pracy biegał albo jechał do kina, wierząc, że historie przedstawiane na wielkim ekranie pozwolą mu oderwać się od swojej smutnej przepełnionej tęsknotą codzienności. Gdyby tylko wiedziała, jak trudno było mu się powstrzymać przed telefonami do niej, z pewnością jej poczucie własnej wartości nie byłoby teraz na tak niskim poziomie.

– Nie dziwię się twojemu ojcu. Co prawda, nie jestem ojcem córki i nie mam pewności, czy kiedykolwiek nim będę, ale… jestem w stanie go zrozumieć. Czas, w którym jego mała dziewczynka z warkoczami staje się kobietą zwracającą uwagę na innych mężczyzn, nie należy z pewnością do łatwych. Nie wiem, jak zachowałbym się na jego miejscu, ale nie wykluczam, że podobnie.

Nie chciała powiedzieć, że jest podobny do jej ojca, więc tylko tak pomyślała. Nie wiedziała też, jak powiedzieć mu, że być może niebawem przekona się na własnej skórze, jak to jest być ojcem małej dziewczynki z warkoczami. Siedziała więc w milczeniu, nie pytając nawet, dokąd jadą. Układała w głowie różne scenariusze rozmowy, chociaż dokładnie wiedziała, że życia nie można przewidzieć. Świadczyło o tym małe serduszko, bijące ochoczo w jej wnętrzu.

Zatrzymali się przy Jasnych Błoniach. Zaproponował wejście do kawiarni, ale odmówiła. Cały czas zmagała się z mdłościami, do których dołączyła gigantyczna wrażliwość na zapachy. Dzisiejszego poranka irytował ją nawet zapach szamponu do włosów.

Wysiedli z auta i postanowili trochę pospacerować. Pogoda była iście wymarzona. Słońce jakby uśmiechało się na ich widok, a wiatr plątał się w jej długiej sukience. Okoliczności przyrody niewątpliwie sprzyjały cichej, romantycznej rozmowie. Cieszyła się, że złapał ją za rękę, ponieważ sama nie odważyłaby się tego uczynić.

– Powiesz mi, co się wczoraj wydarzyło? Dlaczego tak szybko uciekłaś do domu?

Mimo że nie chciała, to jakoś tak samoistnie wysunęła swoją małą dłoń z jego uścisku. Założyła ramiona na siebie, tworząc pod biustem ich idealnie równą linię. Szła w milczeniu, nie mogąc wydusić z siebie nawet słowa.

– Paula, jesteś tu?

– Jestem.

– To dlaczego milczysz? Czy coś się stało? Jesteś na coś chora? Może mógłbym w czymś ci pomóc? Mam kilku znajomych lekarzy. Prowadziłem im różne sprawy. Jakby co, wystarczy jeden telefon i zaraz znajdzie się ktoś, kto zna kogoś, kto okaże się przydatny. Wystarczy tylko, że mi powiesz.

Niby jak miała mu powiedzieć? Tak od razu, prosto z mostu, bez żadnego wstępu? Wiesz, fajnie się składa, że znasz lekarzy, bo akurat poszukuję jakiegoś ginekologa. Tylko może się okazać, że nie będzie mnie stać na to, aby jeździć do niego do Warszawy, więc jakbyś był łaskaw załatwić kogoś ze Szczecina, to będę wdzięczna. Po co? A, to nie powiedziałam? Ach, wybacz moje roztargnienie. Przez tę ciążę, to jestem jakaś nieogarnięta. Tak, tak, jestem w ciąży. Jak to się stało? No jak to jak? Naprawdę nie wiesz? Pozwól, że ci wytłumaczę. Dzieje się tak zazwyczaj wtedy, kiedy spotyka się dwoje ludzi działających na siebie niczym magnes. Nie wiem, czy ci o tym wspomniałam, ale ty właśnie w ten sposób na mnie działasz. Tak, tak. Dobrze sobie przypominasz, nie użyliśmy prezerwatywy i nie zdarzyło się nam to jeden raz, a przynajmniej dziesięć i to jeden po drugim. Myślałeś, że się zabezpieczam? Oj... tak mi przykro. No widzisz, nie pomyślałam o tym. Miałam klapki na oczach. Zupełnie postradałam zmysły, uważając, że skoro robimy to w dni niepłodne, to ryzyko ciąży jest bliskie zeru. Co ja opowiadam? Dwudziesty pierwszy wiek? No właśnie, chociaż w tym się zgadzamy. Jest dwudziesty pierwszy wiek i nie powinno się zwalać odpowiedzialności na kobietę w tej kwestii. Sama sobie tego dziecka nie zrobiłam i nie wymigasz się z poniesienia odpowiedzialności dokładnie z tego samego powodu, że jest dwudziesty pierwszy wiek i istnieje już coś takiego jak testy DNA. Niczego od ciebie nie chcę, ale musisz mi pomóc, bo... chyba się zaraz załamię.

– Paulinko. – Zatrzymał się i złapał ją za ramiona. – Co się dzieje? Jesteś jakby nieobecna.

Zdała sobie sprawę, że znowu tworzy w swojej głowie scenariusze.

Hanka uspokajała ją, że Mikołaj z pewnością jej nie zostawi, jednak... powiedzenie mu, że spodziewa się jego dziecka, było strasznie trudne. Nie tak wyobrażała sobie ten moment. Ten moment miał być radosny i przepełniony szczęściem. Romantyczna kolacja przy świecach, nastrojowa muzyka, maleńki wydawałoby się kiczowaty pakunek owinięty czerwoną wstążką, wewnątrz którego znajdowałyby się mikrobuciki, najchętniej w kolorze różowym, ponieważ marzyła o dziewczynce. Tymczasem, nie wiedzieć czemu, było jej wstyd. Właśnie dlatego spuściła głowę i po raz nasty w ciągu ostatnich kilku dni ponownie się rozpłakała.

Jej łzy totalnie go zaskoczyły. W pierwszej chwili chciał nawet powiedzieć, aby nie płakała, bo strasznie nie lubi, kiedy kobieta płacze, jednak ugryzł się w język, bo w zasadzie nie była to prawda. Nie tyle nie lubił kobiecych łez, ile czuł w ich obliczu wszechogarniającą niemoc. Wpadał w panikę, plątał mu się język, a krew pulsująca w jego uszach stawała się nie do zniesienia.

– Na miłość boską, co się dzieje? Dlaczego ty płaczesz, dziewczyno?

– Bo ja... bo ja... ja cię przepraszam... ja nie chciałam... ja... – łkała, pociągając nosem.

– Co ty? Co ty? Powiedz wreszcie, bo zwariuję.

– Ja... jestem w ciąży... Jestem w ciąży z tobą, Mikołaj. Będziemy mieli dziecko, to znaczy... to znaczy, ja będę miała, ale... myślę, że powinieneś o tym wiedzieć...

ROZDZIAŁ 14

Specjaliści od organizacji czasu przekonują nas, że życie bez planu jest jak statek z zepsutym sterem, który tylko buja się na falach.

Mikołaj bardzo długo żył według tej maksymy. Jego kalendarz po brzegi wypełniony był informacjami o tym, gdzie, kiedy i w jakim celu ma się zjawić, oraz jak powinien się do tego przygotować. Jechał wciąż na piątym biegu, nie mając czasu na zredukowanie swego życia tak bardzo, aby wrzucić na luz. Narzucił sobie własne schematy działania i dzień po dniu realizował zadania mające go przybliżyć do upragnionego celu. Nawet nie zauważył, kiedy ten cel zniknął z horyzontu i zatracił moc podtrzymywania go w ciągłej motywacji.

Dziś, kiedy stał przed wystawą jubilera, uświadomił sobie, że plany tak naprawdę potrzebne są tylko po to, aby w kluczowych momentach poddać się elastyczności działań, aby bowiem ruszyć w drogę, jedynym, czego potrzebujemy, jest zwolnienie hamulca ręcznego.

Odkąd poznał Paulę, jego życie gwałtownie przyspieszyło i mimo że był zwolennikiem smakowania go małą łyżeczką, przy tej dziewczynie nie miał oporów, aby zagarniać je zachłannie wielką chochlą.

Zaskoczyła go swoim wczorajszym wyznaniem, lecz o dziwo nie zaczął panikować. Może spodziewała się innej reakcji, lecz na tamten moment stać go było tylko na to, aby wziąć ją w ramiona, odgarnąć z jej policzków kosmyki mokrych od łez włosów, i powiedzieć „wszystko będzie dobrze". Trochę się wystraszył, gdy nagle zaczęła się wyrywać. Nie spodziewał się, że dostanie fizyczny łomot od matki swojego nienarodzonego jeszcze dziecka. Kiedy przestała płakać, okładała go pięściami tak skutecznie, że stali się główną atrakcją spacerujących po błoniach ludzi. Jak na ironię było ich tam zatrważająco dużo, biorąc pod uwagę, że był to poniedziałek, i to jeszcze w godzinach przedpołudniowych. Pozwolił jej na to, aby rozbujała się niebezpiecznie na karuzeli własnych emocji. Czekał cierpliwie, aż się zmęczy, i pozwoli ponownie przytulić. Kiedy odwoził ją do domu, milczała. Może czekała na to, co on powie? Czuł, że oczekuje od niego deklaracji, i może powinien ją nimi uspokoić już wtedy, lecz nie potrafił. Potrzebował chwili, aby dotarła do niego informacja dodająca powagi ich relacji.

– Poproszę ten – powiedział do miłej sprzedawczyni.

– Diament jeden zero siedem karata, szlif diamentu: brylant, surowiec: żółte i białe złoto, próba 585, doskonały wybór – wyrecytowała, zachowując kamienną twarz i pełen profesjonalizm.

– Dla doskonałej kobiety – odparł.

– Nic, tylko pozazdrościć.

Siedział teraz za kierownicą swojego porsche panamery, utwierdzając się w myśli, że zmiana auta, biorąc pod uwagę okoliczności, była doskonałym wyborem. Na siedzeniu pasażera leżało małe czerwone pudełeczko. Wziął je w ręce, zastanawiając się, w jaki sposób powinien to zrobić. Znał ją zaledwie od dwóch miesięcy, a nie spędził z nią nawet dwóch tygodni, mimo to czuł, że decyzja, którą podjął, jest jedną z najlepszych w jego życiu.

Nie zamierzał robić przedstawienia w jej domu. Kupienie dwóch bukietów dla pań oraz butelki nietuzinkowego alkoholu dla ojca nie wydawało mu się dobrym pomysłem. Ostatecznie postanowił nabyć jeden gigantycznych rozmiarów bukiet krwistoczerwonych róż i odwiedzić ją po raz kolejny.

***

Edward Leoński przechadzał się po swym ogrodzie z niepokojem w sercu. Zwykle nie wierzył w intuicję, lecz dziś jego przeczucia nie dawały mu spokoju. Od jakiegoś czasu jego córka zachowywała się co najmniej dziwnie. Czuł przez skórę, że milczenie, jakim raczyła go przy posiłkach, jest niczym innym, jak właśnie tak zwaną ciszą przed burzą. Jego głośny sekator, którego używał do przycinania uschniętych gałązek pnących róż, sprowokował jak zwykle „niespodziewane" spotkanie z Pietrzykową. Słyszał jej kroki, lecz niestety nie zdążył uciec.

– Tniesz tam pan i tniesz bez przerwy, że telewizora nie słychać.

– Dzień dobry, sąsiadko. Przepraszam, już kończę i wracam do domu. Będzie mogła pani wrócić do swoich pasjonujących seansów. – Nie zamierzał silić się na sarkastyczną uwagę, po prostu samo tak wyszło.

– Coś pan taki nie w sosie?

Jak zwykle uderzyła w sedno. Nie mógł pojąć, jakim cudem ta kobieta zachowuje lotność umysłu, biorąc pod uwagę fakt, że spędza całe dnie w domu, w którym jej jedyną rozrywką jest oglądanie tandetnych seriali z cyklu „żyli długo i szczęśliwie".

– Oj tam, od razu nie w sosie. Róże przycinam.

– Żonę oszukasz, córkę oszukasz, ale sąsiadki pan nie oszukasz.

– Nie bądź pani taka mądra. Człowiek już nie może się zamyślić nawet, bo pani wścibskie oko zaraz dopatrzy się w tym jakiegoś drugiego dna – burknął już całkiem nieuprzejmie.

– Co widzę, to gadam. Lepiej prawdę mówić w oczy, niż po ludziach gadać. Pan wie, że ja dyskretna jestem.

Zdziwił się nieco, że znała takie słowo, był jednak święcie przekonany, że o jego znaczeniu nie ma pojęcia, po każdej bowiem niedzielnej mszy, na którą zawitała, Mierzyn huczał od plotek.

– Coś panu powiem, tylko podejdź no, pan, bo przecie wrzeszczeć nie będę na całe gardło.

– Sąsiadko droga, zajęty jestem. Nie widzi sąsiadka, że pracę mam w ogrodzie?

– Pan ma pracę, a ja mam pyszny kompot z truskawek. Sama zrobiłam. Już się kończą, więc trza korzystać, póki są. Widzę żeś pan spragniony. No chodź pan, napijesz się, a ja coś panu powiem.

Co za natrętne babsko – pomyślał, po czym odłożył sekator na zewnętrznym parapecie okna i ciągnąc nogę za nogą, podążył w jej kierunku.

– Mam nadzieję, że to coś pilnego – powiedział, biorąc od niej szklankę osadzoną w metalowym uchwycie, do połowy wypełnioną czerwonym słodkim płynem.

– Pan mi to powiedz.

– Ja? A co mam niby pani powiedzieć? – zapytał zdziwiony. – Dobry ten kompot. Naprawdę dobry, poproszę o dolewkę – rzekł, zerkając wymownie na dzbanek z jego zawartością.

– A doleję, jasne, że doleję. Powiedz mi pan tylko, co tam u Paulinki słychać? Dawno jej nie widziałam – zapytała, podając sąsiadowi kolejną szklaneczkę swojej specjalności.

– Co u Paulinki, no co u Paulinki? Dobrze, pani Pietrzykowa. Skończyła studia i odpoczywa na razie.

– Dobrze pan wiesz, że nie o to pytam. Jak tam ten jej młodzieniec? Widziałam, że samochód zmienił. Jak wczoraj tu był, to nie warczał już jak traktor i nie obudził mnie nawet.

– To skąd pani wie, że był? Nieważne zresztą. Pani sypia w ogóle, pani Pietrzykowa?

– A wie pan, że mało?

– Dlaczego mnie to nie dziwi – powiedział, pochłaniając duszkiem drugą szklankę napoju.

– Już miał zamiar odejść od płotu, kiedy go zawróciła.

– Nie fair pan jesteś. Napiłeś się pan i nic żeś pan nie powiedział.

Przewrócił oczami.

– Dobrze, o co pani chce zapytać?

– No jak to, o co? To coś poważnego? Kiedy ślub? Może dziadkiem pan będziesz?

– Niechże pani nie kracze, dobrze? Jaki ślub, jakim dziadkiem? Przecież oni się wcale nie znają. Widziałem tego faceta raptem dwa razy.

– Nie obraź się pan, ale nie musisz go pan widywać codziennie, aby zostać dziadkiem.

– Hola, hola, pani Pietrzykowa, nie posuwa się pani za daleko w tych swoich przewidywaniach?

– No ja akurat się nie posuwam, sąsiedzie.

– W Arabellę się pani zabawia, czy co? Niechże pani wyrzuci tę swoją czarodziejską kulę na śmietnik, bo bzdury w niej same.

– Ara co? Arabellę? – zdziwiła się. – A kto to? – zapytała.

– Nieważne, pani Pietrzykowa. Nieważne. Mojej Paulince nie spieszy się ze ślubem i tego akurat jestem pewien. To młoda, ambitna dziewczyna i na pewno za szybko dziadkiem mnie nie uczyni. Teraz młodzi najpierw kończą jedne studia, potem kolejne i kolejne, wyjeżdżają, chcą poznawać świat. Wracają, zatrudniają się w poważnych korporacjach. Uczą się języków obcych, to daje wolność, wie pani?

– Co ma piernik do wiatraka? Mnie tam języki obce są obce, a niewolnicą z tego powodu wcale się nie czuję – oburzyła się Pietrzykowa.

– Ech… – westchnął zrezygnowany, nie próbując niczego więcej tłumaczyć. Miał jedynie nadzieję, że jakoś uda mu się oddalić z jej pola widzenia.

– Panie Edziu, panie Edziu, poczekaj no pan jeszcze. Powiedz no pan, a czym ten pana przyszły zięć, młodzieniec się zajmuje?

– Pani Pietrzykowa, po pierwsze to nie jest młodzieniec, a po drugie to nie jest mój przyszły zięć.

– Jak to, nie młodzieniec? No właśnie nie mogę trafić, aby się mu przyjrzeć. Ostatnio już prawie go miałam, ale kot mi się w nogi zaplątał i tak mnie wystraszył, że mi lornetka upadła.

– Ogólnie to męcząca pani jesteś, z całym szacunkiem. – Edward miał dość niekończących się rozmów z sąsiadką, które jego żona ochrzciła nazwą „dialogi na cztery nogi". – Powtarzam pani po raz ostatni. To nie jest młodzieniec, a już na pewno nie zo-sta-nie mo-im zię-ciem!!!

– Nie byłabym tego taka pewna. Zobacz no, pan. – Kiwnęła głową, wskazując na czarny samochód parkujący pod płotem sąsiada.

Mikołajowi ledwo udało się wyciągnąć z auta bukiet, który zakupił wcześniej dla Pauliny. Nie dało się z nim przemknąć niezauważonym. Na szczęście pierścionek bez problemu zmieścił się w tylnej kieszeni jego jeansowych spodni. Z daleka dostrzegł ojca dziewczyny, rozprawiającego z zaangażowaniem z kobietą w wielokolorowej, pstrokatej chustce. Uśmiechnął się pod nosem, przygotowując się mentalnie na konstruktywną wymianę zdań ze swoim, miał nadzieję, przyszłym teściem. Zanim zdążył zamknąć drzwi auta, Edward stał już obok niego.

– Dzień dobry, zastałem Paulinkę? – zapytał.

– A co, znowu pan się zwala bez zapowiedzi?

Staruszek na starcie próbował zagonić go do narożnika.

– Ma pan rację, powinienem był zadzwonić – przyznał Mikołaj, godnie przyjmując wymierzony w jego kierunku cios.

Edward nie poczuł się z tego powodu usatysfakcjonowany. Z dziką rozkoszą wyciągnął z rękawa asa, którego moc miała pogrążyć przeciwnika. Podszedł bliżej Mikołaja, próbując mową ciała zasugerować sąsiadce swe pokojowe zamiary. Kiedy kobieta przyglądała się tej scence, była przekonana, że panowie życzliwie się witają. Tymczasem Edward rzekł:

– Skucha, skucha, skucha.

– Nie rozumiem? O czym pan mówi?

– Moja córka nie cierpi róż – skłamał, próbując słowami kopnąć leżącego.

– Szanowny panie, gdybym chciał być niemiły, powiedziałbym, że słabo pan zna własną córkę. Uznajmy zatem, że te słowa nie padły. Nawiasem mówiąc, chyba nie chce pan mieć wroga w osobie, którą pańska córka najwyraźniej darzy uczuciem?

Remis – pomyślał Edward, uznając, że czas na kurtuazyjną wymianę życzliwości minął bezpowrotnie. W jego wnętrzu wszystko się zagotowało. Krew w uszach zdawała się szumieć tak bardzo, że niemal blokowała odbiór bodźców dochodzących ze świata zewnętrznego. Widział tego faceta trzeci raz w życiu, a jego bezczelność doprowadzała go do szału. To niemożliwe, aby jego Paulinka zakochała się w kimś takim. To niemożliwe, aby jego malutka córeczka pozwalała głaskać swoją niewinną blond główkę właśnie jemu. Gdyby ktoś teraz postawił mu pod nogami wiadro z gorącą smołą, nie zawahałby się ani chwili, aby wylać jego zawartość wprost na nowiutkie auto przeciwnika. Tymczasem w zasięgu swego wzroku miał jedynie leżący leniwie sekator. Ujął go w obie ręce, naśladując ruch imitujący obcinanie gałęzi, podszedł do Mikołaja jeszcze bliżej i rzekł:

– Słuchaj no ty, inteligenciku jeden. Nie rozumiesz po polsku, to powiem ci po męsku. Jeśli myślisz, że możesz tu przyjeżdżać, kiedy ci się żywnie podoba, to grubo się mylisz. Jeśli myślisz, że wypełnisz sobie swoje nudne, nadęte życie moją córką, a potem kopniesz ją w tyłek, jak tylko pojawi się ktoś inny, to również jesteś w błędzie. Jeśli masz wobec niej nieuczciwe zamiary, to lepiej, abyś spieprzał stąd czym prędzej, dopóki jestem spokojny, bo jak nerwy mi puszczą, to nie ręczę za siebie. Zro-zu-mia-no?

Nastała cisza, która tylko zachęciła Edwarda do kontynuacji.

– Niech jej bodaj jedna łza po policzku spłynie, obiecuję, że cię znajdę. Jak zrozumiałeś, to możesz do niej iść, a jak nie, to zabieraj ten swój wiecheć – wskazał wymownie na kwiaty – i wypad z mojego domu.

Znowu nastała cisza, którą tym razem przerwał Mikołaj.

– Już wiem, po kim Paula odziedziczyła temperament. Miło poznać pańskie prawdziwe oblicze. Wierzę, że nie wygłupię się zbytnio, jeśli zaproponuję panu, aby zwracał się do mnie po imieniu. – Wyciągnął dłoń do Edwarda. – Mikołaj jestem.

Edward stał przez chwilę, zastanawiając się, czy przypadkiem żona nie zgłosiła go do programu „Mamy cię". Trochę wbrew sobie podał rękę wrogowi, skrycie uznając, że lepiej nie spuszczać go z zasięgu swego wzroku.

– Edward. PAN Edward.

– Bardzo mi miło.

– Obserwuję cię.

– Nie śmiałbym o tym zapomnieć.

W drzwiach nieoczekiwanie pojawiła się Paula. Zdziwiła się na widok ojca ściskającego dłoń Mikołaja. Ktoś obcy mógłby pomyśleć, że wymieniają właśnie przyjacielski uścisk.

– Cześć, nie spodziewałam się ciebie. Długo tu jesteś?

Mikołaj nabrał powietrza w płuca, lecz nie zdążył go spożytkować na udzielenie odpowiedzi.

– Wystarczająco – odpowiedział ojciec, wzmagając uścisk.

– Zamieniłem kilka zdań z twoim przemiłym tatą, kochanie. – Dokładnie wiedział, że owo „kochanie" rozsierdzi staruszka to białej gorączki. Nie odmówił sobie jednak tej przyjemności. Bezpowrotnie minęły czasy, kiedy był nieświadomym swej mocy (jak to określił jej ojciec) „inteligencikiem”. Uśmiechnął się do przyszłego teścia, wysunął dłoń z jego ręki i skierował swe kroki ku dziewczynie.

Trzask zamykających się za nimi drzwi zdenerwował jeszcze bardziej Edwarda, które to uczucie odmalowało się na jego twarzy. Pietrzykowa, przyglądająca się z zaciekawieniem sąsiedzkiej scence, zauważyła to natychmiast.

– Panie Edziu, pan teraz jeszcze bardziej niewyraźny niż przed chwilą.

– Dajże już pani spokój, sąsiadko. Dosyć mam na dziś, naprawdę mam dosyć.

– Mówiłam, że zięć się panu szykuje, toś pan zaprzeczał. A ja wiedziałam, wiedziałam – modulowała głosem, doprowadzając Edwarda do jeszcze większego szału. – Już dawno wiedziałam, że to nie żarty. Nie wiesz pan, jak to jest? Z miłością gorzej niż ze sraczką. Moja świętej pamięci mamusia tak mówiła i Bóg mi świadkiem, że miała rację.

– Do widzenia, sąsiadko. Zgłodniałem, muszę wracać do domu.

– A ja ciastka mam. Na promocji w Biedronce wnuczka mi kupiła. Poczęstować pana?

– Innym razem.

Wyrzut insuliny do krwi w połączeniu z i tak już wysokim ciśnieniem mógłby zadziałać na Edwarda co najmniej niezadowalająco.

***

To niemożliwe – pomyślała na widok ojca rozmawiającego z Mikołajem. Zerknęła pospiesznie na smartfon, aby sprawdzić, czy przypadkiem nie przeoczyła jakiejś wiadomości.

Kolejny raz nie uprzedził jej o swojej wizycie. Spojrzała wymownie na swoją matkę i szepnęła cicho:

– Nic nie wiedziałam, że przyjedzie.

Matka uniosła wzrok znad kolorowego czasopisma.

– Twój ojciec był taki sam.

– Szkoda, że o już o tym zapomniał.

– Nie martw się, pamięta doskonale.

– Właśnie rozmawia z Mikołajem. Nie wiem, czy mam wyjść na interwencję, czy jak?

– Myślę, że powinnaś zostać. Twój kolega spokojnie sobie z nim poradzi.

Wyglądało na to, że mama miała rację. Kiedy panowie uścisnęli sobie dłoń, Paula doznała szoku. Mikołaj był pierwszym w jej życiu mężczyzną, któremu udało się tego dokonać. Gdy w obecności ojca nazwał ją „kochanie", zrobiło jej się ciepło na sercu. Nikt nigdy w ten sposób się do niej nie zwracał.

– Przepiękne kwiaty. Dziękuję. – Zanurzyła nos w bukiecie. Wsadziła kwiaty do wazonu, poprzedzając zabieg przycięciem im łodyżek. – Napijesz się czegoś?

– Dziękuję, chciałem tylko z tobą porozmawiać. Mam nadzieję, że nie przeszkadzam.

– Teraz, jak już tu jesteś, to chyba nie ma większego znaczenia, prawda? Przecież cię nie wygonię. – Starała się dać mu do zrozumienia, że wizyty bez zapowiedzi nie są czymś, co do końca akceptuje. Przyszło jej jednak do głowy, że dla niego zrobiłaby wyjątek.

– Przepraszam, powinienem był zadzwonić. Nie zrobiłem tego, bo...

– ...bo bałeś się, że odmówię?

– Ja niczego się nie boję.

– Chodź na górę, zapraszam.

Czuł się trochę tak, jakby znowu miał dwadzieścia lat i odwiedzał swoją dziewczynę cały w stresie, że uczyni coś, co nie spotka się z aprobatą jej rodziców. Kobiety, z którymi ostatnimi czasy obcował, miały swoje wypielęgnowane, zimne szklane mieszkania, wnętrza, które nie ujawniały żadnych oznak życia. Prowadziły szybkie życie w wielkim mieście, kochały szybkie samochody i ceniły szybki seks. Do pewnego momentu nawet mu to odpowiadało.

Teraz kiedy stał w pokoju matki swojego przyszłego dziecka, dziękował w myślach Bogu za panujący w nim lekki chaos. Miejsca, w których przebywają ludzie, mówią o nich więcej, niż sami chcieliby o sobie powiedzieć. Wiszące w oknie śnieżnobiałe firanki zachęcały, by skierować wzrok na różnokolorowe doniczki z kaktusami.

– Sama to zrobiłaś?

– Tak, uspokajam się przy takich… robótkach ręcznych. Może to trochę staroświeckie… – zawstydziła się.

– Nie, wręcz przeciwnie. To cudowne.

Jego pochwała spowodowała rumieniec na jej twarzy.

Usiadł na łóżku starannie nakrytym beżową kapą. Na nocnej szafce obok łóżka stał karton po butach, przyozdobiony powycinanymi z kolorowych gazet kwiatami. Miejsca pomiędzy nimi wypełnione były pstrokatymi koralikami. Gołym okiem rozpoznał, że przyklejenie ich zajęło komuś bardzo dużo czasu. Na szczycie pudełka widoczna była wąska szczelinka, prawdopodobnie służąca do tego, aby można było wrzucić coś do środka. Wziął pudełko do rąk, doznając zachwytu.

– To też sama zrobiłaś?

– Tak. Proszę, odłóż to, to… to jest…

– Wygląda jak skarbonka. Trochę duża skarbonka. – Potrząsnął pudełkiem, chcąc sprawdzić, czy usłyszy dźwięk obijających się o siebie monet.

– To nie jest skarbonka. Odłóż to, proszę – zwróciła mu uwagę, prawie wyrywając pudełko z rąk.

Zaniepokoił się.

– Przepraszam, nie chciałem tego zepsuć. Po prostu bardzo mi się spodobało, to co zrobiłaś. Napracowałaś się. Jesteś naprawdę kreatywna. W dzisiejszych czasach ludzie wolą wszystko kupić. Tak jest po prostu wygodniej. Nie musisz nawet wychodzić z domu, aby stać się posiadaczem absolutnie wszystkiego. Wystarczy zalogować się on-line. Zabawne jest to, jak wszyscy narzekamy, że nie mamy czasu, nie mogąc znaleźć krótkiej przerwy na…

– …na życie – dokończyła.

– To prawda.

– Szczerze, to ulżyło mi, że to nie jest skarbonka. – Roześmiał się, sprawiając, że i jej kąciki ust uniosły się równomiernie ku górze. – Jest trochę duża, mógłbym nie dać rady.

– Ale ja… ja niczego od ciebie nie chcę. Przemyślałam to…

– Ciii… – Przyłożył palec do ust, próbując ją uciszyć. – Opowiedz mi lepiej, co to jest, skoro nie jest skarbonką?

Nie była pewna, czy chce przesunąć granice ich znajomości w tym kierunku, choć tak naprawdę zdawała sobie sprawę, że przeznaczenie chichotało za jej plecami, biorąc sprawy w swoje ręce.

– To jest pudełko wdzięczności – wyrzuciła z siebie szybko.

– Pudełko wdzięczności?

– Tak, pudełko wdzięczności – powtórzyła.

– Nie wiedziałem, że coś takiego może istnieć.

– Ja też nie wiedziałam. Stworzyłam je na własne potrzeby.
– Co się z tym robi? – Był szczerze zainteresowany.
– Zaraz ci pokażę.

Otworzyła pudełko, z którego wysypało się sporo małych karteczek. Czuła się trochę nieswojo, kiedy zaczął się im przyglądać. Obserwowała wyraz jego twarzy zmieniający się pod wpływem tego, co aktualnie znajdowało się w zasięgu jego wzroku.

Za pyszną kawę o poranku

Za naleśniki z prawdziwą czekoladą

Za lekcje angielskiego, który jest mi coraz mniej obcy

Za rozmowę z mamą, za to, że ją mam

Za to, że widzę. Dzięki temu mogłam przez całą dzisiejszą noc czytać, to było fascynujące

Za świeczki, ich blask i zapach. Cieszę się, że Dagmara mi je kupiła

Za rozum. Dostałam kolejną piątkę, jestem bystra – chyba po tacie ;)

Za Stinkusia, tak się cieszył na mój widok. Cieszę się, że mogę się do przytulać, gdy jestem u Słupskich

Za to, że jestem wyjątkowa, a co!

Za bzy!!! Są cudowne, piękne i obłędnie pachnące. Obudził mnie dziś ich zapach

Za to, że tata nigdy nie zdradził mamy (przynajmniej nic mi o tym nie wiadomo)

Za to, że ktoś wymyślił lasagne. To potrawa absolutnie doskonała. Kocham smak makaronu

Za to, że potrafię marzyć

Za radość dzisiejszego dnia

Za ból brzucha ze śmiechu – kocham Dagmarkę ;)

Za rybkę pływającą w mojej kuli – i za marzenie o psie
Za nowy flakon perfum „La vie est belle" – tata wie, jak mnie uszczęśliwić
Za to, że udało mi się nie wyrazić na głos opinii, za którą nie stały czyste intencje
Za optymizm
Za to, że przegoniłam myśl o oczekiwaniu na rezultat moich działań – a kysz!
Za luz, który towarzyszył mi dzisiaj
Za miłość
Za zdrowie
Za to, że go poznałam <3
Za wspomnienia związane z M
Za nowe życie… obym była dobrą mamą

Czytał, jakby za moment ktoś miał mu wyrwać z rąk pasjonującą lekturę. Nigdy wcześniej nie widział czegoś takiego. Nigdy nawet nie pomyślał, że można wpaść na taki pomysł. Czuł wyjątkowość sytuacji, w której się znalazł. Paula wpuściła go ostrożnie do swojego intymnego świata.

Spojrzał na nią, bojąc się zadawać kolejne pytania. Rozszyfrowała jego zamiary, wyprzedzając słowa, których brzmienia się obawiał.

– Nie bój się, to nie jest nic strasznego. Wszystko ze mną w porządku, ale… ale nie zawsze tak było. Kiedyś byłam straszną pesymistką. Mój pesymizm ogromnie mnie męczył. Podcinał mi skrzydła, zaniżał poczucie własnej wartości. Ciężko jest żyć, kiedy samemu siebie się nie akceptuje. Wydawało mi się, że jestem za gruba, że mam za duży biust. Wstydziłam się go na lekcjach wuefu. Za szybko dojrzałam w porównaniu z moimi koleżankami. Chyba jako pierwsza w klasie zaczęłam nosić stanik. Chłopcy szeptali za moimi plecami słowa, na których myśl robi mi się niedobrze. W szkole podstawowej nie miałam przyjaciół, sama nie wiem dlaczego. Wiesz, kiedyś wpadłam na pomysł, że nie będę się uśmiechać i nie uśmiechałam się chyba przez rok albo i dłużej. Ten czas bez uśmiechu strasznie mnie zmęczył.

Teraz jak sobie o tym myślę, to mam wrażenie, że zawsze czułam mocniej niż inni. Kiedy udzielałam odpowiedzi na pytania nauczycieli, cała klasa miała niezły ubaw. Odstawałam. Dopiero kiedy poznałam Dagmarę, mój świat nieco się zmienił. Z niej też wiecznie się nabijali. To znaczy nie konkretnie z niej, lecz z jej mamy. Hania często przychodziła po nią do szkoły pijana. Pamiętam, jak pewnego popołudnia po lekcjach rozdawała dzieciom cukierki. Ledwo trzymała się na nogach. Miała tych cukierków chyba z dziesięć kilo, a dzieciaki wyrywały je sobie garściami, wydzierając się na cały głos: „Dagi matka to wariatka". Kiedy już cukierki się skończyły i dzieci zaczęły się od niej odsuwać, na własne oczy widziałam, jak upada na ziemię, a jej białe legginsy pokrywają się ciemnożółtym moczem. Wtedy pewien chłopak, dokładnie ten sam, który nabijał się z moich „skaczących cycków", wymyślił beznadziejną rymowankę: „Matka Dagi napiła się szampana, będzie szczała mózgiem od samego rana"

Wyobraź sobie w tym wszystkim Dagmarę, uczennicę pierwszej klasy szkoły podstawowej. Siedziała na ławce i płakała. Nikt do niej nie podszedł, tylko ja. Zapytałam, czy mogę jej jakoś pomóc. Odpowiedziała, że trzeba zadzwonić do taty, ponieważ ona nie da rady zanieść mamy do domu. Zadzwoniłyśmy więc po Patryka, ale zanim przyjechał, jakimś cudem udało nam się zataszczyć Hanię na ławkę. Zaproponowałam Dagmarze, że poczekam z nią na tatę, aby nie było jej smutno.

Nie odezwała się do mnie ani słowem. Dopiero kiedy tata pakował ją do samochodu, zapytała, czy może zaprosić swoją przyjaciółkę do domu, aby pokazać jej swoje lalki. Patryk się zgodził. Pojechałam do nich w weekend, szczęśliwa i przejęta, że mam przyjaciółkę. Kiedy rozmawiałyśmy o tej sytuacji, nie robiła z niej tragedii. Byłam zdumiona, gdy mówiła, że zawsze mogło być gorzej. Nie wiedziałam za bardzo, co może być gorszego od pijanej zasikanej mamy, która leży prawie nieprzytomna na szkolnym boisku? Odpowiedziała: „Zawsze mogła zrobić kupę". Wyobrażasz sobie coś takiego usłyszeć z ust dziecka?

Ta historia nauczyła mnie, że w każdym wydarzeniu, które nas spotyka, należy szukać dobrych stron. Dagmara mnie tego nauczyła. Niejedno dziecko znienawidziłoby swojej matki za coś takiego. Dagmara ma nieustającą wiarę w dobre intencje. Chciałabym też tak umieć...

Dlatego powstało pudełko wdzięczności, do którego każdego wieczora wrzucam jedną karteczkę. Zwykle są to drobiazgi, tak jak widziałeś. Począwszy od porannej kawy, a skończywszy na tak potężnym uczuciu, jak miłość. Owszem, zdarza mi się panikować i właśnie wtedy, gdy to się dzieje, otwieram to pudełko i mam przed sobą namacalny dowód, że w moim życiu zdarzają się pozytywne rzeczy.

Kiedy skończyła mówić, Mikołajowi brakowało tchu. Jakże małym był człowiekiem przy niej. Jak wielkie miała serce opakowane w kruche ciało. Milczał, przyglądając się jej bladym dłoniom, pakującym pospiesznie porozrzucane po łóżku, wydawałoby się, nic nieznaczące papierki.

– Tak jak powiedziałam, niczego od ciebie nie oczekuję. Może to nie jest dobry moment, ale staram się być wdzięczna Bogu za to, że noszę w sobie nowe życie. Pamiętam, co mi powiedziałeś. Pamiętam, że to było na chwilę. Jakoś to sobie wszystko poukładam. Mam jeszcze trochę czasu.

– Paulinko, czy ja mógłbym jednak coś powiedzieć, zanim napiszesz w swojej głowie scenariusz kończący tę historię?

Spojrzała na niego zaskoczona.

– Co tu dużo mówić, Miki. Wiedziałam, na co się piszę. Wiedziałam, że jesteś rozwiedziony i jedyne, czego szukasz, to przygoda. Przeżyliśmy fajną, zaskakującą w skutkach przygodę i… nie tego się spodziewałeś, prawda?

Trudno powiedzieć, czego się spodziewał.

– Coś ci powiem i proszę, abyś mi nie przerywała. Masz rację, na początku miała to być przygoda. Nie ukrywam, że nie szukałem związku. Szczerze, to myślałem, że się do tego nie nadaję. Ale coś mnie do ciebie ciągnęło. Miałem wrażenie, że jestem przywiązany elastyczną gumą. Nie mogłem, ale też nie chciałem się z niej wyplątać. Te kilka dni z tobą przeżyłem mocniej niż wiele wcześniejszych lat mojego życia. Jestem ci za to wdzięczny. Zdaję sobie sprawę, że nasza relacja jest szalona, że być może inaczej wyobrażałaś sobie ojca swojego dziecka, ale stało się, jak się stało i nie zmienimy tego. Czasami jest tak, że znamy kogoś kilka albo i kilkanaście lat, wydaje nam się, że wiemy o tej osobie wszystko, zakładamy z nią rodzinę, budujemy dom, sadzimy drzewo, kupujemy psa, a na samym końcu pojawia się dziecko, które powinno niby cementować związek, a tego nie czyni. Dlaczego? Dlatego, że przez lata nie czuliśmy tego naprawdę. Może sami siebie oszukiwaliśmy? Może nie chcieliśmy odstawać od ogólnie przyjętych norm? Dziś myślę już całkowicie inaczej i… to ty mnie tego nauczyłaś. Nauczyłaś mnie tego w kilka dni. Przy tobie wreszcie jestem sobą, nie napinam się, nie próbuję nikomu niczego udowadniać. Nie zostawię cię, nie zostawię was!

– Czyli… – zaczęła niepewnie – …czyli mogę liczyć na twoje wsparcie? Chociażby finansowe? Przynajmniej do chwili, gdy przestanę się chwiać na swoich niestabilnych nogach?

– Co ty opowiadasz, kobieto? Bądź cicho przez chwilę i daj mi dokończyć.

Uklęknął obok niej na jedno kolano, ujął jej dłoń w swoje ręce, wziął głęboki wdech i powiedział:

– Pewnie nie tak sobie to wyobrażałaś. Może powinienem ubrać się w elegancki garnitur i zaprosić cię do drogiej restauracji… Z pewnością daleko mi do mistrza romantyzmu. Twój ojciec może ze mnie drwić, a matka może mieć mi za złe, że o niczym nie wiedziała, lecz z całym szacunkiem do nich, nie dbam o to. Mam już tyle lat, że nie zależy mi na dbaniu o pozory. Mógłbym zorganizować to inaczej, oprawić w brzmienie skrzypiec, blask miliona świec i tysięcy różnorodnych kwiatów, lecz… musiałbym zaangażować w to całe przedsięwzięcie mnóstwo ludzi, którzy pierwsi poznaliby to, co czuję. A ja chcę, abyś to ty pierwsza dowiedziała się o tym, że … Kocham cię od pierwszej chwili, kiedy cię ujrzałem. Kocham to, jak mówisz, jak się śmiejesz, jak płaczesz, i błogosławię dzień, w którym nie pomyślałem o zabezpieczeniu.

– Jeśli zaraz zapytasz mnie, czy zostanę twoją żoną, to chyba padnę tu trupem, jak Boga kocham.

Poczuł się jak Mark Darcy, ze słynnej powieści o Bridget Jones.

– Kocham w tobie także to, że umiesz przewidywać przyszłość, chociaż wolałbym, abyś nie padała trupem, przynajmniej do momentu, zanim nie wyciągnę pierścionka.

– Nie… Nie? Tak? – plątała się.

– To nie czy tak? – zapytał.

– Ale co? Bo nie wiem… to znaczy, wiem, ale…

Otworzył maleńkie pudełeczko i z pewnością w głosie zapytał:

– Paulino Leońska, czy zechcesz zostać moją żoną?

ROZDZIAŁ 15

Świadomość powoli zagnieżdżała się w jej głowie. Nie otwierając oczu, uśmiechnęła się, sprawdzając kciukiem, zawartość jej serdecznego palca. Dopiero gdy poczuła pierścionek, przeciągnęła się i otworzyła przesycone snem oczy. Już dawno nie spało jej się tak dobrze. Żałowała jedynie, że nie obudziła się w ramionach Mikołaja, ale to miało nastać już niebawem. Przeciągnęła się, wizualizując obrazy ich trojga. Piękna ona, piękny on, piękne dziecko. Pogładziła ręką swój brzuch po raz pierwszy od momentu, w którym dowiedziała się o swoim błogosławionym stanie. Trochę obawiała się reakcji rodziców, zwłaszcza ojca. Mikołaj obiecał jednak, że nie zostawi jej z tym samej. Umówili się, że jak najszybciej wspólnie im o tym powiedzą.

Nie mogła napatrzeć się na pierścionek błyszczący na jej serdecznym palcu. Nigdy nie widziała czegoś piękniejszego. Często słyszała, jak mama, wielbicielka Forresta Gumpa, mawia, że „życie jest jak pudełko czekoladek, nigdy nie wiesz, na co trafisz". Dziś mogła przyznać jej rację. Nigdy nie sądziła, że trafi jej się najsłodsza z najsłodszych czekoladek. Nagle wszystko stało się jasne. Nie musiała już obmyślać planu na życie, on bowiem naszkicował się sam. Doszła do wniosku, że w momencie, gdy przestała się czymkolwiek przejmować, wszystko zaczęło się układać.

Wstała, podeszła do otwartego okna i zachwyciła się zapachem świeżego powietrza wymieszanego z maciejką posadzoną przez ojca. Trochę żal jej było tego widoku. Rychła wyprowadzka zbliżała się wielkimi krokami. Jak będzie wyglądało życie z Mikołajem? Jak odnajdzie się w świecie macierzyństwa? Jak ułożą jej się relacje z małym Tadziem?

Chcieli pobrać się jak najszybciej. Jeszcze zanim brzuszek stanie się widoczny. Paula marzyła o białej sukni, podkreślającej jej szczupłe kobiece ciało. Oboje zdecydowali, że nie będą robić wesela. Ani jemu, ani jej nie było to do niczego potrzebne. Postanowili wziąć tylko ślub cywilny w obecności kilkorga najbliższych im osób.

– Wiedziałam, że tak to się skończy! Wiedziałam, wiedziałam, wiedziałam. – Dagmara wrzeszczała tak głośno, że Paula zmuszona była odsunąć od ucha swój smartfon.

– Nie wydzieraj się tak, bo rodzice cię usłyszą.

– To staruszkowie żyją sobie jeszcze w błogiej nieświadomości? Kiedy masz zamiar im powiedzieć?

– Najpierw chcemy zarezerwować termin w urzędzie. Wiem, że to ich zaskoczy i z pewnością nie będzie miło, lecz myślę, że będzie lepiej, jak postawimy ich przed faktem.

Nastała cisza.

– Halo, jesteś tam? – zapytała Paula.

– Jestem, jestem. Tylko tak się zastanawiam.

– Nad czym tu się zastanawiać? Daga, ja jestem w ciąży. Będę miała dziecko, helooooł. Sama sobie go nie zrobiłam.

Poza tym zakochałam się w tym człowieku. Wiem, że to szybko, ale... no tak wyszło. Nie miałam na to wpływu.

– Miałaś, miałaś.

– Dobra, miałam. Co z tego? Czasu nie cofnę. Było „siup", będzie ślub. W sumie to bardzo się z tego cieszę. W końcu coś będzie tak, jak ja chcę, a nie tak, jak ojciec sobie tego życzy. Jestem dorosła i to moje życie. Poza tym sama niedługo będę matką i nie chcę, aby mi wiecznie mówili, co mam robić – oburzyła się.

– Paulinka, nie denerwuj się, ja nie jestem przeciwko tobie, wręcz przeciwnie. Wiesz, że zawsze jestem po twojej stronie. Pomyślałam tylko...

– To nie myśl.

– Nie strój fochów, tylko mnie posłuchaj. Pomyślałam, że powinnaś powiedzieć chociaż matce. Przecież masz z nią dobry kontakt. Nie zapominaj, że ona też jest kobietą, więc z pewnością to zrozumie.

– Nie byłabym tego taka pewna. Moja matka mnie wspiera, ale... ona mimo wszystko zawsze stoi za ojcem.

– Ale to nie ojciec jest w ciąży, tylko ty. Niedługo uczynisz ją babcią. Daj jej szansę.

– Nie wiem... – Głos Pauli złagodniał.

– Obiecaj, że się nad tym zastanowisz, dobrze?

– Dobrze, obiecuję.

– Okay. Zmieńmy temat. Jakie plany na dziś? Co zamierzasz robić? Może wybierzemy się na jakieś lody? Jak ty się w ogóle czujesz, bo z tego wszystkiego nie zapytałam.

– Od wczorajszego wieczoru czuję się doskonale. Skłamałabym, że nie mam obaw, ale staram się myśleć pozytywnie. W końcu niebawem stanę na ślubnym kobiercu. Życie tak szybko się zmienia, prawda?

– Twoje może i się zmienia szybko. U mnie wieje nudą.
– Nie marudź. Zawsze możesz wziąć jakiś kodeks i się pouczyć na zapas.
– Bez przesady. Aż tak to mi się nie nudzi.
– Okay, możemy zrobić tak: ja teraz zjem coś, poszukam odpisu aktu urodzenia i przyjadę do ciebie. Na wieczór umówiłam się z Mikołajem. Teraz podobno załatwia coś z twoim ojcem.
– To prawda, nie ma ich od rana. Najpierw razem biegali, a potem pojechali do kancelarii.
– Tak, wiem. Fajnie, że Patryk tak się za siebie wziął.
– Już prawie pięć kilo schudł.
– On chudnie, ja tyję.
– Tyjesz w słusznej sprawie, to się nie liczy.
– Dzięki za pocieszenie. Do zobaczenia, pa.
– Pa.

Zakończyła rozmowę z przyjaciółką, po czym zwlokła się leniwie do kuchni. Nie chciała się spieszyć. Miała jakiś wstręt do kawy, więc postanowiła zaparzyć sobie aromatyczną herbatę z cytryną. Ukroiła kromkę chleba upieczonego przez matkę, posmarowała ją masłem orzechowym i rozsiadła się wygodnie na tarasie swojego rodzinnego domu.

Przeżuwając starannie każdy kęs, zastanawiała się, czy może Dagmara nie miała trochę racji, namawiając ją, aby wtajemniczyła matkę w swoje plany. Obawiała się jednak, że ta będzie chciała ją od wszystkiego odwieść. Zastanowić się, czy to na pewno dobra decyzja. Wolała tego uniknąć. Ostatecznie postanowiła zawrzeć ze sobą mały kompromis. Obiecała sobie, że powie matce o wszystkim, kiedy już będzie miała ustalony termin w urzędzie stanu cywilnego.

Musiała tylko poszukać tego aktu, bez niego niczego nie zdoła załatwić. Matka była w klinice do czternastej, ojciec pojechał załatwiać jakieś swoje męskie sprawy. Gdy wychodził, powiedział, że odbierze mamę i wrócą razem. Miała więc chwilę czasu, aby pomyszkować w ich szafkach i wykraść na chwilę ten dokument.

Otworzyła drzwiczki kredensu, który był w ich rodzinie od pokoleń. Ojciec wielokrotnie prosił mamę, aby pozbyć się rozpadającego się mebla. Niestety jego prośby od lat pozostawały jedynie prośbami, a mama odpowiadała, że ten kredens jest solidny i przetrwa jeszcze ich wnuki. To tam przechowywane były wszystkie rodzinne pamiątki takie jak zdjęcia, świadectwa, pierwsze rysunki, laurki. Mama z nienaganną starannością układała je w maleńkich pudełeczkach opatrzonych kolorowymi tasiemkami opisującymi ich zawartość. Bardzo nie lubiła, jak się w nim grzebie. Kiedy chcieli pooglądać albumy ze zdjęciami, musieli poczekać na jej pozwolenie. Zawsze wyjmowała i chowała je samodzielnie.

Paula drżącymi rękami oglądała rodzinne skarby, bojąc się, że ktoś ją na tym przyłapie. Otworzyła różowy kartonik, w którym znajdowały się fotografie jej wczesnego dzieciństwa. Uśmiała się na widok własnego zdjęcia, gdzie występowała w stroju dalmatyńczyka, głęboko wierząc, że jest chomikiem w ciapki. Obraziła się na panią z przedszkola, która na jej widok powiedziała: „Jaki piękny piesek". Ona nie była psem, lecz chomikiem. Tyle że w tamtych czasach zdobycie karnawałowego stroju dla dziecka graniczyło z cudem.

Kolejne zdjęcie przedstawiało ją siedzącą na sankach, samodzielnie wykonanych przez ojca. Były niezniszczalne. Pamiętała uczucie rozpierającej dumy, kiedy wyruszyła na podbój miejscowych górek. Tata powiedział, że tych sanek nic nie zniszczy. Nic dziwnego, były przecież żeliwne. Wszystko byłoby super, gdyby tylko nie ważyły więcej od niej samej. Ich ciężar sprawiał, że zanim wtaszczyła je pod górkę, jej rówieśnicy zdążyli już kilkakrotnie z owej górki zjechać. Nie zmieniało to faktu, że miała najlepsze sanki, których nikt ani nic nie było w stanie zniszczyć.

Na ostatnim zdjęciu, które przykuło jej uwagę, stała obok Świętego Mikołaja. Miała bardzo poważną i przejętą minę. Jej włosy zaplecione były w piękne dwa warkocze przyozdobione na końcach czerwonymi kokardami. Spódniczkę miała podciągniętą pod same pachy, co było powodem do śmiechu wszystkich oglądających tę fotografię. Oglądając zdjęcia, szukała takiego, na którym byłaby niemowlęciem. Nie zastanawiała się nigdy nad tym, dlaczego rodzice nie uwiecznili chwil upamiętniających jej pierwsze dni na tym świecie. Może byli zbyt zaaferowani? Może nie mieli ze sobą aparatu? Nie było przecież smartfonów, selfie i wszystkiego tego, bez czego dzisiejszym rodzicom trudno jest się obejść. A jednak jej matka, w czarnej aksamitnej torebeczce, przechowywała kosmyk jej pierwszych włosków. Wzruszyła się na ich widok.

Wreszcie udało jej się odszukać pudełko z dokumentami. Nigdy nie była dobra w odczytywaniu tego typu druków. Biurokracja ją męczyła. Minęło dobre pół godziny, zanim się w tym wszystkim połapała. Znalazła akt urodzenia mamy, akt urodzenia taty, akt zawarcia przez nich związku małżeńskiego, wszelkiego rodzaju akty notarialne, a nawet akt zgonu jej dziadka. Nigdzie nie było jej aktu urodzenia. Czyżby się gdzieś zapodział? Jeszcze tego jej teraz brakowało. Nie mogła zadzwonić do matki i o niego zapytać. Naraziłaby się w ten sposób na niekończącą się liczbę pytań z jej strony. Gdzie też mógł się podziewać ten akt? Dlaczego nie leżał wraz z innymi dokumentami? Postanowiła zadzwonić do Mikołaja.

– Witam miłość mojego życia – powitał ją wyznaniem. – Jak ci mija dzień? Ja od rana czekam na wieczór. Nie mogę się doczekać, kiedy wezmę w ramiona moją przyszłą żonę.

– Ja właśnie w tej sprawie dzwonię – wymamrotała.

– Tylko mi nie mów, że się rozmyśliłaś. Reklamacji nie uwzględnia się.

– Spokojnie, nie rozmyśliłam się. Tylko że… – zawiesiła głos. – Nie mogę znaleźć swojego aktu urodzenia. Bez niego nic nie załatwimy.

– Spokojnie, zawsze możesz poprosić o duplikat. To żaden problem. Zadzwoń do urzędu, zapytaj, jak to zrobić. Z tego, co wiem, takie sprawy załatwia się od ręki.

– Tak, tak. Pewnie masz rację, tylko że ja nie znoszę wypełniania druczków. Działa to na mnie jak sesja na studenta.

– Nie martw się, na pewno zaraz go znajdziesz. Pomyśl, gdzie mógł się zapodziać. Może gdzieś w sypialni rodziców? Ludzie często przechowują blisko łóżka wartościowe dla nich rzeczy.

– Nie wiem, czy mój akt urodzenia jest wartościowy dla mamy, ale może masz rację. Pobuszuję trochę w ich sypialni. Zadzwonię do ciebie później, dobrze?

– Tylko tyle? A gdzie „tęsknię za tobą"? Gdzie „nie mogę doczekać się, kiedy cię zobaczę"? Czyżbyś zapomniała, że jesteś ze mną zaręczona? – próbował się droczyć.

– Spędzę z tobą całe życie i będziemy mieli mnóstwo czasu na czułości.

– Po mojemu, to zostało nam jakieś siedem miesięcy. Potem pojawi się mały darmozjad i każe mi się wynosić z mojej własnej sypialni.

– Nie strasz mnie, proszę. My będziemy inni.
– Dobrze, już dobrze. Nie straszę.
– Do zobaczenia wieczorem. Idę szpiegować.
– Buziaki, kochana. Pa.

Być może miał rację? Być może mama miała jeszcze jakieś inne tajemne miejsce, w którym przechowywała dokumenty? Przypomniało jej się, że kiedy wyrabiała dowód osobisty, jej mama poszła wraz z nią do urzędu, zabierając ze sobą zieloną teczkę. Musiał być w nich akt urodzenia. Może zapomniała wyjąć ten dokument z teczki, a ją samą położyła w jakieś inne miejsce? Może Mikołaj miał rację? Skierowała swoje kroki do sypialni.

Pokój, w którym spali jej rodzice, był kolejnym miejscem, do którego nikt oprócz nich nie miał wstępu. Nawet gdy w ich domu pojawiali się goście, nigdy nie było mowy o odstąpieniu małżeńskiego łóżka. Laura była trochę przesądna. Uważała, że gdy wpuszcza się do małżeńskiego łóżka kogoś obcego, to tak jakby zapraszało się go do swojego intymnego życia.

Fobia matki spowodowała, że Paula stała teraz w sypialni rodziców, czując się jak złodziejka przyłapana na gorącym uczynku. Jej ciało oblał zimny pot. Musiała jednak odnaleźć ten dokument. Otworzyła szufladę nocnej szafki. Oprócz kremu do rąk znajdowały się tam jeszcze chusteczki do nosa i pomadka do ust.

– To oczywiste, że nikt nie trzyma dokumentów w nocnej szafce – powiedziała do siebie. Położyła się na łóżku, przeciągając się na nim niczym kocica. Patrzyła w skosy śnieżnobiałego sufitu, rozmyślając o tym, że chyba jednak czeka ją wyprawa do urzędu. Nagle jej wzrok natknął się na stojące na szafie ozdobne pudełko. Nie licząc na żaden cud, postanowiła zajrzeć do środka. Gdyby wiedziała, co znajduje się w jego wnętrzu, prawdopodobnie nigdy nie odważyłaby się go otworzyć.

***

– Myślisz, że z tym Mikołajem to coś poważnego? Bo jeśli tak, to… nie uważasz, że powinniśmy z nią porozmawiać? – powiedział Edward niepewnie.

Laura spojrzała na męża wzrokiem pełnym strachu. Utrzymanie tajemnicy kosztowało ich ogrom zaangażowania. Tak bardzo pragnęli dziecka, że byli w stanie posunąć się absolutnie do wszystkiego.

– Obawiam się, że tak… – szepnęła.

– Nie podoba mi się ten facet.

– Edziu, tobie nie podoba się nikt, kto tylko zaczyna kręcić się obok Pauli dłużej niż tydzień.

– Dobrze wiesz, że nie o to chodzi. Po prostu nie chcę, aby się o wszystkim dowiedziała. Nie wiem, czy postąpiliśmy słusznie, ukrywając to przed nią.

– To już nie ma żadnego znaczenia. Czasu nie cofniemy. Powinniśmy jej powiedzieć i to jak najszybciej.

– Czyś ty zwariowała?

– Ja? A czyj to był pomysł? Przecież to ty wszystko wymyśliłeś.

– Nie zwalaj na mnie całej odpowiedzialności. Oboje podjęliśmy taką decyzję, a potem to już…

– …im dalej w las, tym więcej drzew – dokończyła Laura. – Moja matka zawsze mi mówiła, że należy mówić prawdę. Najśmieszniejsze w tym wszystkim jest to, że ja przez całe życie uczyłam tego Paulinkę, podczas gdy…

gdy sama nie jestem przykładem. Jestem hipokrytką, Edward.

– Nie jesteś, nie mów tak o sobie!

– Właśnie, że jestem i dobrze o tym wiesz. Wiem, że starasz się mnie pocieszyć, ale to na nic... Musimy porozmawiać z naszą córką, zanim sama dowie się prawdy. Boję się myśleć, co mogłoby się wydarzyć, gdyby ktoś obcy jej o tym powiedział.

– Ale kto? Przecież przez lata chroniliśmy tej tajemnicy.

– Nie wiem, Edward. Nie wiem. Ktokolwiek. Może ta kobieta zmieni zdanie?

– Oj tam, zaraz zmieni. Nie martw się na zapas. Jeszcze nikt niczego nie powiedział.

– Oboje jesteśmy hipokrytami. Staramy się wieść porządne życie. Ja, wielka pani doktor, ty wielki pan wykładowca. Chodzimy co niedziela do kościoła, modlimy się, przyjmujemy komunię świętą, a tak naprawdę żyjemy w grzechu. Żyjemy w ciągłym kłamstwie.

– Nie mów tak... Wszystkie decyzje, jakie podjęliśmy, były przemyślane. Wszystko, co uczyniliśmy, było tylko dla jej dobra. Nie rób z nas potworów. Wychowaliśmy ją na dobrego człowieka. Każdy rodzic popełnia błędy i my na pewno też popełniliśmy ich mnóstwo, lecz nasze zamiary zawsze były uczciwe, nie ujmuj nam.

– Może i masz rację – zamyśliła się. – Widziałam, że rozmawiałeś z Mikołajem. Co mu powiedziałeś? Straszyłeś go?

– Nie, no coś ty. – Edward postanowił przemilczeć pewne fakty. – Nie wiem, czy kiedykolwiek do końca zaakceptuję jakiegokolwiek faceta, który pojawi się obok naszej córki, ale on wydaje się człowiekiem sensownym. Przeszkadza mi jedynie jego wiek. Mógłby być jej ojcem. Ty nie masz z tym problemu?

– Z tym akurat nie mam. Lepiej, aby ułożyła sobie życie z kimś, kto już wie, czego od życia nie chce. Nie sądzę, aby człowiek jego pokroju decydował się odwiedzać młodą dziewczynę w jej domu, nie mając uczciwych zamiarów.

– Też prawda.

– Wiesz, Edziu, sama ją zachęcałam, aby dała szansę tej relacji.

– Chyba żartujesz – oburzył się.

– Nie żartuję. Mnie ten Mikołaj przypadł do gustu od samego początku. Wygląda na uczciwego i rozsądnego mężczyznę. Nie chcę patrzeć na niego przez pryzmat jego życiowych doświadczeń.

– Laura, ale on jest rozwiedziony! Ma dziecko! – Edward prawie wrzasnął.

– No i co z tego? W dzisiejszych czasach to już żadna nowość. Myślę sobie nawet, że rozwiedziony facet bardziej zdaje sobie sprawę z powagi sytuacji niż młodzieniaszek, który dopiero co zrobił dyplom. Już nie pamiętasz, jak to było z nami? Nie jesteśmy przecież rówieśnikami – przypomniała mu.

– Na Boga, dwanaście lat różnicy to nie to samo, co dwadzieścia!

– Jesteś tego pewien? To tylko o osiem lat więcej.

– Osiem lat to przepaść. – Edward próbował postawić na swoim.

– Myślę, że nie powinniśmy teraz tego roztrząsać. Jeśli ta znajomość z Mikołajem przerodzi się w coś poważniejszego, to mogą chcieć wziąć ślub. Pamiętasz, co obiecaliśmy starej Krzemianowskiej?

– Potem będziemy się martwić.

– Edziu, kochanie. – Żona zatrzymała się, spojrzała w oczy mężowi i najczulej, jak tylko potrafiła, rzekła: – Musimy powiedzieć naszej córce całą prawdę. W przeciwnym razie możemy ją stracić. Zniosę wszystko, przecież wiesz. Lecz jej utrata oznaczałaby koniec mojego życia.

Trwali tak w mocnym uścisku, nie mając pojęcia, że los już wziął sprawy w swoje ręce.

***

Urząd Stanu Cywilnego
/-/Z-ca Kier. USC Zofia Rydz

Wzmianki dodatkowe:

Sąd Rejonowy w Szczecinie postanowieniem z dnia 19 listopada 1993 roku sygn. akt XI Nsm 92/01 orzekł, że dziecko, którego dotyczy niniejszy akt, zostało przysposobione przez Edwarda Leońskiego, urodzonego dnia 12 maja 1952 roku w Szczecinie i jego żonę Laurę Leońską z d. Kalisiak, urodzoną 01 grudnia 1964 roku w Policach. Dziecko nosi nazwisko Leońska. W odpisach skróconych wymienia się przysposabiających jako rodziców dziecka.

Szczecin dn. 19 listopada 1993 r. /-/ Z-ca Kier. USC Zofia Rydz

Leżący przed nią dokument sprawił, że na moment zapomniała o oddechu. Zakręciło jej się w głowie. Chciała wierzyć, że to jakaś pomyłka. Kilka razy powiedziała na głos, że to niemożliwe, aby mogło być prawdą. Czytała dokument wielokrotnie. Zrobiła w pośpiechu zdjęcie, na wypadek, gdyby miała go utracić. Najdrobniejsze elementy układanki zaczęły jej się składać w jedną całość. Przypomniało jej się, jak w wieku dziesięciu lat doznała wypadku samochodowego. Walczono o jej życie, potrzebowano krwi. Z jakiegoś powodu żadne z rodziców nie mogło być dawcą. Wtedy nie zadawała pytań. Dziesięciolatka nie myśli w taki sposób. Dziś wszystko było jasne.

Jej biust był wielki. Nienaturalnie wielki, jeśli by go porównać z biustem matki czy też babci. Wielokrotnie pytała matkę, jak to możliwe? Czyżby genetyka spłatała jej figla? Do dziś pamiętała jej słowa: „Nadejdzie taki dzień, gdy będziesz za to wdzięczna". Nie była. Wielkie cycki spędzały jej sen z powiek, a niemożność dopięcia bluzki doprowadzała ją do szału.

Włosy obojga rodziców były ciemne. Kłóciło się to z wizerunkiem jej typowo słowiańskiej urody. Nigdy wizualnie nie była do nich podobna. Z czasem nasiąknęła ich zachowaniem, poglądami na życie, oraz przyzwyczajeniami, lecz... gdzieś w głębi serca czuła się inna. Nagle wszystko stało się jasne. Nie była biologicznym dzieckiem Leońskich. Człowiek, do którego zwracała się „tato", był dla niej obcym mężczyzną. Kobieta, do której mówiła „mamuniu", była co najwyżej mamką, doskonałą aktorką umiejącą modelowo odegrać rolę „mamuni".

Ci ludzie uczyli ją szacunku, miłości, zaufania, odwagi w wyrażaniu poglądów, wiary, optymizmu, empatii. Poświęcili całe życie, aby ją wychować w poszanowaniu dla prawdy, zapominając o tym, że sami żyją w kłamstwie. Jak mogli jej to uczynić? Matka, która powtarzała, że lepiej jest powiedzieć prawdę, jakakolwiek by ona była.

„Kłamstwo ma krótkie nogi".

„Zrań mnie, mówiąc prawdę, ale nigdy nie pocieszaj kłamstwem".

„ Kłamstwo jest bronią tchórzy".

To wszystko były ich słowa!

Teraz te ich wyświechtane frazesy zdawały się nie mieć żadnego znaczenia. Teraz nie wiedziała, kim jest, jako człowiek, jako dziewczyna czy kobieta. Czyją była córką? Czy jej biologiczni rodzice jej nie chcieli? Co takiego się wydarzyło, że trafiła do domu Leońskich? Kto, na miłość boską, był jej matką? Kto był jej ojcem? Dlaczego ją oddano? Oddano ją czy porzucono. Czy jedno nie jest tym samym, co drugie?

Mętlik w jej głowie narastał. Krew pulsowała w uszach, podbródek drgał nerwowo, a szyję pokryły czerwone plamy. Nie potrafiła ruszyć z miejsca. Siedziała na podłodze, kurczowo ściskając papier, zmieniający w jej życiu absolutnie wszystko.

Usłyszała wchodzących do domu rodziców – nie rodziców. Matka – nie matka, zawołała radośnie „Kochanie już jesteśmy", ojciec – nie ojciec wtórował jej słowami: „Gdzie się podziała nasza mała córeczka?". Jaka córeczka? Nie była ich córką i dobrze o tym wiedzieli. Nie mogli powiedzieć jej o tym, gdy była dzieckiem? Dużo łatwiej wyznać prawdę w chwili, gdy jest ona jeszcze w miarę świeża. Co oni sobie wyobrażali? Kłamstwo powtórzone nawet milion razy, nigdy nie stanie się prawdą. W normalnych warunkach wymknęłaby się teraz po cichutku z ich sypialni. Lecz to nie były normalne warunki. Teraz nie miało to żadnego znaczenia.

Na swoich podkurczonych nogach czuła miliony zachłannie pląsających niewidzialnych mrówek. Nie miała siły ruszyć się z miejsca. Po jej policzku powoli spływała mokra, czarna od tuszu łza. Nie potrafiła nawet rozpoznać swoich uczuć. Miała takie idealne bezproblemowe życie. Była wdzięczna za rodziców, którzy nigdy nie byli jej rodzicami. Cóż za bzdura... Zawsze myślała, że jej kłopoty w zestawieniu z problemami Dagmary wypadają słabo. Czy jest coś, co może konkurować z alkoholizmem jednego z rodziców? Kiedyś myślała, że nie ma takiej rzeczy. Dziś dostrzegła, jak bardzo się myliła. Nagle poczuła niewyobrażalnie ogromną tęsknotę za własną tożsamością. Kim była? To pytanie dźwięczało jej w uszach.

– Tu jesteś. Myślałam, że pojechałaś na targ – powiedziała matka. – Dlaczego siedzisz w naszej sypialni? Przecież wiesz, że oboje z ojcem nie przepadamy za tym. Szanujmy swoją prywatność, córeczko.

Paula siedziała plecami do drzwi wejściowych. Laura nie miała szansy widzieć twarzy swojej córki. Gdyby ją zobaczyła, z pewnością nie śmiałaby mówić niczego o prywatności. Paulina miała ochotę wyrzucić jej, że jest ostatnią osobą na świecie mającą prawo prosić ją o prywatność. Zamiast jej oczekiwać, powinna sto razy zastanowić się nad tym, czy sama jest w porządku. Cały przekazany jej system wartości legł w gruzach. Nie rób tego, nie rób tamtego, rób to, zachowuj się tak, nie zachowuj się tak. Kim u diabła byli ludzie, który mówili jej, jak ma żyć? Dlaczego ukrywali przed nią jej własną tożsamość? Chciała zapytać o to, lecz jakaś niewyobrażalna siła związała jej język w supeł.

– Paulinko, wszystko w porządku? Słyszysz, co do ciebie mówię? – Laura zbliżyła się do córki.

Do sypialni wszedł nieświadom powagi sytuacji Edward.

– Tu jesteście. Paula, co ty tu robisz? Dlaczego grzebiesz w rzeczach matki? Ile razy mamy ci powtarzać, że poszanowanie cudzej wartości, to rzecz…

Nie dokończył. Jego oczom ukazał się obraz twarzy dziewczyny niewyglądającej jak jego córka. Jej wzrok był odległy tak bardzo, jakby dzieliła ich gruba pancerna szyba. Czarne od cichych łez stróżki na policzkach dodawały smutku jej twarzy.

– Na miłość boską, co się stało? – zapytała przerażona matka.

– Co się stało? – Jakimś cudem udało się Pauli powtórzyć pytanie matki – nie matki.

Ojciec – nie ojciec domyślił się, co miało miejsce podczas ich nieobecności. Rzucił się w kierunku córki, próbując objąć ją silnym męskim ramieniem.

– Nie dotykaj mnie. – Jej zmysły ze wszystkich sił pragnęły izolacji od środowiska, które przez lata uznawała za własne.

Użyła całej mocy, jaką w sobie posiadała, aby wstać i wyjść z pokoju. W dłoni ściskała papier zmieniający wszystko.

– Paulinko, poczekaj, proszę – zaczęła matka. – Córeczko, posłuchaj mnie.

– Nie mów do mnie w ten sposób.

– Jak mam do ciebie mówić? Jesteś moim dzieckiem, sensem mojego życia. Nie wychodź, pozwól mi wytłumaczyć.

– Nie musisz niczego tłumaczyć. Wszystko jest jasne. – Uniosła w górę dłoń. Palce kurczowo zaciskały prawdę utrwaloną na kawałku papieru.

Wyszła z sypialni, zbiegła na dół i zaczęła się ubierać. Chciała jak najszybciej opuścić dom – nie dom. Jedyne, czego pragnęła, to znaleźć się jak najdalej odkrytego kłamstwa.

Wrzuciła do torby jabłko i wodę mineralną na wypadek, gdyby poczuła głód i pragnienie.

– Zaraz będzie obiad, Paulinko. Zostań. Jeśli nie jesteś gotowa na rozmowę, możemy pomilczeć, tylko, błagam cię, nie wychodź teraz z domu. Gdzie idziesz? Paula, gdzie idziesz, dziecko? Edward, zrób coś do jasnej cholery! – rozpaczała Laura.

Mężczyzna milczał. Jak zawsze miał do powiedzenia najwięcej, tak teraz nie mógł wydusić z siebie żadnego słowa. Odmawiał w myśli modlitwę, chaotycznie prosząc Stwórcę o cokolwiek, co powstrzymałoby jego jedyne dziecko przed zrobieniem czegoś głupiego.

Paulina gotowa była do wyjścia. Chwyciła klamkę, lecz zanim zdążyła ją nacisnąć, odwróciła się na pięcie i zapytała:

– Jak ja naprawdę mam na imię?

Laura płakała z bezsilności. Ojciec przypominał wyrwanego do odpowiedzi nieprzygotowanego ucznia.

– Jak ja naprawdę mam na imię? – powtórzyła pytanie. – Tyle chyba możecie mi powiedzieć, prawda?

Matka spojrzała na ojca, ojciec spojrzał na matkę. Żadne nie umiało wypowiedzieć imienia. Jego brzmienie zmienili bardzo dawno temu.

– Pytam po raz ostatni. Jak naprawdę brzmi moje imię?

Ojciec po raz pierwszy w trakcie tego popołudnia zdobył się na odwagę.

– Stanisława Anna.

– Stanisława Anna – powtórzyła.

– Po matce... – dodał.

Po matce...

– Nie było tak źle, Edward – zwróciła się do ojca po imieniu. Dokładnie wiedziała, że tego nie cierpi. – Prawda przeszła przez twoje gardło całkiem gładko.

Matka płakała coraz głośniej. Ojciec podszedł do niej, aby ją przytulić.

– Paulinko, dokąd idziesz? Proszę, nie traktuj nas w ten sposób. Dokąd idziesz, cór... – Słowo ugrzęzło matce w gardle.

– Nie wiem, nie wiem, ja nic nie wiem... – powiedziała i wyszła.

Co czuje dziecko, które dowiedziało się o tym, że jest adoptowane? O tego typu przypadkach czytała jedynie w prasie uważanej za mało ambitną. Nigdy nie podejrzewała, że kiedykolwiek przyjdzie jej stawić czoła takiemu doświadczeniu. Przypomniała sobie programy telewizyjne poświęcone podobnej tematyce. Ludzie szukali rodzeństwa odebranego im przez złośliwe zrządzenia losu. Opowiadali o życiowych dramatach związanych z konsekwencjami podejmowania nierozsądnych decyzji. Czy ona też była czyjąś nierozsądną decyzją? Kim była? Czy miała rodzeństwo? Kim była jej matka i dlaczego nazwała ją imieniem tak staroświeckim i niemodnym?

Stanisława Anna... Stanisława Anna... Stanisława Anna... – Dzwoniło jej w głowie coraz głośniej i głośniej. Nie mogła uciec przed własnymi myślami. Mogli przynajmniej nazwać ją Anna Stanisława... Wiedziała, że dalsza rozmowa z rodzicami – nie rodzicami nie ma sensu. Przynajmniej nie teraz. Łzy Laury były przerażające. Nigdy jej takiej nie widziała. W jednej chwili straciła całe zaufanie do osoby, zdawałoby się, najważniejszej w jej życiu. Dlaczego kłamali? Dlaczego nie powiedzieli jej wtedy, kiedy była maleńka? Z dokumentu wynikało, że zamieszkała z nimi bardzo szybko. Pierwsze zdjęcia, jakie znajdowały się w rodzinnym albumie, podchodziły z wczesnego dzieciństwa. Mogła mieć najwyżej rok. Siedziała na kolanach, wtedy jeszcze matki… Dziś już nie – matki.

Chyba wolałaby, aby adoptowali ją jako kilkuletnią dziewczynkę. Mogłaby ich wtedy traktować jak wybawców. Mogłaby być im wdzięczna, że podarowali jej drugie życie. Być może urodziła się w patologicznej rodzinie i została jej odebrana? Chciała dowiedzieć się o sobie jak najwięcej. Czuła, że ta wiedza jest jej bardzo potrzebna.

Straciła poczucie czasu. Zupełnie zapomniała, że przecież była umówiona z Dagmarą. Wieczorem miała się spotkać z Mikołajem. Tymczasem szła bez celu wzdłuż mierzyńskiej ulicy i kompletnie nie zauważyła momentu, gdy minęła tabliczkę z napisem „Szczecin".

Całe życie mieszkała w Mierzynie. Rodzice zbudowali dom, jeszcze zanim się urodziła. Przynajmniej taka była oficjalna wersja. Na początku, gdy jeszcze była dzieckiem, było to nieco uciążliwe. Pamiętała, jak Laura woziła ją do szczecińskiej podstawówki znajdującej się na Gumieńcach. Do liceum dojeżdżała już sama. Trzynastkę wybrał Edward. Uczyła się w niej tylko dlatego, aby spełnić jego marzenie. Co to wszystko dziś było warte? Co były warte jej starania? Dążyła do zaspokojenia pragnień obcych ludzi, przez całe życie ją okłamujących. Głowa pękała jej z bólu. Miała ochotę roztrzaskać swoje myśli o kant przysłowiowego tyłka. W ciężkich sytuacjach zawsze dzwoniła do Dagmary. Dziś jednak zdała sobie sprawę, że w takiej sytuacji nie była w życiu nigdy. Zapragnęła rozmowy z Mikołajem.

– Cześć, moja piękna. Musisz za mną tęsknić, skoro tak często dzwonisz. – Usłyszała w słuchawce jego ciepły męski głos.

– Cześć… – wyszeptała ledwo słyszalnie.

Wyczuł od razu, że coś jest nie tak.

– Co się stało? – zapytał.

To pytanie słyszała dzisiaj już po raz kolejny.

– Jestem adoptowana – wyznała.

– Jesteś adoptowana? – powtórzył.

– Dobrze słyszysz. Szukałam swojego aktu urodzenia i znalazłam…

– Ciii, już nic nie mów. Gdzie jesteś?

– Nie wiem. Idę przed siebie. Wyszłam z domu i idę przed siebie.

– Kochanie, rozejrzyj się, przecież idziesz dobrze znaną ci ulicą. Gdzie jesteś? Zaraz po ciebie przyjadę.

Zastanowiła się, rozglądając się dookoła.

– Jestem na Ku słońcu. Jestem obok… jestem obok cmentarza.

– Nie ruszaj się stamtąd. Będę za kwadrans.

Rozłączyła się. Stała przed bramą wejściową cmentarza Centralnego w Szczecinie. W tym miejscu odwiedzała swojego dziadka – nie dziadka. Kochała go całym sercem. Był ojcem jej matki – nie matki. W normalnych warunkach pewnie by do niego poszła, zapaliłaby świeczkę, pomodliła się nad jego grobem, lecz… od kilku godzin jej życie toczyło się bocznym torem. To nie były normalne warunki. Pomyślała o ukochanej babci – nie babci. Już dawno jej nie widziała. Być może ona wiedziała coś o adopcji? Czy potrafiłaby wytłumaczyć jakoś wszystko, co się stało? Może powinna ją odwiedzić?

Usiadła na ławce. Odpłynęła w dobrze znany świat wyobrażeń. Jej umysł pospiesznie wyświetlał klatki tworzonego w ekspresowym tempie filmu. Czy jej prawdziwa matka żyje? Czy może umarła i leży teraz gdzieś blisko, obok niej. Nie płakała. Była po prostu przeraźliwie smutna. Nie chodziło nawet o to, że była adoptowana, takie rzeczy się zdarzają. Ludzkie losy potrafią być zawiłe i kręte. Chodziło o prawdę ukrywaną przez tyle lat. Jak mogli kłamać? Jak mogli zwracać się do niej „nasza jedyna córeczko". Nie mieściło jej się to w głowie.

Szybko wystukała SMS do Dagmary:

Od: Paula
Do: Dagmara

Nie przyjadę. Przepraszam.

Po chwili telefon rozdzwonił się żwawą radosną melodią *Shape of you* Eda Sheerana. Ustawiła ją sobie jako dzwonek. Uwielbiała tę piosenkę, lecz dziś nic nie było w stanie poprawić jej humoru. Nie odebrała połączenia od przyjaciółki.

Od: Dagmara
Do: Paula:

Mam nadzieję, że masz poważne usprawiedliwienie! Upiekłam sernik wg Twojego przepisu. Mama mówi, że niezły, ale twój lepszy. Musisz przyjechać i spróbować. Czekam na info.

Jej przyjaciółka miała matkę. Matkę alkoholiczkę, matkę z problemami, ale matkę. To nie była matka – nie matka, lecz prawdziwa matka z krwi i kości. Nie taka zastępcza mamka. Oddałaby wszystko, aby móc nadal żyć w niewiedzy. Mawia się, że wiedza daje władzę, daje możliwości. Nie mogła pojąć, jakie możliwości i jaką władzę dawała jej wiedza o tym, że jest adoptowana.

Siedziała na ławce nadgryzionej nieco zębem czasu, bez skrępowania oznajmującej, że wszystko w życiu przemija. Nawet największy ból, rozpacz i łzy. Pomyślała o życiu, które w niej rośnie. Nie był to najlepszy moment na narodziny dziecka, lecz nie wyobrażała sobie, że mogłaby je oddać. Od pierwszej chwili wiedziała, że urodzi maleństwo i wychowa je bez względu na wszystko. Przecież mogło potoczyć się inaczej. Mikołaj wcale nie musiał się jej oświadczyć. Mogła zostać z dzieckiem sama. Dlaczego jej biologiczna matka ją oddała? Dlaczego nie chciała jej wychować? To pytanie dudniło jej w głowie. Chciała poznać prawdę.

Po chwili na cmentarny parking wjechało piękne czarne auto, z którego wysiadł Mikołaj.

– A ty co? Zmieniłeś zabawkę? – próbowała żartować, chociaż wcale nie było jej do śmiechu.

– Jesteś cudowna, wiesz? Brawo za spostrzegawczość, moja ty *blond power*. Ciekawe, po kim ty to masz? – palnął, zanim pomyślał. – Rety, kochanie, przepraszam. Jestem idiotą. Nie powinienem był tego powiedzieć – kajał się.

– Spokojnie, nie jestem taka wrażliwa. Wiesz, sama zastanawiam się, po kim ja to mam... – przycichła.

Usiedli na ławce. Atmosfera między nimi była gęsta. Powinni teraz cieszyć się beztroską, uprawiać dziki seks w przypadkowych hotelowych pokojach, tańczyć w deszczu, spać pod gołym niebem i nie przejmować się tym, co przyniesie jutro. Właśnie tak powinno być. Właśnie tak wyglądają związki na samym początku. Motyle w brzuchu, zawroty głowy i omdlenia po pierwszych pocałunkach.

Tymczasem życie zrzuciło na ich głowy wszystko naraz. Lada moment miało przyjść na świat ich dziecko. Mieli się pobrać. Zamiast cieszyć się tym wszystkim, musieli zmierzyć się z rzeczywistością.

– Co zamierzasz zrobić? – zapytał Mikołaj.

– Chcę znać prawdę – odpowiedziała bez zastanowienia.

– Jesteś tego pewna?

– Jak niczego innego na świecie. Chcę wiedzieć, dlaczego mnie oddała. Chcę poznać ją i swoje korzenie. Nie wiem, kim jest mój ojciec… Chciałabym wiedzieć, może zrozumieć. Miałam dobre życie. Leońscy, poza tym, że są kłamcami, nie są tacy źli.

– Nie chciałbym się wtrącać, ale myślę, że oni bardzo cię kochają.

– Wiem – szepnęła.

– Czy mogę powiedzieć, co ja o tym myślę?

– Jasne, mów.

– Zdaję sobie sprawę, że jesteś rozgoryczona. Nigdy nie byłem w takiej sytuacji, więc nie wiem do końca, co tak naprawdę czujesz, lecz… Gdybym mógł mieć taki dom jak twój, to…

– Ale to nie jest mój dom. To są obcy ludzie.

– Teraz jesteś na nich zła, oceniasz ich surowo. Zdecydowanie zbyt surowo. Matka za tobą szaleje, ojciec dałby się spalić za ciebie na stosie.

Paula wstała z ławki i jednym tchem wyrzuciła z siebie żal.

– To nie są moi rodzice, Mikołaj. Nie rozumiesz? Przez całe życie mnie okłamywali. Pieprzyli farmazony o uczciwości, o prawdzie, o tym, że trzeba żyć zgodnie z zasadami. Jakimi zasadami? Kłamali! Parszywie kłamali!

Wstał, aby ją uspokoić. Przytulił z całej siły, zaczął głaskać po głowie, całować jej włosy. Dziewczyna łkała. Czuł na swojej piersi jej szybko bijące serce.

– Cichutko. Przepraszam, nie denerwuj się, proszę. Postaraj się uspokoić. Pomyśl o maleństwie. Twoje nerwy nie działają na nie dobrze.

– Masz rację. – Uwolniła się z jego uścisku. – Mikołaj, czy moglibyśmy pojechać do mojej babci? To znaczy... – zamyśliła się. Do mojej babci – nie babci.

– Ależ ona jest twoją babcią.

– Raczej była, do dzisiejszego poranka. Tak gdzieś do około jedenastej.

– Kochasz ją?

– Bardzo.

– To jest twoja babcia. Całe życie nią była. Ona! Nikt inny. Coś ci powiem. Coś, czego nigdy wcześniej nikomu nie mówiłem.

– Skoro musisz.

– Nie muszę, ale chcę. Dałbym wiele za taki dom, w którym ty się wychowałaś. Kochający rodzice, ogród, obiad zawsze na czas. Spróbuj popatrzeć na to z innej perspektywy. To, że trafiłaś do Leońskich, to nie był przypadek. Najwyraźniej twoja biologiczna rodzina nie była w stanie dać ci dobrego życia. Leońscy dali ci wszystko. Miłości na pewno ci nie zabrakło.

– Ale oni mnie oszukali.

– Zwał, jak zwał. Nie trzymaj się kurczowo tej myśli. Nie bronię ich, lecz staram się zrozumieć. Twój ojciec nie darzy mnie sympatią i w zasadzie powinno być mi na rękę, że jesteś teraz na niego zła. Gdybym myślał tylko o sobie, zabrałbym cię, zamknął w złotej klatce i cieszył się, że jesteś tylko moja. Ale nie chcę. Wiem, że kochasz swoich rodziców.

– Ale oni nie…

– Oni są twoimi rodzicami. Jedynymi, jakich miałaś. Jeśli chcesz, odnajdziemy twoją biologiczną matkę. W dzisiejszych czasach to wcale nie jest takie trudne. Tylko zastanów się dobrze, czy chcesz znać prawdę.

– Już się zastanowiłam. Chcę znać prawdę – powiedziała stanowczo.

Czuł, że jej nie przekona. Wiedział, że ona nie da za wygraną. Nie chciał jej mówić o swojej przeszłości, lecz nie dała mu wyboru.

– Mój ojciec był pijakiem, mówiłem ci już. Nawet nie alkoholikiem. On był zwykłym pijakiem. Chlał na umór, nie zwracając uwagi na to, czy będę miał co zjeść. Przepijał wszystko, co sam zarobił. Póki jeszcze zarabiał. Przepijał też to, co zarobiła matka. Pracowała w przedszkolnej kuchni. Chyba tylko dlatego nigdy nie chodziłem głodny, bo przynosiła jedzenie z pracy. W innym przypadku nie byłoby pewnie co jeść.

Każdego dnia modliłem się, aby nie zrobił nam krzywdy. Nie raz słyszałem, jak gwałcił matkę. Widziałem strach w jej oczach. Pewnego wieczoru, gdy kroiła chleb, wyrwało jej się: „Mam nadzieję, że wróci tak pijany, że nie będzie miał na nic siły". Dokładnie wiedziałem, co miała na myśli. Chciałem, aby zdechł, a jednocześnie wstydziłem się tych pragnień. Miałem wyrzuty sumienia, że życzę śmierci własnemu ojcu. Nie wiesz, co znaczy żyć w ciągłym lęku. Nie znasz głodu, nie wiesz, jak śmierdzi oszczany, zapijaczony człowiek. Być może nie znasz tych uczuć dzięki Leońskim. Pomyśl o tym, proszę.

– Bronisz ich?

– Nie bronię. Próbuję jedynie zrozumieć.

– A co się stało z twoją mamą? Chciałabym ją poznać.

– Moja mama zmarła, gdy byłem studentem. Życie jej nie oszczędzało. Chciałem, aby była ze mnie dumna. Pamiętam, jak kiedyś byłem z nią na spacerze, podeszła do wystawy sklepowej, na której wisiał beżowy płaszcz. Przystanęła i patrzyła na niego z zachwytem. Zapytałem, dlaczego tak mu się przygląda. Odpowiedziała, że zawsze o takim marzyła. Miałem wtedy kilkanaście lat. Obiecałem jej, że gdy będę duży, to kupię jej ten płaszcz. Niestety nie zdążyłem. Nie zdążyłem jej się pochwalić dyplomem ani zabrać jej na wakacje. Była dobrą matką. Zdecydowanie była za dobrym człowiekiem.

– Przepraszam. Nie wiedziałam.

– Skąd mogłaś wiedzieć?

– Myślisz, że moja matka była dobra?

– Twoja matka jest dobra. Masz matkę, Paula. – Odwrócił twarz w jej kierunku. – Uważam, że nie powinnaś grzebać w przeszłości. Ale to jest tylko moje zdanie. Jednak jeśli postanowisz inaczej, ja zawsze będę cię wspierał. Jeżeli chcesz, odnajdziemy twoich rodziców.

Gdyby znał prawdę, nie złożyłby obietnicy tak pochopnie. Gdyby tylko wiedział, jaką niespodziankę szykuje dla niego los.

– Bardzo chcę. Pojedźmy do mojej babci. Może ona coś będzie wiedziała?

– Dobrze, ale najpierw musisz coś zjeść.

Zgodziła się, nie dyskutując. Pojechali do swojej ulubionej pizzerii Pepperoni, na Gumieńcach. Zjedli syty zapiekany makaron, wypili sok jabłkowy i pojechali do babci.

***

Babcia Róża mimo sędziwego wieku wiodła bardzo barwne życie. Z całą pewnością nie była babcią cerującą skarpety i zabawiającą wnuki. Robiła rzeczy, których osobom w jej wieku podobno robić nie wypadało. Nade wszystko kochała nordic walking. Opanowała go wręcz do perfekcji. Ośmieliła się nawet wystartować w lokalnych zawodach w tej właśnie dyscyplinie. Była najstarszą uczestniczką. Kiedy przeszła linię mety, otrzymała owacje większe niż sama zwyciężczyni.

– Kogo to moje oczy widzą? Paulinka!

– Tak, to ja, babciu.

– Przecież widzę, że nie Święty Mikołaj. Kogo ty do mnie prowadzisz, kochana?

– Trafiłaś w sedno. Poznaj mojego przyjaciela, to jest Mikołaj.

– Na świętego to mi nie wygląda, ale z oczu dobrze mu patrzy. Starszy jesteś od niej sporo, prawda? Na moje oko, ze dwadzieścia lat.

– Babciu, proszę. – Paula próbowała okiełznać staruszkę.

– Co proszę, co proszę? Co widzę, to mówię. Edek cię widział? – zwróciła się do Mikołaja. – Chyba nie masz nic przeciwko, że będę się zwracać do ciebie po imieniu. Z daleka widać, że kochasz moją wnuczkę.

– Będzie mi bardzo miło. Tak, pan Edward mnie widział.

Kobieta pozwoliła mu pocałować swoją żylastą dłoń. Na jej pomarszczonej twarzy widoczne było życie, w którego trakcie najwyraźniej nie przejmowała się dbałością o cerę. Oczy błyszczały młodzieńczym blaskiem. Gdyby nie znał prawdy, gotów byłby przysiąc, że Paulina jest do niej podobna.

– I jak? Jak zareagował mój zięciunio? Nie dostał białej gorączki?

Roześmiała się, zacierając ręce.

– Dostał i to jakiej. Gorączka we wszystkich kolorach tęczy. – Paula roześmiała się, na chwilę zapominając, po co tak właściwie przyjechała.

Mikołaj przyglądał się całej sytuacji. Kobieta bardzo przypadła mu do gustu. Od momentu, gdy ją ujrzał, z jego twarzy nie schodził uśmiech.

– Napijecie się herbaty joginów – zarządziła.

– Babciu, co ty znowu wynalazłaś?

– To nie ja wynalazłam, to mój mistrz.

– Chodzisz na jogę?

– A co?! W trakcie umierania trzeba żyć, a nie leżeć w łóżku i narzekać na kręgosłup. Te wszystkie babcie pod kościołem modlą się o śmierć, a ja, zobacz, jaka żywotna jestem. Obiecałam twojemu dziadkowi na łożu śmierci, że będę żyła pełną piersią i zamierzam obietnicy dotrzymać, mimo że zamiast pełnej piersi w staniku noszę skarpety z piaskiem.

– Babcia! – Paula się obruszyła.

Mikołaj śmiał się szczerze.

– No dobra, my tu sobie gadu, gadu a wiadomo, że przybyliście tu w konkretnym celu. Co się dzieje? Bierzecie ślub?

– No między innymi.

– Super! Kiedy?

– Nie jesteś zdziwiona?

– A niby czym mam być zdziwiona? Krew nie woda! Na kilometr widać, że was do siebie ciągnie. Mówcie tylko, kiedy, żebym sukienkę zdążyła kupić. Pieniądze już mam przygotowane. Tylko nie rób tego, co twoja matka. Ona za nic wesela nie chciała. Żałoba po dziadku już dawno minęła, chciałabym potańczyć, chyba należy mi się jakieś podziękowanie za zmienianie ci pieluch, prawda?

Paula postanowiła nie odzierać babci ze złudzeń, pozwalając jej się cieszyć wypadem na rychłe wesele.

– Jak już ustalimy termin, to obiecuję, że pierwsza się dowiesz.

– No raczej – rzekła, upijając łyk jogińskiego naparu.

– Ale my tu w innej sprawie... – Dziewczyna spuściła wzrok.

– Coś się stało? Edek jest przeciwny? Zapomniał wół, jak cielęciem był? Cały mój zięć. Nie przejmujcie się wcale. Każdy ma prawo życie przeżyć tak, jak chce. Jak będziecie w moim wieku, to guma w gaciach się wam poluzuje. Wiem, co mówię.

– Nie chodzi o ta... – Słowo „tata" nie mogło przejść Paulinie przez gardło.

– No mów, o co chodzi? Matka ma coś przeciwko? Nie wierzę. Ona zaakceptuje każdą twoją decyzję. Znam swoją córkę.

– O nią też nie chodzi.

– To ja już nic nie wiem. Dowiem się wreszcie? Może ty powiedz, wyglądasz na takiego, co jaja w portkach nosi – zwróciła się do Mikołaja.

– Nie jestem pewien, czy powinienem się wtrącać – wybąkał.

– No masz ci! Nie jesteś pewien? A żenić się z nią chcesz?

– Tak, jak najbardziej!

– To mów!

Róży nie sposób było ująć bezceremonialności. Nie odważyłby się jej odmówić. Zdążył otworzyć usta, gdy ubiegła go Paula.

– Babciu, powiedz mi... Powiedz mi, proszę, czy ty wiedziałaś, że jestem adoptowana?

Palce babci trzymające w dłoniach filiżankę jakby zgrabiały. Po uśmiechach na twarzach Pauli i Mikołaja pozostało jedynie wspomnienie. Róża o mały włos nie oblała się herbatą joginów. Odstawiła nerwowo napar, po czym zaczęła poprawiać nienagannie uczesane włosy tak, jakby chciała zająć czymś ręce.

– Babciu, proszę powiedz mi, co wiesz. Znalazłam dziś dokumenty adopcyjne. Niestety nie zdążyłam przejrzeć wszystkiego.

– Rodzice wiedzą, że wiesz? – zapytała babcia.

– Wiedzą.

– To dlaczego ich nie zapytałaś o wszystko?

– Sama nie wiem. Jestem na nich zła.

Paula wbiła wzrok w filiżankę z bolesławieckiej porcelany. Jej babcia zawsze miała dobry gust.

– Tak naprawdę, to ja niewiele wiem.

– Proszę, powiedz, co wiesz. To dla mnie bardzo ważne. Chciałabym wiedzieć jak najwięcej.

– Zanim cokolwiek powiem, chciałabym, abyś wiedziała, że twoja matka bardzo się kocha. Mówiąc „matka", mam na myśli moją córkę. Tylko ja wiem, ile wycierpiała, nie mogąc zajść w ciążę. Niby wszystko było w porządku, niby oboje zdrowi, a dziecka jak nie było, tak nie było. Laura nie mogła tego pojąć. Ja zresztą też. Nawet na pielgrzymkę do Częstochowy poszła w tej intencji. Wszystko na nic.

Babcia wstała od stołu. Próbowała zebrać myśli. Nikt nie miał odwagi przerwać dzwoniącej w uszach ciszy. Nagle aura spotkania przybrała nieco mniej zabawny charakter.

– Pewnego dnia przyszła do mnie cała rozpromieniona. Myślałam, że jest w ciąży, chciałam nawet jej pogratulować. Jak się domyślacie, nie była. Wyciągnęła z torby kopertę, w której miała twoje zdjęcia. Byłaś niemowlakiem. Bardzo ślicznym zresztą. Laura zaczęła opowiadać, że teraz wszystko rozumie, że wie, dlaczego nie mogła zajść w ciążę. Powiedziała, że już nie będzie walczyć o to, bo wreszcie odnalazła swoje dziecko. Byłaś nim ty. Z fascynacją opowiadała, że istnieje szansa na adopcję. Podobno, gdy pierwszy raz wzięła cię na ręce, od razu się uspokoiłaś. Twierdziła, że to znak. Przeszli z Edkiem przyspieszony kurs na rodziców adopcyjnych. Pamiętam, jak urządzali pokój na twoje przybycie. Nic ich nie zrażało. Nawet...

– Nawet co?

– Nie jestem pewna, czy to ja powinnam ci o tym mówić.

– Proszę...

– Nawet to, że urodziłaś się na głodzie narkotykowym. Twoja biologiczna matka była narkomanką, urodziła cię przedwcześnie. Walczono o twoje życie. Na szczęście wszystko skończyło się dobrze. Lekarze wykluczyli wirusowe zapalenie wątroby i AIDS.

– Boże... – Paulina ukryła twarz w dłoniach. Nie miała siły płakać. Czuła na plecach dotyk Mikołaja. – Babciu, czy moja matka... ta biologiczna...

– Jej rodzice chcieli ją wysłać na leczenie, na które nie chciała się zgodzić. Nie wiem, jak to było dokładnie, ale z tego, co mówiła Laura, to twoja biologiczna matka została ubezwłasnowolniona. Miała iść na przymusowy odwyk, jednak...

– Nie zdążyła?

Babcia nie dała rady nazwać prawdy po imieniu.

– A co z ojcem? Kim jest mój ojciec? Ktoś musi nim być. Powiedz, co wiesz, powiedz!

– Nie mam pojęcia, Paula. Nie wiem, kto jest twoim ojcem. Wiem tylko, że twoi prawdziwi dziadkowie nie chcieli cię wychowywać. Trafiłaś do domu dziecka, na szczęście tylko na kilka miesięcy. Potem zostałaś córką mojej córki. Naszą Paulinką. Jedyną i najwspanialszą. Proszę, nie skreślaj nas... Moja córka oddałaby za ciebie życie, Edek zresztą też. Nie lubię go, przyznaję, ale to twój ojciec. Jedyny, jakiego masz.

– Gówno prawda! Być może mój ojciec żyje i ma się dobrze.

– Tego nie wiem.

– Co to za rodzina? Co to za ludzie, skoro nie chcieli się mną zająć? Dlaczego mnie oddali?

– Oddali cię, bo... Paula, ja wiem tylko tyle, co powiedziała mi Laura. Nie wiem, ile w tym prawdy. Powinnaś zapytać matkę. Ona wszystko ci wytłumaczy.

– Powiedz, co wiesz.

– Przykro mi...

– Róża!!! Mów, do jasnej cholery!!!

– Jestem twoją babcią. Innej nie posiadasz. Nie zwracaj się do mnie po imieniu.

Paulina spojrzała na Mikołaja. Jego twarz była przezroczysta.

– Kochanie, chyba powinniśmy już iść.

– Masz rację, nic tu po nas.

Róża odprowadziła ich wzrokiem.

– Miło było cię poznać, Mikołaj. Mam nadzieję, że niebawem się spotkamy.

– Mnie również było miło. Do zobaczenia, pani Różo.

Opuścili mieszkanie babci Róży. Stali przez chwilę na klatce schodowej, przytulając się bez słowa. Po chwili Paula wyswobodziła się z objęć ukochanego i otworzyła ponownie drzwi mieszkania babci, która siedziała nieruchomo przy stole.

– Dziękuję. Dziękuję, że mi powiedziałaś…

– Kocham cię, Paulinko.

– Ja też cię kocham. Babciu.

***

Wyświetlacz jej smartfona wskazywał na dwadzieścia dwa nieodebrane połączenia, z czego jedynie dwa pochodziły od Dagmary. Reszta była od Laury i Edwarda. Jeszcze dzisiejszego poranka nazwałaby ich rodzicami. Westchnęła, myśląc, jak szybko wszystko w życiu się zmienia. Nigdy nie wiemy, co czeka za rogiem. Ta niewiadoma z jednej strony czyni codzienność zaskakującą, a z drugiej strony przeraża. Każdy medal ma dwie strony.

Dochodził wieczór. Siedziała w samochodzie Mikołaja, nie wiedząc, co dalej ze sobą zrobić.

– Powinnaś pojechać do domu. Leońscy się o ciebie martwią. Wyglądasz na zmęczoną, musisz odpocząć.

Ślepym wzrokiem wpatrywała się w dal. Faktycznie była skonana.

– Nawet nie wiesz, jaki mam w głowie mętlik.

– Zdaję sobie sprawę. Nie jest to łatwy czas.

– Chyba najtrudniejszy w moim życiu. Jeszcze trzy miesiące temu moim największym problemem było, co na siebie włożę i na jaką ocenę zaliczę egzamin. Potem poznałam ciebie, zaszłam w ciążę, wywalił mi się cały świat do góry nogami, a teraz… Teraz jeszcze to. Ja nie wiem, kim jestem, Mikołaj.

– Nic nie mów. Postaraj się nie nakręcać. Wrócić do domu. To wciąż jest twój dom i mieszkają w nim ludzie, dzięki którym jesteś tym, kim jesteś. Rodzice nie muszą być biologiczni, rodzice muszą być kochający. Takimi właśnie ludźmi są Leońscy. Nie zaprzeczysz, prawda?

Nie odpowiedziała. Oboje wiedzieli, że milczenie dziewczyny oznacza zgodę. Nie odezwała się też ani słowem, gdy odwoził ją do domu. Podjechali pod dobrze znany budynek. Mikołaj zgasił silnik.

– Chyba ktoś nas obserwuje. – Wskazał palcem na okno Pietrzykowej, w którym firanki poruszyły się płochliwie.

Dziewczyna uśmiechnęła się szczerze.

– Dobrze wiedzieć, że pewne rzeczy na tym świecie pozostają niezmienne. Swoją drogą, to jestem ciekawa, czy nasza szanowna sąsiadka wie, że nie jestem ich córką.

– Chyba jej o to nie zapytasz?

– Nie, no coś ty. Nie zwariowałam do reszty.

Trzymali się za ręce. Dom, który tak dobrze znała, wyglądał jak pomnik spokoju. Spędziła w nim całe życie. W prawym kącie ogrodu do dziś dnia stała jej piaskownica. Kiedyś z zaangażowaniem budowała tam zamki i gotowała obiady na wystawne przyjęcia. Obok piaskownicy stała huśtawka. Bujała się na niej do dzisiaj. Wszystko było takie znajome, a jednocześnie takie obce. Nie umiała nazwać swoich uczuć. Jedynym określeniem przychodzącym jej do głowy był smutek.

– Wejdę z tobą, dobrze?

– Nie jestem pewna, czy to dobry pomysł.

– To bardzo dobry pomysł. Obiecuję, że jeśli będzie jakikolwiek problem, to osobiście cię stamtąd zabiorę.

– Dobrze.

– Wejdziemy razem i zobaczymy, jak wygląda sytuacja. Zostaniesz w domu. Cały czas będę pod telefonem. Przyjadę w każdej chwili. Obiecuję. Wyśpij się i porozmawiaj z nimi. Twoja babcia ma rację. Nikt nie jest w stanie powiedzieć ci tyle, co oni.

Mikołaj wysiadł, po czym okrążając auto, podszedł do drzwi pasażera i je otworzył. Gdyby nie okoliczności pochwaliłaby go, że jest taki szarmancki.

Nie zdążyła nacisnąć dzwonka, gdy Laura niemal natychmiast wybiegła z domu, rzucając się jej na szyję.

– Boże, jak ja się o ciebie martwiłam, córeczko. Jesteś, już chcieliśmy z ojcem dzwonić na policję.

Edward stał ze spuszczoną głową. Jego twarzy jakby przybyło kilka lat. Przemówił cicho:

– Wejdźcie do środka, Panie Mikołaju, zapraszam. Dziękuję, że przywiózł pan córkę.

– Drobiazg.

Po chwili wszyscy znajdowali się w domu.

– Tak się cieszę, że jesteś. Dzwoniłam kilkanaście razy, nie mogłam sobie znaleźć miejsca. Gdzie byłaś cały dzień? – wyrwało się matce. – Zresztą, nie mów. Jeśli nie chcesz, to nie mów. Zjesz coś? To znaczy, zjecie? – zwróciła się w stronę Mikołaja.

– Dziękuję pani. Będę się zaraz zbierał. Potrzebujecie teraz państwo czasu dla siebie.

Leońska nie odstępowała córki na krok. Głaskała jej ramię, wpatrując się w nią przepraszającym wzrokiem. Jej widok wzbudzał litość. Była smutna. Chciała naprawić wszystko, co złe.

– Mam ciepły rosołek. Nie wyglądasz dobrze.

– Jestem zmęczona. Chciałabym się położyć.

– Pójdę już, kochanie. – Mikołaj zwrócił się do Pauli. Objął ją w pasie, odgarnął kosmyk włosów z jej czoła i pocałował. – Jestem pod telefonem, dobrze? Wyśpij się. Jutro przyjadę.

Dziewczyna tylko kiwała głową, niemo godząc się na wszystko. Jeszcze nie zdążyły zamknąć się za nim drzwi, a już czuła niewyobrażalną tęsknotę.

Leońscy stali w oczekiwaniu. Zrobiło jej się ich nawet żal. Ten dzień był jednak tak mocno stresujący, że jedyne, o czym marzyła, to łóżko.

– Przepraszam was, ale chciałabym się położyć, jeśli pozwolicie – rzekła.

– Oczywiście, córcia. Może herbatkę ci zrobię? – zapytała matka.

– Nie chcę. Dziękuję.

Jakimś cudem dowlokła się do swojej małej łazieneczki, zmusiła się do umycia zębów i opłukania twarzy. Była wyczerpana. Gdy tylko przyłożyła głowę do poduszki, usnęła twardym i głębokim snem.

ROZDZIAŁ 16

Wielokrotnie słyszała, że poranki są mądrzejsze od wieczorów. Podobno jak człowiek ma problem, to nie powinien zbyt się nad nim wieczorem zastanawiać. Podczas snu przychodzą najlepsze rozwiązania. Być może coś w tym było?

Obudziła się jakby spokojniejsza, chociaż nadal miała w głowie mętlik. Myślała o tym, co powiedział Mikołaj. Może i miał rację, sugerując jej, że nie powinna grzebać w przeszłości? Łatwo jest radzić, gdy tak naprawdę nie ma się pojęcia, co czuje osoba, której doradzamy. Kochała Mikołaja, liczyła się z jego zdaniem, brała je pod uwagę, lecz... potrzeba poznania własnych korzeni była zbyt silna, aby się jej wyzbyć.

Otworzyła okno i zaciągnęła się zapachem świeżego powietrza. Uwielbiała ten moment. Poranek był jeszcze bardzo wczesny. Słońce przebijało się przez chmury. Zapowiadał się piękny dzień. Zdecydowała, że dziś porozmawia z Leońskimi. Jeśli naprawdę ją kochają, opowiedzą jej o przeszłości.

Odruchowo wsadziła dłoń pod bluzkę piżamy, zaczęła gładzić brzuch, już nie był idealnie płaski. Uśmiechnęła się na myśl o maleństwie, zarzuciła na siebie szlafrok i zbiegła na dół.

Po domu roznosił się zapach pieczonego chleba. Matka smażyła konfitury truskawkowe z czekoladą. Gdy ujrzała córkę, rozpromieniła się na jej widok. Wyglądała, jakby czekała na pochwałę za swoje kulinarne starania.

– Truskawkowe, moje ulubione. Mogę spróbować?

– Oczywiście, specjalnie dla ciebie. Jak się spało?

– Krótko.

Piszczący dźwięk oznajmił finał wypiekania chleba. Leońska nałożyła na dłonie kuchenne rękawiczki, po czym wyjęła z pieca pachnący bochenek.

– Kupiłam też świeże mleko. Specjalnie dla ciebie, takie w szklanej butelce, jak lubisz. Chciałam, abyś miała pyszne śniadanie. Truskawki dostałam od Pietrzykowej. Wnuczka jej przywiozła kilka kobiałek, więc się z nami podzieliła. Zobacz, ile tego mamy. – Wskazała na parapet. – Smażę dla ciebie. Przepadasz za nimi, prawda?

– Tak, bardzo je lubię – odpowiedziała Paula, próbując nalać wody do czajnika.

– Ja ci zrobię herbatkę. Usiądź sobie.

– Mamo, wyluzuj, nie wyręczaj mnie – rzuciła szybko, po chwili zdając sobie sprawę, że nazwała Laurę matką. Czuła się z tym dziwnie. Leońska nie wiedziała, co zrobić z rękami. Na dźwięk słowa „mamo" wyraźnie się ożywiła.

– Przepraszam, ja po prostu chciałabym się na coś przydać. Chciałam sprawić ci przyjemność.

Dziewczynie zrobiło się głupio. Wstała, niczym księżniczka, zeszła na dół, a tam kulinarny raj. Świeży chleb, konfitury, masło, mleko. Matka – nie matka naprawdę się starała. Tylko ojca – nie ojca brakowało. Zaparzyła sobie herbaty i usiadła przy stole.

– Gdzie Edward? – zapytała.

– Twój tata wyszedł na spacer.

– Uciekł?

– Nie uciekł. Chciał zostać, ale poprosiłam, aby wyszedł. Chciałam... chciałam, byśmy porozmawiały same. Wstałam rano, by przygotować nam jedzenie, żeby nam się dobrze rozmawiało... – urwała i zaczęła płakać.

Paula nie odzywała się słowem. Leońska doprowadziła się do porządku.

– Jeśli jesteś gotowa, to ja odpowiem na każde twoje pytanie. Obiecuję. Powiem ci wszystko.

– Babcia mi już trochę opowiedziała. Byłam u niej wczoraj.

– Wiem, że byłaś. Rozmawiałam z nią.

– No tak, nie da się ukryć. Babcia zawsze wszystko ci mówi.

– Kochanie, nie dziw się. Jestem związana ze swoją matką. Tak samo, jak ty jesteś związana ze mną. Całe życie starałam się zbudować z tobą taką relację, abyś wiedziała, że mi możesz powiedzieć wszystko.

– Wszystko? Ja mam mówić ci wszystko? Powiedz mi, na jakiej podstawie mam być z tobą bezwarunkowo szczera, podczas gdy ty ukrywałaś przede mną, mam wrażenie, najważniejszą rzecz mojego życia.

Paula była spokojna. Nie chciała kopać leżącego, ale też nie umiała dobrać innych słów, którymi mogłaby wyrazić to, co czuła.

– Ja... ja... ja nie wiedziałam, jak ci powiedzieć. Nie wiem, czy uwierzysz, ale dla mnie zawsze byłaś, jesteś i będziesz tylko moim dzieckiem. Kiedy pierwszy raz cię zobaczyłam, przestałam obwiniać Boga o to, że nie mogę zajść w ciążę. Zaczęłam rozumieć jego plan na moje życie. Miałam zostać twoją mamą. Czekałaś na mnie, a ja czekałam na ciebie. Jesteś moim dzieckiem i niczyim innym. Moim i ojca. Edward oddałby za ciebie życie. Przecież wiesz.

– Całe życie uczyliście mnie, że trzeba mówić prawdę. Dlaczego więc sami nie żyliście według tej zasady?

– W naszym przekonaniu tak żyliśmy. Dla nas prawdą jest to, że jesteś nasza.

– Ale urodziła mnie jakaś inna kobieta i do tego narkomanka. Jesteś sobie w stanie wyobrazić, co ja teraz czuję? Nie można mi było tego powiedzieć, kiedy byłam jeszcze dzieckiem? Mieliście wystarczająco dużo czasu, prawda?

– To prawda.

– Dlaczego tego nie zrobiliście? Gdzie u diabła jest twój mąż? Dlaczego go wygoniłaś? Może on też ma coś do powiedzenia. Znowu chcesz coś ukryć?

– Nie chcę, kochanie. Nie chcę. Przysięgam, że nic nie chcę ukryć.

Do domu wszedł Edward. Stał w korytarzu, zastanawiając się, czy powinien wejść do kuchni. Nie musiał widzieć twarzy żony, aby każda jej łza odciskała się na jego sercu. Czuł jej ból, rozpacz i smutek. Nie mógł zostawić jej samej.

– Wróciłem. Wybacz, kochanie, ale ja chcę być przy tej rozmowie. Naszej córce należy się prawda.

– W końcu ktoś mówi z sensem – powiedziała dziewczyna.

Siedzieli przy stole we troje. Oczy ludzi, którzy ją wychowali, były przekrwione z nadmiaru wylanych łez. Nigdy nie widziała, aby ojciec płakał. Dzisiaj też mogła się jedynie domyślać, jak spędził minioną noc. Założyła ramiona na siebie, skrzyżowała nogi. Przyjęła pozycję zamkniętą, kompletnie nie zdając sobie z tego sprawy. Może chciała się bronić? Tylko przed czym. W życiu nie zaznała od nich krzywdy. Wiadomo, popełniali błędy, jak każdy człowiek, ale w gruncie rzeczy wiodła z nimi dobre życie.

Nie chciała się kłócić. Nie chciała zapuszczać się w stany, z których wydostanie się mogłoby być trudne.

– Nie oceniaj naszego postępowania – zaczął Edward. – Nie będziemy cię prosić, abyś zrozumiała. Mieliśmy swoje powody. Chcieliśmy wierzyć w naszą wersję prawdy. Dla nas zawsze byłaś nasza. Jesteś i będziesz naszym dzieckiem.

– Chcę wiedzieć, kim są moi prawdziwi rodzice.

– Chciałbym zauważyć, że... – zaczął Edward – ... że my jesteśmy prawdziwi. Twoja biologiczna matka była narkomanką.

– Wiem, babcia mi powiedziała. Poznaliście ją? Jaka ona była? Dlaczego ćpała?

– Poznaliśmy ją – wtrąciła się Laura. – Przegadałam z nią kilka ładnych dni. Jaka była? Była śliczna, dobra, tak jak ty. Była zagubiona, bezradna, beznadziejnie zakochana. Opowiedziała mi swoją historię. Chciała, abym ją zrozumiała. Taty wtedy przy nas nie było, dlatego dziś chciałam, aby wyszedł. To, co teraz powiem, twój tata usłyszy pierwszy raz w życiu. Nigdy o tym nie rozmawialiśmy. Jednak szanuję twoją decyzję i powiem wszystko.

Twoja mama była jedynaczką. Pochodziła z bardzo dobrego, bogatego domu. Miała piękne jasne włosy, zupełnie takie jak ty. Brała lekcje gry na pianinie, uczyła się francuskiego. Chodziła do najlepszych szkół i była dzieckiem, nad którym wszyscy się rozpływali. Wszyscy oprócz rówieśników. Sama dobrze wiesz, jakie dzieci potrafią być okrutne. Pewnie jesteś ciekawa, dlaczego śmiano się z tak idealnej dziewczynki? Ano dlatego, że miała na imię Stanisława. Aż dziw, że imię może tak umilić człowiekowi życie. Właśnie dzięki temu imieniu poznała chłopca, w którym była szaleńczo zakochana. Podobno jej bronił, był jej obrońcą, opoką i ostoją. Każdą chwilę spędzali razem. Kochali się miłością pierwszą. Nieskazitelną.

– To mój tata? Gdzie on teraz jest?

– Gdyby to był twój tata, twoja mama by żyła, a my nie prowadzilibyśmy teraz tej rozmowy.

– To, co się stało?

– Twój dziadek był bardzo przeciwny temu związkowi. Chłopiec, w którym zakochana była twoja biologiczna mama, pochodził z patologicznej rodziny. Jego tata był alkoholikiem. Nie podobało się to twojemu dziadkowi. Robił wszystko, aby rozdzielić młodych. Przeniósł ją nawet do innej szkoły. Zamykał ją w domu. Przez jakiś czas udawało im się dbać o to uczucie, ale zwyczajnie nie dali rady. Kiedyś nie było internetu, telefonów komórkowych i innych tego typu rzeczy. Wystarczyło wywieźć dziecko na drugi koniec Polski, by w ten sposób odseparować je od miłości. Twoja mama nie poradziła sobie z tym. Człowiek, który kocha prawdziwie, szalenie i bardzo, dla miłości jest gotów zrobić wszystko. Pozbawić człowieka możliwości kochania to tak, jakby wyrwać mu serce. Twojej mamie to serce wyrwano. Nie chciała żyć bez niego. Chciała zapomnieć, nie myśleć, nie tęsknić.

Popadła w nałóg. Najpierw było palenie marihuany, haszysz, ecstasy. Później potrzebowała już czegoś silniejszego. Zaczęła sięgać po amfetaminę, kokainę, opiaty. Na jednej z imprez zaszła w ciążę. Nie wiedziała z kim. To ją zatrzymało, chciała się zmienić dla ciebie, chciała stawić czoła sytuacji, spróbować cię wychować. Pomyślała nawet, że odszuka swoją miłość. Podobno wtedy już nawet dziadek się na ten związek zgadzał. Niestety...

Urodziłaś się w dwudziestym siódmym tygodniu. Walczono o twoje życie. Póki walczono, twoja mama jakoś się trzymała. Potem twój stan się ustabilizował. O sprawie jednak dowiedziały się media, cała Polska huczała. Tak łatwo jest ocenić człowieka po pozorach.

Pewnego dnia w szpitalu, w którym leżałyście, pojawiły się panie z opieki społecznej. Oznajmiono twojej mamie, że dzieckiem powinien zająć się ktoś inny. Nie wytrzymała tego. Uciekła ze szpitala, znowu zaczęła ćpać. Gdy wróciła, nie było już czego zbierać. Ruszyła maszyna, odebrano jej prawa rodzicielskie. Przez kilka miesięcy życie twojej mamy wyglądało jak karuzela, góra, dół, góra, dół. Raz była czysta, raz na głodzie, raz zaćpana.

Uparła się, że chce poznać ludzi, którzy wezmą jej malutką Stasię. Upierała się przy tym imieniu, twierdząc, że dzięki niemu poznasz miłość swojego życia. Kochała cię. Ona naprawdę cię kochała.

Poznałyśmy się i niemal od razu jej się spodobałam. Twoja mama wybrała mnie, abym się tobą zaopiekowała. Przeszliśmy z tatą przyspieszony kurs adopcyjny. Przysięgliśmy jej, że wychowamy cię w miłości. Dochowaliśmy obietnicy. Byliśmy i nadal jesteśmy wdzięczni za dar w postaci ciebie. Nieraz było nam trudno, nieraz mieliśmy ochotę rzucać talerzami ze złości przez to, co przynosiły dni. Wspinaliśmy się ponad wszystko, abyś nie wiedziała, co to są kłótnie rodziców. Abyś miała dobry dom. Proszę, nie przekreślaj nas. Nie jesteśmy idealni. Na pewno nie jesteśmy, ale któż z nas jest?

Ten Mikołaj... Tata uważa, że powinnaś spotykać się z rówieśnikiem, ale... to jest twoje życie. Nie chcemy popełnić błędów twojego dziadka.

– Co z moim ojcem?

– Nie wiemy tego. Twoja mama też tego nie wiedziała. Przysięgam, że to prawda.

– A moi dziadkowie? Kim oni są? Dlaczego się mną nie zaopiekowali?

– Twojego dziadka nigdy nie poznałam. Nie przychodził do szpitala. Nie wiem nawet, czy cię kiedykolwiek widział. Poznałam tylko twoją babcię. Ona... Ona była specyficzna, dużo milczała. Tylko patrzyła na swoją córkę i ciebie. Zdawało się, jakby była gdzieś obok. Rozmawiałam z nią tylko raz. Wtedy poprosiła mnie o dziwną rzecz... Chciała, abyśmy raz w roku wysyłali jej twoje zdjęcia. Na początku nie mogłam tego pojąć. Nie chciała się tobą zająć, a chciała mieć twoje zdjęcia. Tłumaczyłam jej, że to niedorzeczne. Musiało być bolesne niczym posypywanie otwartej rany solą. Czyniliśmy to jednak.

Kiedy patrzę na ciebie, nie potrafię sobie wyobrazić, że mogłabym cię stracić. Nie ma takiej rzeczy na świecie, która zraziłaby mnie do ciebie. Zawsze będę po twojej stronie, córeczko. Oboje będziemy. Kochamy cię ponad wszystko.

Przed Laurą leżał stos wymiętolonych białych chusteczek higienicznych. Co chwilę wycierała nos. Edward wpatrywał się w obrus. Wyglądał na pogodzonego ze wszystkim. Paula poczuła spokój. Potrzebowała tej prawdy. Chciała usłyszeć, że była dzieckiem kochanym. Jej biologiczna mama ją kochała. To było najważniejsze. Była młoda, zagubiona, zrozpaczona. Była chora, bo przecież uzależnienie jest chorobą. Mimo to wybrała dla niej dom, w którym nauczono ją kochać.

Patrzyła na siedzących przed nią rodziców. Oczy pokryły jej się łzami, które leniwie spłynęły po policzkach.

– Czy masz adres mojej prawdziwej ba... to znaczy tej kobiety?

Laura spodziewała się tego pytania. Przygotowała się na nie mentalnie.

– Oczywiście, że mam.

– Podasz mi?

– Jeśli tego chcesz, to oczywiście, że ci podam.

– Chciałabym.

Matka wstała od stołu, sięgnęła do torby po swój kalendarz. Na jednej z ostatnich stron drobnym maczkiem napisany był adres. Przepisała go szybko na osobną kartkę i położyła przed córką.

Teresa Krzemianowska
ul. Śląska 41 m 1
Szczecin

– Proszę.

– Dziękuję. – Paula wzięła małą żółtą karteczkę. Przeczytała to, co było na niej napisane, i schowała do kieszeni szlafroka. – Pójdę się ubrać. Umówiłam się z Mikołajem i chciałabym dziś odwiedzić Dagę. Wrócę wieczorem. Nie martwcie się o mnie.

– Dobrze, córeczko – odpowiedział ojciec.

Czuła na plecach wzrok rodziców. Sprowokowana tym odczuciem odwróciła się do nich, spojrzała im głęboko w oczy. Wydawało jej się, że chce im coś powiedzieć. Wzięła głęboki wdech i... zrezygnowała.

Gdy znalazła się w swoim pokoju, usiadła przy biurku, i napisała na małej kartce:

Za decyzję, którą podjęłaś, mamo.

Złożyła karteczkę na pół, potem jeszcze raz na pół i wrzuciła do pudełka wdzięczności.

***

Pierwszy raz od wielu lat nie budził się z myślą o Sternie. Nie zadawał już sobie pytań, co by było, gdyby. Nie potrzebował znać na nie odpowiedzi. Teraz była Paula, jego iskra, jego miłość. Wkrótce na świat miało przyjść dziecko.

Chciał jak najszybciej zrobić porządek w sprawach służbowych, aby móc wreszcie coś wynająć i przeprowadzić się do Szczecina. Tuż po rozwodzie jego była żona zapragnęła wrócić w rodzinne strony i na powrót zamieszkać w Stargardzie. To wszystko ułatwiało. Teraz już nic nie trzymało go w Warszawie. Postanowił sprzedać świetnie prosperującą kancelarię i wejść w spółkę z Patrykiem. Po latach miał się ziścić ich plan z czasów wczesnej młodości. Już na studiach wiedzieli, że będą pracować razem. Musiało upłynąć dużo czasu, zanim obaj do tego dojrzeli.

– Napijesz się kawy? – zapytała Hania.

– Chętnie, poproszę.

Nie chciał nadużywać gościnności Słupskich. Chociaż traktowali go jak członka rodziny, czuł, że już pora, aby się od nich wynieść. Każdy ma swoje życie. Wyglądało na to, że u niego wszystko zaczyna się układać. Postanowił rozejrzeć się za jakimś lokum dla siebie i Pauli. Lada chwila mieli powiedzieć jej rodzicom, że zamierzają się pobrać. Biorąc pod uwagę okoliczności, może nie był to dobry moment na tego typu „dobre wieści", lecz nie było wyboru. Brzuch Pauli powiększał się z dnia na dzień.

– Nie chciałabym się wtrącać, ale... – zaczęła Hania.

– Pytaj śmiało. Przecież znamy się nie od dziś – zachęcił ją.

– Okay, powiedz mi w takim razie, co takiego wydarzyło się wczoraj? Mam nadzieję, że wszystko w porządku z Paulą.

– Tak, wszystko w porządku. Nie jestem pewien, czy powinienem o tym mówić. Chyba ona sama powinna. Pewnie to zrobi, jak się tu pojawi.

– Dobrze, poczekam cierpliwie. Dagmarka mówiła, że się umówiły na dziś.

– Wiem, za chwilę powinna tu być.

– Kto powinien być? – zapytała Daga, wnosząc do kuchni zapach świeżych, letnich perfum.

– Córcia, nie przesadziłaś z tym zapachem? Aż w nosie kręci.

– Ostatnio pocę się jak świnka. – Wsunęła do ust kilka kulek winogron.

– Myć się trzeba – wypalił Mikołaj, wznosząc wzrok znad swojego smartfona.

– Jedno drugiego nie wyklucza, cwaniaczku. Trzeba się myć i psikać, aby pachnieć. Powiedz mi lepiej, gdzie jest Paula? Miała tu być dzisiaj rano. Coś się z nią dzieje czy jak? Nie mogę się z nią dogadać. Ciągle tylko mówi, że to nie rozmowa na telefon, że musimy się spotkać i tak dalej. Mam wrażenie, że od momentu, kiedy się pojawiłeś, moja przyjaciółka nie ma dla mnie czasu.

– Córcia, nie bądź zazdrosna.

– Właśnie, że jestem. Miej się na baczności. – mrugnęła okiem do Mikiego. – O wilku mowa. Przyjechała córka marnotrawna. No, nareszcie!

Paula niepewnym krokiem przekroczyła próg domu Słupskich. Zanim zdążyła przywitać się z kimkolwiek, obok jej nóg ochoczo podskakiwał Stinki. Merdał ogonem tak mocno, że nie można było go okiełznać. Dziewczyna nachyliła się do zwierzaka, wymieniając z nim czułości. Drapała go za uchem tak, jak lubił najbardziej. On zaś składał na jej dłoniach mokre od śliny pocałunki.

– Jestem zazdrosny – zażartował Mikołaj.

Wyswobodziła się z objęć zwierzęcia i po kolei z wszystkimi zaczęła się witać. Ucałowała Mikołaja, potem Dagmarę i Hanię.

– Gdzie Patryk? – zapytała.

– Gdzie może być mój staruszek? W kancelarii oczywiście.

– Stęskniłam się za wami. Nawet bardzo.

– Chyba z tydzień cię nie było. To nie do przyjęcia – oburzyła się Hania.

– Musiałam sobie poukładać co nieco.

Dagmara spoglądała na przyjaciółkę, przeczuwając, że ma im ona coś do powiedzenia. Kiedy bez najmniejszego wstępu padły słowa „jestem adoptowana" o mały włos, a udławiłaby się winogronem. Nie wiedziała, co ma powiedzieć. Chyba mało jest ludzi, którzy by to wiedzieli. Paula mówiła tak, jakby opowiadała o średnio interesującym filmie. Nie emocjonowała się, nie oceniała sytuacji, w której się znalazła. Opowiedziała wszystko, czego dowiedziała się od Leońskich.

Hania gładziła jej bladą, szczupłą dłoń. Mikołaj był jakby obok. Obmyślał w głowie plan mający na celu ochronić Paulę przed całym złem.

– To by było na tyle. Koniec historii. Przepraszam więc, że się nie odzywałam. – Upiła łyk wody.

– Co zrobisz? Pójdziesz do niej? – Daga jak zwykle nie siliła się na dyplomację.

– Daga, trochę wyczucia. Po kim ty, dziecko, masz taki jęzor niewyparzony, to ja nie wiem.

– Dobra, dobra. Paula przecież się nie gniewa, prawda?

– Na ciebie? Nigdy.

– No widzisz – Zatryumfowała, na co matka tylko przewróciła oczami.

– Nie wiem jeszcze, co zrobię. Z jednej strony chciałabym poznać swoje korzenie, a z drugiej nie wiem, czy to dla mnie dobre. Ciężko mi z tym. Nie wiem, jak przywitają mnie ludzie, w zasadzie dla mnie obcy. Oddali mnie przecież. Być może nie chcą mnie widzieć na oczy? Dziadek na pewno. Podobno to on bardzo mnie nie chciał. Przez całą noc myślałam o tym, jakie miałam życie przy Leońskich. Jaki stworzyli dom i jak bardzo się starali. Laura dała mi ten adres, ale czuję, że nie chciałaby, abym do nich poszła. Widziałam, jak trzęsły się jej ręce, gdy go pisała. Edward nic się nie odezwał. Siedział ze spuszczoną głową, jak na kazaniu. Przemyślałam sobie parę spraw. Jest mi ich żal. W gruncie rzeczy, ja bardzo ich kocham. Tylko że teraz czuję blokadę, nie potrafię zwracać się do nich „mamo" i „tato". Mam mętlik.

– Daj sobie czas, kochanie.

– Hania ma rację – rzekł Mikołaj.

Dagmara podała Pauli chusteczkę, którą ta wytarła sobie nos.

– Do tej pory myślałam, że jestem szczęściarą. Nie obraź się, Haniu, ale nie zazdrościłam Dagmarze problemów, jakie miałyście. Byłam dumna, że mam taką mamę. Teraz widzę, że to wszystko było… – zamyśliła się, szukając określenia. – Nie chcę powiedzieć, że było farsą, bo przez całe życie czułam ich miłość, ale… Teraz czuję się oszukana. Po prostu.

– Gdzie mieszają ci ludzie? – zapytała Hania.

– Gdzieś w centrum. Poczekaj, mam tu kartkę. – Paula zaczęła grzebać w torbie. – O, jest!

Teresa Krzemianowska,
ul. Śląska 41 m 1
Szczecin

Gdy przeczytała adres, Mikołaj o mało nie zakrztusił się kawą. Zaczął kaszleć tak bardzo, że Hania zerwała się na równe nogi i pobiegła go ratować. Kilkoma rytmicznymi klepnięciami uderzyła jego plecy. Oczy mu łzawiły, a serce chciało wyskoczyć z klatki piersiowej. Nagle wszystko stało się jasne. Wymienili z Hanką porozumiewawcze spojrzenia.

– Wszystko w porządku? – zaniepokoiła się Paula.

W oboje wstąpił duch porozumienia. Poznali tajemnicę, której żadne nie miało odwagi wyjawić. Mikołaj wstał, ucałował Paulę w czoło i wyszedł pod pretekstem spotkania z Patrykiem. To jedyne, na co teraz było go stać. Wszystko tak bardzo się skomplikowało.

Hanka odprowadziła go wzrokiem. Język ugrządł jej w gardle. Po raz pierwszy od bardzo dawna nie wiedziała, co powiedzieć.

Paula pochłonięta swoimi myślami nie zauważyła niczego niepokojącego. Wręcz jej ulżyło, że nikt nie próbuje udzielać jej rad. Chcąc przytulić się do Mikołaja, wyszła za nim do korytarza. Przylgnęła swoim mały ciałem do jego silnych ramion. Czuła się bezpiecznie. Czuła, że ten mężczyzna jest jedyną osobą na świecie, której może bezgranicznie ufać. Nie spodziewała się, że los szykuje dla niej kolejną niespodziankę.

***

Dagmara dwoiła się i troiła, aby zapewnić Pauli dzień pełen wrażeń.

– Do wieczora jesteś moja i nawet nie próbuj się wykręcić. Za bardzo się za tobą stęskniłam, aby teraz dzielić się z kimś czasem, który masz dla mnie.

– Jestem cała twoja, przynajmniej do osiemnastej – odparła Paula, wznosząc w górę dwa palce na znak składanej obietnicy.

– Tradycyjnie pojechały na Jasne Błonia. Był to stały punkt na mapie ich wycieczek. Kupiły sobie lody w pobliskiej kawiarence i ruszyły na spacer. Korony drzew przyjemnie torowały zacienioną drogę, a wiatr pieścił odkryte ramiona dziewczyn. Wreszcie miały czas na rozmowy o wszystkim i o niczym.

Dagmara zaczęła wypytywać o szczegóły związku przyjaciółki z Mikołajem. Nic nie dało się przed nią ukryć. Wyciągnęła z Pauli, co tylko można było.

– Jesteś pewna, że Słupscy są twoimi biologicznymi rodzicami? Nie zdziwiłabym się nic a nic, gdyby okazało się, że jesteś moją siostrą? – Zażartowała Paula.

W odpowiedzi usłyszała, że są siostrami i nic nie jest w stanie tego zmienić. Dagmara, kiedy chciała, potrafiła mówić do rzeczy. Pod przykrywką rozgadanej, nie zawsze mówiącej z sensem radosnej dziewczyny, skrywała się mądra i dojrzała kobieta.

Chciała odwrócić uwagę Pauli od myślenia o biologicznej babci. Zaczęła opowiadać o terapii, na którą się zapisała. Miała jej ona pomóc przeanalizować wiele kwestii. Dorosłe dzieci alkoholików mają problem z poczuciem własnej wartości. Często wydaje im się, że są gorsze od reszty społeczeństwa. Tłumaczyłoby to fakt, że dziewczyna za wszelką cenę próbowała zasłużyć na akceptację swojej osoby. Miała problemy z nawiązywaniem nowych znajomości. Ciągle żyła w oczekiwaniu na to, co nastąpi. Bała się ośmieszenia. Obrazy pijanej matki tkwiły głęboko w jej podświadomości. Wstydziła się ich. Próbowała je wyprzeć, przestać o nich myśleć. Nie wiedzieć czemu, powracały jak bumerang.

Problem alkoholizmu był w jej rodzinie, odkąd pamiętała. Chociaż na pozór wyglądali na normalnych, nic nigdy nie było u nich normalne. Nawet chwile, gdy Hania nie piła, nie były normalne. Dagmara wracała ze szkoły z poczuciem niewiadomej. Nigdy nie wiedziała, co zastanie w domu. Nie wiedziała, co to znaczy rutyna dająca poczucie bezpieczeństwa. Przez całe dzieciństwo siedziała na tykającej bombie. Teraz, gdy znała powód choroby matki, wcale nie było jej łatwiej.

Dojrzała wreszcie, aby postarać się zrozumieć targające nią stany emocjonalne.

– Może wreszcie się zakocham, tak jak ty? – powiedziała, pokładając nadzieję w terapii.

Niby była z Miśkiem tyle lat, ale czy go kochała? Może tak tylko jej się wydawało? Była z nim, bo tak się przyjęło. Zawsze był obok. Nosił jej plecak, wiosną zrywał dla niej bazie, a jesienią przynosił kasztany i konstruował z nich śmieszne ludziki. Łączył je za pomocą zapałek. Potem się nimi bawiła, tworząc iluzję normalnego świata.

Dziś nie wiedziała, co jest tak naprawdę normalne.

Ojciec padł ofiarą nieszczęsnego romansu, matka padła ofiarą ojca, a ona sama padła ofiarą ich obojga.

– Wszyscy jesteśmy ofiarami ofiar – rzekła, pochłaniając ostatni kęs czekoladowych lodów.

Po deserze wśród szumiących drzew dziewczyny udały się na obiad. Dla odmiany nie była to pizza, lecz przepyszne arabskie jedzenie w restauracji, w której pewna telewizyjna celebrytka przeprowadziła swoje rewolucje. Wszystko smakowało wyśmienicie. Wyszły objedzone i szczęśliwe.

Na koniec pojechały się do kina. Paula początkowo chciała, aby poszły na jakiś dramat, czego Daga absolutnie jej zabroniła i wybrała komedię. Decyzja okazała się słuszna. Podczas seansu śmiały się do rozpuku, skrycie wierząc w świat widziany oczami reżysera.

Dzień spędzony z przyjaciółką był dla Pauli zbawienny. Zrozumiała, że jest gotowa, aby stanąć twarzą w twarz z rodzicami swojej biologicznej mamy. Jest gotowa zadać im kilka pytań. Czuła, że poznanie prawdy to jedyna droga, aby uniknąć dalszych nieporozumień i smutków.

***

Znowu rozmyślał o dziewczynie sprzed lat. Przed oczyma miał jej warkocze. Rozmyślał o spędzonych z nią chwilach, wypowiedzianych obietnicach. Miał jej nigdy nie opuścić, miał być zawsze przy niej. Na dobre i na złe, póki śmierć ich nie rozłączy. Przypomniał sobie chwile, gdy jej szukał. Z dnia na dzień zapadła się niczym kamień w wodę. Nikt nie chciał udzielić mu informacji.

Teresa Krzemianowska. Jedyna osoba, swego czasu mogąca mu pomóc, zatrzasnęła przed nim drzwi, poprzedzając swój czyn słowami: „Ułóż sobie życie, chłopaku, i przestań myśleć o mojej córce". Gdyby tylko wtedy podała mu adres, gdyby powiedziała, gdzie jest Sterna dziś… dziś Paula mogłaby być jego córką. Przez moment nawet wydawało mu się, że to możliwe. Kiedy zaczął liczyć, z ulgą stwierdził, że to nieprawda. Dziewczyna urodziła się dwa lata po tym, jak ostatni raz widział Sternę.

Teraz rozumiał niewidzialną nić łączącą go z dziewczyną od pierwszych chwil, kiedy na nią spojrzał. Miękkość jej włosów, tembr głosu, sposób poruszania się. Paula była wykapaną matką.

Kilkanaście lat włóczył się po świecie, szukając szczęścia. Przyjeżdżał do domu niedoszłych teściów, prosząc o jakiekolwiek informacje. Zawsze go wyrzucali, nie mówiąc ani słowa. Pewnego dnia, gdy stanął przed ich drzwiami, otworzyła mu obca kobieta i poinformowała go, że państwo Krzemianowscy się wyprowadzili. Nie wiedziała dokąd, nie podała też adresu. Znowu jak kamień w wodę.

Poddał się, przestał szukać. Dni mijały, a rana coraz bardziej się zabliźniała. Potem poznał Małgosię. Próbował z nią załatać dziury swoich pragnień. Nie udało się.

Głowa pulsowała mu od nadmiaru myśli. Krew niewyobrażalnie dudniła w uszach. Wszystko mogło potoczyć się inaczej. Gdyby tylko stary Krzemianowski dał im szansę. Jak mógł go skreślić? Za co? Za to, że jego ojciec był pijakiem? Przecież to nie on pił. Udowodnił mu potem wielokrotnie, że się mylił co do niego. Przyjechał z dyplomem w garści, aby pokazać Krzemianowskiemu, że jest godzien jego córki. Nie spotkał się jednak z nim. Pamiętał, jak Krzemianowska po raz kolejny go przegoniła.

Nie miał pojęcia, że jego miłość nie żyje. Nie wiedział nawet, gdzie jest jej grób. Nie mógł położyć na nim jej ulubionych czerwonych tulipanów... Dlaczego nikt mu nie powiedział?

***

Bujany tarasowy fotel kołysał ją miarowo. Siedziała zamyślona, próbując przywołać wspomnienia dni, po brzegi wypełnionych szczęściem. Byli tacy młodzi. Słuchali muzyki, palili ognisko, zarywali noce, tańcząc przy blasku roziskrzonych gwiazd.

Nigdy wcześniej ani też nigdy później nie spotkała takiej pary, jaką byli Sterna i Mikołaj. Czasami nawet zazdrościła przyjaciółce tego poczucia dozgonnej miłości, wszechogarniającej jej związek. Kiedy ci dwoje byli blisko siebie, promieniowali szczęściem. Oczy im błyszczały, dłonie ciągle szukały swojej obecności. Bicie serc wyznaczało rytm przemijających dni.

Kochała Patryka, bardzo go kochała. Wiedziała, że są sobie przeznaczeni, lecz gdzieś na dnie serca czuła, że uczucie ich łączące nie dorasta do pięt temu, które było między Sterną a Mikołajem. Była przekonana, że gdyby dano szansę ich związkowi, dziś byliby małżeństwem idealnym.

Patrzyła na odkopaną w ogrodzie, brudną od ziemi butelkę whisky. Zakopała ją kiedyś na wypadek, gdyby przypilił ją ostry głód. Obok stała szklanka z lodem, zmieniającym się w ciecz pod wpływem promieni słonecznych. Hania słyszała, jak rośnie trawa. Antidotum na pogoń myśli kusiło swoim herbacianym kolorem.

Gdyby tak dało się zakopać w ziemi popełnione w młodości błędy, własnoręcznie wykopałaby dół i upchała je w nim głęboko. Niestety.

Wszystko, co w życiu czynimy, ma swoje konsekwencje. Plony zasianych w przeszłości ziaren wyrastają nam przed oczami w najmniej oczekiwanym momencie.

Była jedyną osobą, mogącą sprawić, że jej przyjaciółka odeszłaby w spokoju. Jakże była głupia. Bała się odpowiedzialności, bała się konsekwencji, bała się o swój związek. Czy Patryk zaakceptowałby jej decyzję? Nie miała szansy tego sprawdzić. Kiedy jej mąż zaczął ją zdradzać, chwaliła siebie za podjęte niegdyś decyzje. Teraz nie była ich taka pewna. Niczego w życiu nie można być pewnym.

Wstała i chwyciła za alkohol. Gdyby nie to, że usłyszała za sobą odgłos kroków zbliżającego się mężczyzny, wypiłaby wszystko duszkiem. Aby tylko zaznać chwili zapomnienia. Po raz kolejny poczuła się słaba. Znowu była słaba...

– Widzę, że przyjechałem w samą porę. – Mikołaj złapał za butelkę, znajdującą się przy samej krawędzi jej bladoróżowych ust. – Wiesz, że powinniśmy porozmawiać?

– Wiem.

– Haniu, powiedz mi, jak to naprawdę było? Byłaś z nią blisko, musiała ci coś powiedzieć. Krzemianowscy cię lubili. Teraz kiedy już jej nie ma... – Zakrył dłońmi zmęczone oczy. – Chciałbym móc odwiedzić jej grób.

– Czy tylko za mną przeszłość tak się ciągnie? Czy tylko ja muszę płacić wielokrotnie za popełnione przez siebie błędy? – zapytała.

– Nie musisz. Nie obwiniaj się o całe zło tego świata. Tak na pewno nie rozwiążesz swoich problemów. – Wskazał wzrokiem na alkohol.

– Masz rację. – Wstała, odkręciła butelkę i wylała jej zawartość na trawę. Ostry zapach przez chwilę unosił się w powietrzu, skutecznie tłumiąc aromat pnących róż. – Nie wiem, od czego zacząć.

– Mamy czas, Patryk jest w kancelarii, dziewczyny wrócą najprędzej o osiemnastej. Gdzie jest pochowana?

– Na Centralnym.

Złapał się za głowę. Mijał ten cmentarz za każdym razem, gdy jechał do Pauli. Kto by pomyślał, że była tak blisko.

– Jak to się stało, że odeszła? To znaczy, wiem dlaczego. Podobno brała. Ale jak to się stało, że brała? Kiedy widziałem ją po raz ostatni, była zdrową wesołą dziewczyną. Gdzie oni ją wywieźli? Przecież miałaś z nią kontakt.

– Miałam.

– To mów, wytłumacz mi to jakoś.

– Mikołaj, ja... ja... Gdy na was patrzyłam, z jednej strony cieszyłam się, że siebie macie. Przecież wiesz, że kochałam was oboje. Niby miałam Patryka, ale wiesz, jaki on jest. Wiesz, jaki był. Teraz może się trochę zmienił, bardziej o mnie zabiega, lecz nigdy nie był dla mnie taki, jakim ty byłeś dla niej. Moja babcia odradzała mi małżeństwo. Mogłam jej posłuchać. Dużo łatwiej jest znaleźć kogoś, kto odpowiada naszym oczekiwaniom, niż zmienić kogoś z ukształtowanym już charakterem. Chciałam zrobić z Patryka osobę uduchowioną, choć oboje wiemy, że to niemożliwe.

– Jaki to ma związek ze mną?

– Nic nie rozumiesz?

– Nie rozumiem. Wytłumacz mi.

– Masz rację, to nie ma znaczenia. Powiem ci wszystko, co wiem. Przynajmniej się postaram – zmieniła temat.

– Wybacz, Hania, ale ja już nic z tego nie rozumiem.

– Właśnie o to chodzi. Ja sama siebie nie rozumiem. Mniejsza o to. Każdy zbiera owoce swoich plonów.

– Mów, na Boga, co masz do powiedzenia, bo zwariuję.

Usiadła na bujanym fotelu. Przymknęła ciasno oczy, jakby coś ją szczypało. Potrząsnęła lekko głową i wreszcie zaczęła mówić.

– Gdy stary Krzemianowski ją wywiózł, ucieszyłam się, że wreszcie nie będę musiała patrzeć na wasze szczęście. Byliście tacy idealni, że się chciało rzygać. Nigdy się nawet nie posprzeczaliście. Ciągle spijaliście sobie z dzióbków. W przeciwieństwie do nas. My ciągle się docieraliśmy. Ileż, kurwa, można się docierać? – Rozpłakała się.

Siedzieli w milczeniu, dokładnie przez osiem minut. Mikołaj nie miał odwagi pytać. To, co usłyszał, zaskoczyło go tak bardzo, że zaniemówił. Z trudem łapał oddech.

– Wywieźli ją do Warszawy do jakiejś ciotki. Baba na okrągło jej pilnowała, ale wiesz, że Sterna była cwana.

– Dlaczego się nie odezwała? Dlaczego nie napisała listu?

– Napisała do ciebie wiele listów.

– Jak to? Nie dostałem żadnego.

– Nie dostałeś, bo stary Krzemianowski miał znajomości na poczcie. Wszystkie jej listy trafiały do niego.

– Skąd to wszystko wiesz? Do ciebie też pisała?

– Pisała. Była rozżalona, że nie odpisujesz.

– Skąd wiesz, że Krzemianowski przekupił listonosza?

– Bo tym listonoszem był mój wujek. Miał na utrzymaniu pięcioro dzieci. Ciotka nie pracowała. Cieszył się, gdy tylko dostał coś od Krzemianowskiego. Myślałam, że dobrze robię. Myślałam, że moje milczenie ma sens. Dziś wiem, że wszystko było splotem beznadziejnych przypadków.

– Wiedziałaś, że jest w ciąży?

– Wiedziałam. Sterna zwiała ciotce i przyjechała do Szczecina. Minęliście się po prostu. Wyjechałeś do Hiszpanii na truskawki. Pamiętasz?

– Oczywiście, że pamiętam. Pojechałem zarobić na leki dla matki.

– Nie mogłam patrzeć na jej cierpienie. Szukała cię. Biegała w kółko jak kura bez głowy. Powiedziałam jej w końcu, że kogoś masz...

Patrzył na nią niedowierzającym spojrzeniem. Zdumienie rozchyliło jego usta.

– Błagam, wybacz mi. Byłam taka głupia. Do końca życia będę miała jej śmierć na sumieniu. To moja wina. Wszystko, co mnie spotkało, jest karą za to, jak wtedy się zachowałam. To, co dajemy ludziom, wraca do nas podwójnie. Mikołaj, wybacz mi, błagam, wybacz mi. Ja zapłaciłam za swoje błędy. Mąż mnie zdradzał, wiem, co to znaczy ból serca. Czy kiedykolwiek mi wybaczysz?

Nie wiedział, co powiedzieć. Wszystko, co wtedy miało miejsce, było jakąś okrutną intrygą. W imię czego? Cóż takiego uczynili, że świat chciał ich rozłączyć? Przełknął ślinę, wyczuwając w niej posmak metalicznej krwi. Nie zauważył, kiedy nadgryzł sobie język.

– Dlaczego uważasz, że jej śmierć jest twoją winą. Przecież się zaćpała.

– Wiedziałam, że bierze. Mówiła, że bez ciebie to już nie ma po co żyć, a dni, które jej zostały, chce przeżyć intensywnie. Nie zrobiłam nic, aby odwieść ją od narkotyków. Brała, co popadnie. Piła, imprezowała. Potem okazało się, że jest w ciąży. Była w szpitalu. Odwiedzałam ją, pocieszałam, trzymałam za rękę. Byłam przy niej. Nie wiem, po co tam łaziłam. Chyba chciałam uspokoić swoje sumienie.

Gdybym była jej prawdziwą przyjaciółką, nigdy bym jej nie odmówiła…

– Czego? Czego jej odmówiłaś u diabła? Mów wszystko, jak już zaczęłaś! – Uderzył pięścią w tarasowy stół tak mocno, że aż podskoczyła.

– Gdy urodziła się mała Stasia, Sterna prosiła mnie, abym ją przygarnęła. Nie chciała, aby maleństwo trafiło do domu dziecka. Byłam przerażona jej prośbą. To były jej błędy, ja miałam swoje życie. Oszukałam ją, że zostaliśmy odrzuceni jako potencjalni rodzice. Prawda jest taka, że Patryk o niczym nie wiedział. Mała Stasia trafiła do adopcji. Potem Sterna zaaplikowała sobie złoty strzał. Wszystko już wiesz, przysięgam, że nie mam nic więcej do ukrycia. Życie zatoczyło krąg. Mała Stasia wróciła do nas w postaci Pauli. Leońscy zmienili jej imię. Wiem, że kochasz tę dziewczynę. Ja też ją kocham. Odkąd pojawiła się w naszym domu, jest jego aniołem. Bije z niej dobro, zupełnie takie jak biło od Sterny. Mikołaj, błagam, wybacz mi. Czy kiedykolwiek mi wybaczysz? Co zrobisz z tą wiedzą? Powiesz Paulinie?

Zastanawiał się, co powiedzieć. Był skołowany. Każdy dzień przynosił świeżą porcję emocjonalnych atrakcji. Był przekonany, że tajemnice przeszłości skrywają w sobie nieodkryte karty. Odsłonięcie pierwszej zachęcało, aby odkryć kolejną i kolejną. Był pewien, że chce wiedzieć wszystko. Czuł, że tylko prawda wyzwoli go z poczucia pustki i żalu, jaki nosił w sobie po stracie ukochanej kobiety.

***

Potrzebowała tego dnia z przyjaciółką. Dagmara zawsze jej powtarzała, że od czasu do czasu trzeba się „odmózgowić”, przestać czytać mądre książki, wyjść do kina na jakiś film, zjeść coś nieprzemyślanego, bez konieczności posiadania wiadomości o wartościach odżywczych potrawy. Taki babski wypad podziałał jak lek na całe zło. Dziewczyna zapomniała o wszystkim, co w trakcie kilku ostatnich tygodni wywróciło jej życie do góry nogami.

Randka z Mikołajem też się udała. Przytulali się do siebie, za wiele nie rozmawiając. Ileż można gadać wciąż o tym samym. Ileż można planować i rozbijać na czynniki pierwsze wszystko, co zamierza się zrobić. Wiadomo było, że chcą poznać prawdę, lecz czasami i od niej trzeba odpocząć. Przestać się nad nią zastanawiać.

Wczorajszego wieczoru jej ukochany był jakiś zamyślony. Jakby lewitował nad własną głową. Nie zadawała mu pytań, bo i po co? Niekiedy lepiej jest żyć w niewiedzy. Wystarczyło jej, że był obok, gładził jej włosy i jadł z nią ulubiony makaron (tym razem kupili taki z chipsami bekonu).

Kiedy odwiózł ją do domu, nie chciał wchodzić do środka. Jak zwykle pocałowali się długo i namiętnie, wdychając wzajemnie zapach swojej skóry.

– Nie spiesz się, bo Pietrzykowa nie zdąży po lornetkę – zażartowała.

– Jak się człowiek spieszy, to się diabeł cieszy. Przy tobie wolę się ociągać – zażartował. – Widzimy się jutro tak?

– Oczywiście, będę czekała.

– Wypocznij, nie wstawaj za szybko. Zjedz pyszne śniadanie, poleniuchuj. Przyjadę po południu. Rodzice będą w domu?

– Nie mam pojęcia. Dziś cały dzień spędziłam poza domem.

– Zorientuj się, proszę, jakie mają plany. Chyba powinniśmy z nimi wreszcie porozmawiać. Jak myślisz?

– Chyba tak. Zwłaszcza że z dnia na dzień robię się coraz większa – roześmiała się, wskazując na swój brzuch.

– Lubię, jak się śmiejesz.

Lubiła się śmiać. Przeszkadzało jej, że ostatnio trochę zapomniała, jaki śmiech potrafi być przyjemny. Nawet kiedy stoimy po uszy w gównie, to zawsze mamy wybór: możemy się śmiać albo płakać.

Trochę ostatnio się wszystko pogmatwało, lecz w sumie nie było tak źle. Nie ma takiego problemu, którego nie można by rozwiązać. Jeśli tak jest, to znaczy, że nie ma problemu. Tego właśnie postanowiła się trzymać.

Było już dość późno. Przekręciła klucz w zamku drzwi tak powoli, jak to tylko było możliwe. Chciała zminimalizować odgłosy mogące wybudzić rodziców ze snu. Zdjęła buty w korytarzu i na paluszkach przedreptała do kuchni, aby nalać sobie czegoś do picia. Po uczcie w postaci lodów, popcornu i makaronu strasznie ją suszyło. Uśmiechnęła się pod nosem na widok schodów. Pokonanie ich w ciszy graniczyło niemal z cudem. Choćby nie wiadomo jak się starała, nie zdołała uciszyć trzeszczącego starzejącego się drewna. Przy mniej więcej siódmym stopniu dała sobie spokój ze stawianiem kroku od palców, przez śródstopie do pięty. Machnęła ręką w ciemności, dając za wygraną.

Na szczycie piętra stała mama.

– Już jesteś. Wszystko w porządku? Jak minął ci dzień?

Głos kobiety wyrwał ją ze skupienia. Wzdrygnęła, łapiąc się za serce.

– Rety, ależ mnie wystraszyłaś.

– Przepraszam, nie chciałam.

– Okay, nic się nie stało. – Odetchnęła z ulgą.

– Chyba nie masz nic na sumieniu? Wiesz, tak się mówi, gdy wystraszy się kogoś, nie mając takiego zamiaru.

– Na sumieniu? Nie, raczej nie.

No, chyba że można mieć na sumieniu własną ciążę – pomyślała.

– Po prostu nie chciałam was obudzić. Te schody są straszne. W takich chwilach jak te żałuję, że nasz dom nie jest parterowy, albo chociaż, że nie mam pokoju na parterze.

– Kiedy byłaś dzieckiem, uwielbiałaś te schody. Pamiętam, jak zjeżdżałaś na nich na tyłku. Albo rozciągałaś się na nich do szpagatu.

– Tak, ja też pamiętam. To były czasy. Teraz o szpagacie mogę jedynie pomarzyć. Chyba bym się połamała.

– Za szybko urosłaś, córeczko.

Nie zwróciła uwagi na to, że Laura Leońska nazwała ją córeczką. Całe życie zwracała się do niej w ten właśnie sposób. Zastanowiła się tylko nad tym, jak to ludziom wraz z wiekiem zmienia się perspektywa. Coś, co niegdyś uważaliśmy za zabawne i wprawiające w stan euforii, z wiekiem zaczynamy postrzegać jako zmorę. Może z tego względu na starość przeprowadzamy się do miejsc, w których nie musimy dzień w dzień pokonywać niezliczonej ilości schodów.

– Pójdę się położyć. Miałam intensywny dzień.

– Porozmawiamy jutro – szepnęła matka.

– Dobrze. Dobranoc.

– Dobranoc.

Zawsze było tak samo. Kiedy wracała późną porą, matka na nią czekała. Zwykle siedziała w fotelu i czytała książkę albo oglądała ckliwe seriale. Ojciec już dawno spał. Kiedy pytała jej, po co tak zawsze czeka, odpowiadała, że wcale nie czeka. Wymyślała, że zainteresowało ją coś, co akurat emitowali w telewizji. Paula nie rozumiała, jak można drzemać przed rzekomo interesującym programem.

Babcia powiedziała jej kiedyś, że głębokość naszego snu zmienia się z chwilą, gdy w naszym życiu pojawia się dziecko. Niebawem miała się o tym przekonać. Tymczasem nakryła się kołdrą, po sam czubek swojej jasnej czupryny i odpłynęła.

ROZDZIAŁ 17

Nazajutrz, gdy się obudziła, w domu nie było już nikogo. Na stole w kuchni stał talerz nakryty plastikową przykrywką. Ktoś przykleił na niej karteczkę w żółtym kolorze.

– „Zjedz mnie" – przeczytała.

Podniosła pokrywkę i jej oczom ukazały się dwa okrągłe, zachęcające lukrem pączki. Czyżby mama była chora? Kupiła jej pączki? To nie do pomyślenia. Kiedy była dzieckiem i prosiła ją o pączka, ta odpowiadała zawsze, że to tłuste, niezdrowe i do tego niepotrzebnie tuczące. Pewnie, gdyby wiedziała, że lada moment zostanie babcią, nie kupiłaby jej tych pączków. Poczucie rozsądku nakazywałoby się otrząsnąć, zanim wpompuje w krew nienarodzonego maleństwa niezliczoną ilość cukru. Paula spojrzała na smakołyk i po raz ostatni postanowiła zaszaleć.

Usiadła wygodnie na kanapie, chwyciła w dłoń pilot od telewizora i postanowiła poczuć się jak zwykła przeciętna dziewczyna mieszkająca z rodzicami. Zamierzała chodzić w piżamie do samego południa, oglądać beznadziejne reality show i objadać się bezkarnie pączkami.

I tak będę gruba – pomyślała, otwierając usta i wbijając w smakołyk swoje wypielęgnowane przez matkę zęby. Pstrykała po kanałach, nie siląc się na skupienie. Dowiedziała się, co zrobić, aby nie wydać za dużo pieniędzy, jak sprzątać, aby nie musieć tego robić codziennie, oraz co zrobić, aby pieczony łosoś nie wysychał podczas pieczenia. To ostatnie akurat nie było jej do niczego potrzebne, od najmłodszych lat miała bowiem alergię na ryby. Po ich zjedzeniu dostawała wstrząsu anafilaktycznego.

Przypomniało jej się, jak pewnego popołudnia przez przypadek zjadła w przedszkolu kotleta rybnego. Zaczęła rzygać jak przysłowiowy kot, a na jej twarzy, w oczach przybywało popękanych naczynek krwionośnych. Zadzwoniono po matkę i poinformowano ją, że „Paulinka przypadkowo zjadła kotleta z ryby i wymiotuje. Może pani przyjechać? Bo jej to coś nie przechodzi, a inne dzieci już zaczynają się denerwować".

Opiekunka nie zdążyła się rozłączyć, gdy matka już stała w drzwiach. Porwała ją w ramiona i na własnych nogach zaniosła do pobliskiej przychodni. Następnego dnia rozpętała się niezła afera. Ojciec chciał składać doniesienie, podważając kompetencje pań przedszkolanek. Dyrektorka kajała się przed nim na milion sposobów, obiecując zajęcie się „tą sprawą". Przedszkolanka, która wykonała wtedy ten nieszczęsny telefon, błagała o wybaczenie, dzwoniąc do ich domu każdego wieczora jeszcze przez jakieś dwa tygodnie.

Paula wreszcie wyzdrowiała i wszystko się uklepało. Rybia historia pokazywała miłość Leońskich do niej samej.

Gdy skończyła jeść pączki, a w telewizji nie znalazła już niczego, co mogłoby ją zainteresować, postanowiła rozsadowić się na bujanej ławce znajdującej się w ogrodzie. Ukucnęła, aby zerknąć, czy pod stołem nie ma przypadkiem kolorowych gazet, nadających się do pooglądania. Nagle jej oczom ukazała się biała koperta z napisem „dla mojej pięknej córeczki". Zdziwiła się, że wcześniej jej nie zauważyła. Drżącymi palcami rąk rozerwała kopertę i zaczęła czytać.

Moja piękna córeczko!

Gdy czytasz te słowa, jesteś już zapewne dorosła. Umówiłam się z twoimi rodzicami, że przekażą ci ten list, dopiero gdy uznają, że jesteś na niego gotowa.

Nie wiem, czy można być gotowym na czytanie słów, pochodzących spod pióra swojej nieżyjącej już matki.

Nie wiem, czy kiedykolwiek mi wybaczysz, że nie byłam przy Tobie, gdy stawiałaś pierwsze kroki, uczyłaś się wymawiać pierwsze słowa, chwytałaś rączką swoją pierwszą łyżeczkę, poczułaś, jak kłuje cię w podniebienie pierwszy widelec. Pisząc, mam w oczach łzy. Wybacz zatem plamy na tym zapewne podstarzałym już papierze.

Nie zastanawiaj się dlaczego, absolutnie nie myśl, że było to twoją winą. To, że pojawiłaś się na świecie, było najlepszym, co mogło mnie spotkać. Poczułam bezwarunkową miłość. Taką aż po grób.

Gdy tuliłam cię do swojego chudego zniszczonego ciała, myślałam tylko o jednym – Jak cię ochronić?

Los, anioły, czy też opatrzność Boża zawsze stawiają na naszej drodze ludzi akurat nam potrzebnych. Wierzę, że nic na tym świecie nie jest dziełem przypadku. To, że jesteś, jest cudem. To, że jesteś zdrowa, jest znakiem mówiącym mi, że życie jest nieprzewidywalne i pełne niespodzianek.

Jestem przy Tobie zawsze. Bez względu na to, co robisz, czy się śmiejesz, czy płaczesz. Ja jestem.

Ukrywam się za szeptem wiatru, śpiewem słowika, warkotem silnika nadjeżdżającego autobusu, na który czekasz na przystanku. Jestem, gdy śmiejesz się z problemów i płaczesz z radości. Jestem każdą twoją łzą, wylaną za przyczyną jakiejkolwiek emocji.

Nie proszę o wybaczenie, nie mam prawa. Nie śmiem prosić, abyś nie była na mnie zła, bo... nie mam odwagi prosić o cokolwiek.

Chcę tylko, abyś wiedziała, że bardzo Cię kocham. Kochałam Cię od pierwszych chwil, gdy się o Tobie dowiedziałam. Nigdy nie żałowałam, że zapragnęłaś pojawić się na tym świecie.

Wszystko dzieje się po coś... Nieprawdaż?

Żyłam krótko, to fakt. Nie celebrowałam życia. Brałam z niego wielkimi garściami. Powinnam była raczej czerpać z niego małą łyżeczką... Tylko w ten sposób mogłabym się nim zachwycić...

Chciałabym ci życzyć wielkiej miłości. Takiej, którą ja przeżyłam. Ale to my, kobiety, wybieramy partnera. Wybierz takiego, przy którym rozkwitniesz i rozwiniesz skrzydła. Gdy go znajdziesz – zrób wszystko, aby być z nim jak najdłużej.

Nie czyń z życia dramatu. Poddaj się egzystencji i po prostu bądź. Bądź szczęśliwa bez względu na wszystko. Płyń z czasem, który otrzymałaś w darze. Życie jest piękne!

Zawsze Cię kochałam i zawsze będę cię kochać. Będziesz czuła moją obecność w swoim życiu. To mogę obiecać.

Moja piękna córeczko, moja piękna Stanisławo...

Twoja mama – S. Krzemianowska.

Zaciągnęła powietrze w płuca, próbując złapać oddech. Trzymała w dłoniach jedyny dowód, świadczący o istnieniu jej własnej matki. Czytała jej słowa raz po raz, aż po niespełna dwóch kwadransach znała je na pamięć. Wąchała podstarzały papier, próbując odszukać w nim zapach rodzicielki. Klęczała na podłodze, wdzięczna za dywan typu shaggy, osłaniający jej zbolałe nogi. Jakaś mucha przeleciała koło nosa, wprowadzając w drganie zastygnięte powietrze.

Czy była gotowa? Czy na to w ogóle można się przygotować? Czuła się, jakby ktoś ją wysłał na zawody pływackie, podczas gdy ona wcale nie umiała pływać. Wiedziała jednak, że musi utrzymać się na powierzchni.

Zwlokła się wreszcie z podłogi i postanowiła się ubrać. Dochodziła trzynasta. Wypadałoby żyć tym, co dzieje się tu i teraz, a nie grzebać w przeszłości. Nie chciała czynić tego, co wypadało, lecz to, na co zgodę otrzymała od serca.

Chciała poznać biologicznego dziadka. Ten prawdziwy dawno przecież nie żył. Kim była jej biologiczna babcia? Czy tak samo, jak prawdziwa, tętniła życiem? Chwyciła za telefon i zadzwoniła do Mikołaja.

– Laura, to znaczy mama, zostawiła mi list od mojej mamy. Musisz przyjechać. Pokażę ci. Najpierw zjadłam pączki, a potem go przeczytałam. Ona mnie kochała, naprawdę mnie kochała. Chciała mnie, ale nie dała rady. Nie byłam wyrzutkiem – mówiła chaotycznie.

– Paulino, jeszcze Leońska, czy możesz wyrażać się jaśniej? Wyrwałaś mnie ze spotkania. Myślami byłem gdzie indziej, trochę trudno mi się połapać. Jakim wyrzutkiem? Jaki list? Jakie pączki?

– Przecież wyrażam się jasno. Skup się.

– Usiłuję to zrobić.

– Dobra, nie ma co przez telefon. Najlepiej przyjedź. Ubiorę się i pojedziemy coś zjeść. Jestem bardzo głodna. To za ile będziesz?

– Kocham cię całym sercem, ale nie mogę rzucić wszystkiego i przyjechać do ciebie, bo jesteś głodna. Usiłuję poukładać wszystkie sprawy, abyśmy wreszcie mogli zamieszkać razem.

– Znaczy, że ty i ja? Nasze własne mieszkanie? To ja bym chciała takie z tarasem.

– Tak, znaczy, że ty i ja. Znaczy, że my i nasze dziecko. Taras będzie. Mówisz i masz. Ale wróćmy do tego listu? Jaki list? Laura napisała do ciebie list? Nie mogła z tobą porozmawiać?

– Nic nie rozumiesz. Nie Laura! Moja mama. Ta, która mnie urodziła, napisała do mnie list. Laura, moja druga mama, albo pierwsza? W sumie to już sama się gubię. W każdym razie ona mi go dała. To znaczy nie dała, tylko zostawiła na stole w salonie. Pewnie bała się mi go dać. Może miała nadzieję, że kot go zje. Raczej niemożliwe, bo przecież nie mamy kota.

Mikołaj złapał się za głowę. Potok słów płynący z głośnika telefonu przyprawił go o szybsze bicie serca. Czy to możliwe, że dziewczyna mówiła prawdę?

– Wiesz co, za mniej więcej godzinę powinienem być wolny. Akurat zdążysz się wyszykować. Weź ten list ze sobą.

– Jasne, że wezmę. Wiesz, że mam podobne pismo do mamy? Miała na imię Stasia. Ja podobno też. Tak się do mnie w tym liście zwracała.

Ręka, w której trzymał telefon, drżała mu, jakby właśnie zaczął chorować na parkinsona. Usiłował zakończyć rozmowę, zanim Paula odkryłaby jego zdenerwowanie.

– Skarbie, kończę. Kocham cię.

– Ja też cię kocham. Musimy pojechać do babci i dziadka.

– Pojedziemy, gdzie tylko chcesz, ale teraz naprawdę muszę kończyć. Kocham cię. Pa.

– Pa. No, pa. Ja też cię kocham.

Gdy się rozłączyła, położyła prawą dłoń na sercu i zauważyła, że wali jej jak młotem. Może to i staroświeckie porównanie, lecz nie znała lepszego mogącego trafnie opisać jej aktualne samopoczucie. Trzymała w rękach kartkę papieru świadczącą o tym, że była dzieckiem chcianym i kochanym. Tylko kim był jej ojciec? Może dziadkowie będą wiedzieć? – pomyślała, po czym postanowiła się ogarnąć. Jej fryzura pozostawiała wiele do życzenia.

***

Kiedy już myślał, że wszystko powoli zaczyna się układać, wydarzało się coś, co nie pozwalało mu na bezczynne siedzenie. Życie ciągle przynosiło jakieś niespodzianki. Nie dawało oddechu, pędziło jak szalone, choć ze wszystkich sił starał się je spowolnić. Miał wrażenie, że nad jego głową unoszą się obłoki, z których pada deszcz noszący w sobie znamiona oddechu Sterny. Czyżby zadziałała reinkarnacja? Czyżby ukochana wróciła na ziemię pod postacią własnej córki?

Kiedyś śmiał się z przeznaczenia. Po tym, co go spotkało, nie miał odwagi wierzyć w miłość. Wszystko się zmieniło, gdy poznał Paulę. Rozum nakazywał mu wiać, a serce… cóż. Jak się okazało, serce wiedziało lepiej. On, stateczny pan mecenas i górnolotne zrywy miłości. Kto by pomyślał?

Siedział na kamieniu w parku Kasprowicza i rozmyślał. Postanowił jak najszybciej wyjawić dziewczynie prawdę, zanim ktoś go uprzedzi. Sam! Po męsku!

Wsiadł do auta i skręcił w stronę Mierzyna. Przejeżdżając obok cmentarza, powiedział na głos:

– Zawsze wierzyłaś, że nic nas nie rozłączy. Nawet śmierć. Jak zawsze, miałaś rację.

Zaparkował przed domem Leońskich. Po raz pierwszy miał okazję przyjrzeć się roślinności przyozdabiającej ich ogród. Zielony dywan świeżo przystrzyżonej trawy nie posiadał najmniejszej skazy. Wydawało się, że nikt po nim nie stąpa. Przepiękne rabaty kwiatów, których nazw nie znał, pieściły oko soczystymi kolorami. Stał przez chwilę, starając się nie myśleć.

– Dzień dobry! – Usłyszał głos prawdopodobnie należący do osoby, której pesel nie był najnowszy.

– Dzień dobry – odpowiedział

– Kobieta o posturze Baby Jagi zbliżała się do niego wielkimi krokami. Miała na głowie kolorową, w gruncie rzeczy optymistyczną chustkę, mimo to gotów był się jej przestraszyć.

– Ładny ogródek, prawda? Nasz pan Edzio dba o niego. Codziennie ten trawniczek podlewa. Ukradkiem, bo wie pan, jak upały są, to zabraniają podlewania.

– To prawda, widać efekty. Ogród przepiękny – odpowiedział kurtuazyjnie, nie czekając na rozwój wydarzeń.

– A pan to do Paulinki naszej? Coraz częściej tu pana widzę. Chyba samochód pan zmieniłeś, co? Ten lepszy. – Odchyliła głowę, mrużąc oczy, jakby się zastanawiała nad tym, co mówi.

– Cieszę się, że się pani podoba.

– Co mnie się ma podobać, panie. Najważniejsze, że Paulince się podoba.

– Czy mogę pani jakoś pomóc? – zapytał wreszcie.

– Mnie? A w czym? – zdziwiła się.

– Sam nie wiem. Chciałem być miły, tak po prostu.

– Miły to pan bądź dla Paulinki. Wie pan, ja znam tych ludzi od zawsze. Ojciec ma świra na punkcie tej dziewczyny. Kiedyś taki jeden tu przyjeżdżał, to na własne oczy widziałam, jak stary mu samochód smołą wysmarował. Tylko to tak między nami. – Ściszyła głos, a jego zmroziło na myśl o gorącej smole wylanej na maskę samochodu. Chyba zauważyła jego zmieszanie, bo po chwili dodała:

– Nie martw się pan. Jak do tej pory pan smoły żeś nie dostał, to raczej nie dostaniesz. Tylko pan dbaj o Paulinkę.

Postanowił przemilczeć to, co usłyszał. Nacisnął guzik dzwonka przy furtce. W drzwiach pojawiła się Paula ubrana w krótkie białe szorty, odsłaniające jej idealnie zgrabne nogi. Blond włosów kontrastował z czarną jak matka ziemia luźną bluzką. Wyglądała obłędnie. Podszedł do niej i pocałował ją na powitanie.

– Cześć, kochanie.

– Cześć, Mikuś. Dzień dobry, pani Pietrzykowa – zwróciła się do sąsiadki.

– Dla kogo dobry, dla tego dobry – powiedziała głośno sąsiadka, trochę ciszej dodając: – Dla twojego ojca raczej tragiczny.

– Przepraszam, nie słyszałam. Może pani powtórzyć? Czy coś się stało? Można pani jakoś pomóc?

– Coście wy się powściekali z tą pomocą? Czy ja wyglądam jak jakaś niedołężna stara babcia? W kwiecie wieku jestem. Nową chustkę sobie w peweksie kupiłam. – Okręciła się dookoła własnej osi, prezentując swój nienaganny look.

Paulina z Mikołajem spojrzeli na siebie i na ich twarzach pojawił się szeroki uśmiech.

– Tak tylko wyszłam, zapoznać się chciałam – dodała.

Mikołaj uświadomił sobie, że nie zdążył się przedstawić. Wypuścił z objęć dziewczynę i skierował się w stronę sąsiadki.

– Przepraszam panią. Mikołaj Klimant. Jestem przyjacielem Pauli. – Schylił się i pocałował jej dłoń.

– Pietrzykowa. Jadźka Pietrzykowa, sąsiadka. Najbliższa sąsiadka! – podkreśliła.

Ewidentnie zachowanie Mikołaja przypadło jej do gustu, co postanowiła oznajmić.

– No proszę, dżentelmen. To tacy jeszcze chadzają po tym świecie? Mój Wiesiek też był dżentelmenem. Wszystkie koleżanki mi zazdrościły. O dniu kobiet zawsze pamiętał. Co roku dostawałam goździki i rajstopy. Nigdy nie zapomniał. Nigdy. Był prawdziwym mężczyzną, a nie jak ci teraz. W dupach im się poprzewracało, jak Boga kocham. Chłop, to ma być chłop. Dzień święty ma świecić, a nie pitolić, że takich świąt nie obchodzi. Mówię ci, Paulina, wszystkie baby w kościele mi zazdrościły, jak w nowych rajtuzach szłam. I to niepocerowanych. – Uniosła energicznie wskazujący palec prawej dłoni, aby podkreślić prawdziwość swojej wypowiedzi. – Niech mu ziemia lekką będzie. Dobry chłop był. Dobry, dobry, oj dobry. – Zamyśliła się nad wspomnieniami. – Pan też jest dobry. Wiem, co mówię. Na czym, jak na czym, ale na ludziach to ja się znam. Chociaż, bez obrazy, trochę pan zębem czasu żeś nadgryziony, ale… dzisiaj to wszystko można. Botoksa se pan wstrzykniesz i nikt nie zauważy tej różnicy wieku. Zresztą jak pan masz okulary przeciw słońcu, to nic nie widać.

Paulina badawczo obserwowała Mikołaja. Była ciekawa, jak zadziała na niego paplanina Pietrzykowej. Atmosfera między trojgiem ludzi tworzyła mieszankę humoru w średnio optymistycznych barwach.

– Za dużo paplam? Paulinka, powiedz no?

– Nie, nie, ależ skąd – odpowiedział Mikołaj, nie dając szansy ukochanej. – Pani szczerość jest... – zawahał się, szukając odpowiedniego słowa. – Pani szczerość jest rozbrajająca – dokończył wreszcie.

– Uff, to dobrze, bo już mi się zwieracze zacisnęły tak, że tyłek mnie z tego stresu rozbolał.

Zakochani nie wytrzymali „powagi sytuacji" i wybuchnęli gromkim śmiechem.

– To ja już sobie pójdę. Nowy serial mam do obejrzenia. Z internatu mi wnuczka ściągnęła. – Machnęła do nich ręką i oddaliła się w kierunku swojego domu.

– Serial z internatu? – powtórzył Mikołaj.

– Miała na myśli internet. Ciągle jej się mylą te dwa słowa. Zresztą, nie tylko te dwa.

– Urocza kobieta.

– Mówisz szczerze?

Zaciśniętą pięścią uderzył dwa razy w klatkę piersiową.

– Jak bum-cyk-cyk.

– Jak bum-cyk-cyk? – powtórzyła i roześmiała się śmiechem pogodnym i wdzięcznym.

Pogawędka z Pietrzykową ociepliła nieco nastroje ich obojga. Jechali ulicami Szczecina, trzymając się za ręce.

Czując pod palcami ciepło i delikatność jej skóry, dziękował w myślach temu, kto wymyślił automatyczną skrzynię biegów. Deliberował nad tym, kiedy nastąpi odpowiednia chwila, na przeprowadzenie „tej" rozmowy. Może powinna się ona odbyć w jakimś szczególnym miejscu? Zganił siebie w myślach za miotanie się raz w prawo, raz w lewo.

Zjedli pyszny obiad w restauracji oferującej kuchnię polską. Już dawno marzył mu się zwyczajny rosół, a na drugie danie klasyczny schabowy z ziemniakami i mizerią. Paula o dziwo zamówiła to samo.

– Te kotlety to smak mojego dzieciństwa, wiesz? Babcia zawsze robiła taki tradycyjny obiad i zapraszała nas całą rodziną. Najpierw szliśmy do kościoła, a potem do niej. To były piękne czasy. Mama, tata i ja w środku. Oboje trzymali mnie za ręce, unosząc nad ziemię co kilka kroków. Piszczałam z radości, wołając „jeszcze, jeszcze". Tata mógł mnie unosić do upadłego, ale mama po kilku razach miała dość. Mówiła wtedy, że jestem nie do zdarcia. Ciekawe... ciekawe, czy moja prawdziwa, to znaczy biologiczna mama była nie do zdarcia, tak jak ja.

To był ten moment. Albo teraz, albo nigdy. Dogodna sytuacja, praktycznie wytworzyła się sama. Wziął głęboki wdech, wierząc, że czyste powietrze doda mu odwagi.

– Twoja mama nie była nie do zdarcia – rzucił, na razie niepewnie, zasiewając w dziewczynie ziarno ciekawości.

Spojrzała na niego, jakby opowiadał o jakimś niedawno obejrzanym filmie science fiction.

– O czym ty mówisz?

– Masz ze sobą ten list?

– Oczywiście, że mam. Wzięłam, aby ci pokazać. Tylko tak czekam, na odpowiedni moment. Pomijając czas spędzony na pogawędce z moją sąsiadką, to jesteś jakiś dziwnie spięty.

Miała rację. Miała przeklętą rację. Z trudem udawało mu się opanować emocje. Był świadom, że gdy zobaczy na własne oczy list napisany jej ręką, może nie wytrzymać.

– Czy mogłabyś mi go pokazać?

– Oczywiście.

Zaczęła grzebać w swojej torebce. Restauracyjny stół pokrył się wnętrznościami jej przenośnego niby minibagażu.

– O, miałam wodę mineralną. Mogłeś nie kupować.

– Paula, daj spokój. Stać mnie na kupno wody w restauracji.

– Przecież tylko żartowałam, coś taki spięty? Rozluźnij zwieracze, bo tyłek cię rozboli, tak jak moją sąsiadkę. A w ogóle, to co ty bredzisz? – Nagle dotarł do niej sens słów, które padły kilka chwil wcześniej. – Jak to, znałeś moją matkę?

– Masz ten list?

– Tak, mam. Proszę. – Podsunęła kopertę w jego kierunku.

Wziął ją w dłonie jak najcenniejszy skarb. Powoli rozchylił pożółkłą kopertę. Wyciągnął kartkę złożoną „na cztery". Zatrzymał się na moment, aby upić łyk wody. W końcu zdecydowanym ruchem rozłożył list.

Kaligrafię jej dłoni poznałby wszędzie. Równo stawiane litery, ozdobne zawijasy przy „y" czy „g". Litera „A", pisana w stylu rosyjskim. Oddech urywał mu się zbyt szybko, oblał go zimny pot.

– Paulina, znałem twoją mamę bardzo dobrze.

– Nie rozumiem. Jak to, znałeś.

– Twoja mama i ja... byliśmy parą.

– Jak to parą? Czy to znaczy, że...

Zrobiło jej się słabo. Złapała się za brzuch, błyskawicznie dając mu do zrozumienia, o czym myśli.

– O, rety. Nie, to nie tak, jak myślisz. Ja nie jestem twoim ojcem.

– Całe szczęście. Może trzeba było od tego zacząć. Jestem bliska zawału.

Pobladła. Podał jej wodę. Powietrze między nimi wydawało się bardziej parne niż w rzeczywistości. Może dlatego, że grzały ich emocje?

– To wszystko jest pogmatwane, wiem. Domyślam się, że jesteś zdezorientowana. Ja też jestem w szoku. To znaczy, byłem. Teraz, kiedy kurz w mojej głowie nieco opadł, chciałbym z tobą o tym porozmawiać.

– Od kiedy wiesz? Kto ci powiedział? Nic nie rozumiem?

Jej oczy nagle zrobiły się okrągłe z przerażenia. Karty jej własnego pochodzenia odkrywały się nad wyraz szybko. Mógł się jedynie domyślać, co czuje osoba, przez całe życie wierząca w przekazywane jej prawdy, które okazały się kłamstwami.

– Kiedy przyszłaś do domu Słupskich i powiedziałaś, że masz adres swojej babci… to…

– Znasz Krzemianowską – stwierdziła.

– Znam. Kiedyś znałem. Bardzo dawno temu. Znałem ją w czasach, kiedy gotów byłem oddać za twoją matkę życie.

Ramiona dziewczyny skurczyły się nieco. Nie wiedziała co ze sobą zrobić. Zaczęła sprzątać ze stołu wysypaną wcześniej zawartość torby. Kiedy skończyła, wcale nie poczuła się lepiej. Cisza między nimi kłuła w uszy. Nie słyszeli nawet cicho sączącej się relaksacyjnej muzyki, którą ktoś włączył, by umilić czas posiłku.

Jego oczy przypominały teraz spojrzenie psa, proszącego o wybaczenie, bo niechcący strącił ogonem filiżankę kawy znajdującą się na ławie.

– Opowiesz mi o… o wszystkim? Od początku?

Odetchnął z ulgą. Wstęp miał za sobą. Poradził sobie koncertowo, przynajmniej tak mu się wydawało.

***

Siedziała nieruchomo i słuchała każdego słowa z uwagą. Nie przerywała mu. Tylko siedziała z tymi swoimi przeraźliwie błękitnymi oczami, wpatrując się w niego, jakby opowiadał jej najciekawszą z najciekawszych historii. Szczerze, to nawet jej się nie dziwił. Sam zastanawiał się nieraz, kim był jego ojciec, zanim zaczął pić, zanim sam się wpędził do grobu. Niestety, jemu nie miał kto o tym opowiedzieć.

Gdy skończył mówić, nie powiedziała nic. Siedziała, wpatrując się w ludzi przechodzących przypadkiem ulicą. Przerażała go ta cisza.

– Czy coś jeszcze państwu podać? – zapytał kelner.

– Tak, poproszę filiżankę kawy bezkofeinowej. Może być cappuccino – poprosiła.

– A dla pana?

– Dla mnie to samo. Dziękuję.

Siedzieli naprzeciwko siebie. Mikołaj chwycił w dłonie jej małe ręce. Były zimne jak lód.

– Kochanie, czy wszystko w porządku? – zapytał.

– Tak, tak. Po prostu jestem... jestem zaskoczona. Potrzebuję chwili, aby się z tym oswoić.

– Rozumiem.

– Nie wiem, czy jest ktokolwiek, kto mógłby mnie zrozumieć. Czuję się trochę pogubiona w tych wszystkich informacjach, które na mnie spadają. Powiedz mi, proszę, naprawdę nie wiedzieliście, że ona miała dziecko?

– Przysięgam, ja nic nie wiedziałem. Hania wiedziała.

– Nie próbowała się dowiedzieć, co się stało z córką przyjaciółki?

Właśnie tego chciał uniknąć. Bał się przedstawienia historii w sposób stawiający Hanię na straconej pozycji.

Każdy miał jakieś powody. Każdy miał swoją prawdę. Każdy niósł swój bagaż. Każdy musiał żyć sam, ze swoimi myślami.

– Nie powinnaś jej oceniać. To dobra dziewczyna, chyba się lubicie, prawda?

– A Ty rozmawiałeś z nią o tym?

– Rozmawiałem. Płakała. Ona bardzo cię kocha, zawsze cię kochała. Kiedy cię poznała, nie miała pojęcia, że jesteś córką Sterny. Dowiedziała się dokładnie wtedy, gdy przyszłaś z tym adresem i powiedziałaś nam o adopcji.

– Chcę do niej pojechać. Chcę spojrzeć jej w twarz.

– Do Hani?

– Nie, do mojej babci. Do Teresy Krzemianowskiej.

– A! Myślałem, że do Hani. Do Krzemianowskiej pojedziemy jutro, dobrze? Obiecuję. Dziś jest już późno, a tobie raczej dość wrażeń jak na jeden dzień.

– Może masz rację…

– Na pewno mam rację. Muszę o ciebie dbać.

– Swoją drogę, to jest niewiarygodne, Mikołaj. Gdyby ktoś opowiedział mi podobną historię, chyba bym mu nie uwierzyła. W najlepszym razie pomyślałabym, że jest to oskarowy scenariusz jakiegoś filmu obyczajowego. Szkoda tylko, że nie jestem Julią Roberts, mogłabym zagrać główną rolę. Chociaż w sumie, przecież właśnie ją odgrywam… – zamyśliła się przez chwilę, zdając sobie sprawę, że ostatnimi czasy skupiona jest wyłącznie na sobie. Zrobiło jej się wstyd.

– Powiedz mi, a jak ty się z tym czujesz? W sumie to… niezły jesteś.

– Proszę cię. Nie żartuj. Jak się czuję? Co najmniej dziwnie. Kiedy się o tym dowiedziałem, zmroziło mi krew w żyłach.

Zareagowałem tak samo jak ty, nerwowo liczyłem, ile masz lat, aby wykluczyć swoje ojcostwo.

– Boję się myśleć, co by było, gdyby.

– Na szczęście nie musimy się tego obawiać. Wolę myśleć, że jesteś na tym świecie jej następczynią. Nie pojawiłaś się przypadkiem ani przez pomyłkę. Może musiało tak być? Sterna mówiła zawsze, że nic nas nie rozłączy, nawet śmierć. Śmiałem się wtedy, a dziś, gdy patrzę na ciebie, wiem, że miała rację.

– Miłość i jej następstwa…

– Może miłość i jej kontynuacja?

– Jestem zatem kontynuacją.

– Kocham cię. Nawet nie wiesz, jak cię kocham. Dzięki tobie odzyskałem chęć do życia.

– Ja też bardzo się kocham.

– Wiesz, tak sobie pomyślałem, że chyba już pora, abyśmy powiedzieli twoim rodzicom, że zostaną dziadkami. Sądzę, że powinno to nastąpić, zanim odwiedzimy Krzemianowską.

– Przecież mieliśmy odwiedzić ją jutro! Ja naprawdę na to czekam. Postaw się w mojej sytuacji. Moja biologiczna matka nie żyje, nie mam szansy poznać biologicznego ojca, a Krzemianowscy są jedynymi żyjącymi jeszcze ludźmi, w których płynie moja krew.

– Zgadzam się z tym, co mówisz. Myślę tylko, że twoim rodzicom ta informacja się po prostu należy. Oni też wszystko przeżywają.

Miał rację. Niestety miał rację. Znowu myślała tylko o sobie, po raz kolejny tego popołudnia zrobiło jej się głupio.

– Dobrze, zrobimy tak. Jutro przyjedziesz do nas i powiemy moim rodzicom o tym, że niebawem zostaną dziadkami.

Tylko ostrzegam, jak na twoim aucie wyląduje wiadro smoły, to nie miej do mnie pretensji.

– Niezły gigant z tego twojego ojca, chociaż chyba zaczynam go rozumieć.

– Skąd wiesz o smole?

Spojrzał na nią porozumiewawczo.

– Pietrzykowa! No tak, mogłam się domyślić. Ona przecież wie wszystko. Czasami zaczynam się jej bać.

– Myślę, że jest niegroźna.

– Nigdy nie zapomnę miny tamtego chłopaka. Był wściekły. Ty wiesz, że nie miał odwagi nawet ze mną zerwać? Po prostu zaczął mnie unikać i musiałam się sama domyślić, że miłości to z tego nie będzie.

– Na całe szczęście. Nic mi nie mów o żadnych chłopakach.

– Zazdrosny jesteś?

– Ja? Skądże znowu! – oburzył się.

– Jesteś zazdrosny! – Zaczęła się śmiać.

Szli w stronę auta, trzymając się za ręce. Mikołaj starał się zachować poważną minę, podczas gdy Paula gadała jak nakręcona.

– Jesteś zazdrosny, jesteś zazdrosny, jesteś zazdrosny. Panie mecenasie – zmieniła głos na poważny. – Mam do pana pytanie. Czy jest pan zazdrosny o swoją przyszłą żonę, niedoszłą córkę? Z góry uprzedzam, że nie uchylę pytania.

Ledwie wytrzymał powagę.

– Dobrze, może trochę jestem zazdrosny.

– Wiedziałam, wiedziałam. Jesteś zazdrosny. No nie, zaraz się chyba oszczam.

– Jak ty się wyrażasz? Paula? Lada chwila będziesz matką!

– Dobra już dobra, nie bądź taki sztywniak. To znaczy bądź, ale nie teraz. – Mrugnęła okiem.

– Nimfomanka!

– Sprośniak.

– Też cię kocham.

ROZDZIAŁ 18

Jak dotąd udawało jej się dość szybko przechodzić do porządku dziennego nad tym, co przynosiły jej kolejne dni. Była z siebie dumna, ponieważ wyglądało na to, że do perfekcji opanowała umiejętność przystosowywania się do nowych sytuacji. Kiedyś myślała, że nie lubi zmian. Dziś już się nad tym nie zastanawiała. Coraz szerzej otwierała oczy ze zdziwienia, każdy dzień przynosił jej bowiem coś nowego.

Stała teraz niczym Julia na balkonie i wpatrywała się w błękitne niebo, zastanawiając się, czy gdzieś tam daleko jest jej mama. Może to właśnie ona pociągała w niebie za sznurki przeznaczenia, kierując w stronę córki swoją dawną miłość. Wciągnęła do płuc czyste powietrze okraszone zapachem świeżo skoszonej trawy. Nie przeszkadzało jej nawet, że ktoś wstał o świcie, aby wykonywać ogrodowe prace. Nie przeszkadzał jej warkot kosiarki. Wszystko razem wzięte miało w sobie niepowtarzalny smak życia. Takiego codziennego, bez pośpiechu, po prostu życia.

Zeszła na dół do kuchni, zastając w niej obojga rodziców. Mama jak zwykle krzątała się, przygotowując posiłki na cały dzień. Zdziwiła się widokiem córki o tak wczesnej porze.

– Już wstałaś?

– Kosiarka mnie obudziła – odparła, otwierając lodówkę i wyciągając z niej karton mleka bez laktozy. W ich domu tylko takie miało prawo stać w lodówce. Nalała biały napój do szklanki, przechyliła ją i wypiła duszkiem.

– Tak na pusty żołądek mleko? – zdziwiła się matka.

– Nie mogłam się powstrzymać. Po prostu poczułam niewyobrażalną chęć na mleko.

Rodzice wymienili porozumiewawcze spojrzenia. Udała, że tego nie widzi. Matka właśnie pakowała w lunch boxy przygotowane wcześniej naleśniki. W osobne pojemniki nakładała konfiturę. Zawsze tak robiła, chcąc uniknąć pudełkowej ciapy. Gdy kobieta się odwróciła, dziewczyna ukradła jej z pudełka jeden placek.

– Paula! – zbulwersowała się matka. – Usiądź, nałóż sobie na talerz i zjedz jak człowiek, a nie wykradasz mi jedzenie do pracy.

– Oj mamo, tylko jeden. Przestań panikować. – Uśmiechnęła się do niej rozbrajająco.

Laura patrzyła na córkę z nieukrywaną radością. Czyżby najgorsze chwile w ich domu zostały zażegnane? Zdawało się, że wszystko zaczyna wracać do normy. Znowu spojrzała na męża. Tym razem nie dało się ukryć prowadzonej między nimi rozmowy bez słów. Paula zastanawiała się, czy zapytać, o co chodzi. Jak mawiał dziadek, zadanie pytania wiąże się z ryzykiem uzyskania odpowiedzi. Nie była pewna, czy chce znać odpowiedź na pytanie, o czym tak ukradkiem

„rozmawiają". Wahała się jeszcze przez jakąś minutę, po czym postanowiła jednak zapytać.

– Co kombinujecie?

– My? – zdziwił się ojciec.

– Wy naprawdę myślicie, że nie widzę, jak wymieniacie te swoje spojrzenia? Kogo chcecie oszukać? – Jadła teraz naleśniki z legalnego źródła. Truskawkowa konfitura spływała jej po brodzie. Czuła na sobie wzrok matki patrzący na nią z zachwytem.

– No dobrze, córeczko – zaczął ojciec. – Wczoraj tak sobie z mamą rozmawialiśmy i… bo wiesz, tak się zastanawiamy, jak…

– Powiesz wreszcie? – przerwała jego męki.

– Nie ułatwiasz mi, wcale mi nie ułatwiasz.

Chciało jej się śmiać z ojca, robiącego tak zwane podchody. Matka ze trzy razy wzięła wdech, dając wszystkim do zrozumienia, że chce coś powiedzieć, jednak po chwili ponownie zapadała cisza.

Paula pogryzła ostatni kęs naleśnika i wytarła usta w rękaw piżamy, tak jak robiła to wtedy, gdy była dzieckiem.

– No dobrze. Żeby nie przedłużać. Dziękuję wam za list. Wszystko jest w porządku. To znaczy…

Tutaj matka pobladła.

– Na razie jeszcze ciągle o wszystkim myślę, lecz… staram się nie czynić z życia dramatu. Ludzi spotykają większe problemy. Mogłam przecież trafić gorzej, prawda? Mógł mnie nikt nie adoptować albo mogli mnie adoptować fanatycy disco polo, albo jakiś zgrzybiały pedofil.

To ostatnie zmroziło matkę. Ugrzązł jej w ustach kęs sałaty, którą przegryzała, szykując kanapki.

– No dobra wiem, wiem. Z tym pedofilem to nie był najbardziej udany żart. Już tak na mnie nie patrzcie. Wiem, że żart jest żartem, gdy wszyscy się śmieją. Obiecuję w ten sposób nie żartować. – Podniosła w górę dwa palce na znak złożonej oficjalnie przysięgi.

Nie było może do końca śmiesznie, ale przynajmniej ojciec się nieco rozluźnił.

– Bardzo się cieszymy Paulinko, że wszystko tak dzielnie znosisz. Chcielibyśmy, abyś wiedziała, że dla nas to też nie są łatwe chwile. Cokolwiek by się działo, wiedz, że ciągle jesteś naszym dzieckiem. – Ojcu załamał się głos. – Widząc, jak zareagowałaś, zastanawialiśmy się, czy może powinniśmy byli powiedzieć ci wcześniej, lecz… My naprawdę nie wiedzieliśmy jak. Dla nas nie ma żadnej różnicy to, jaka płynie w tobie krew. Jesteś naszym dzieckiem. Wiemy, że nie jesteśmy idealni. Zwłaszcza ja… Bywam zazdrosny, może odrobinę za bardzo. Obiecuję, że będę się starał trzymać swoje nerwy na wodzy. W końcu to twoje życie i masz prawo żyć tak, jak chcesz. Pamiętaj tylko, że jesteśmy dla ciebie. Jesteś ogniwem, które nas nierozerwalnie połączyło.

Nie chcę wybierać ci partnera na życie. Mama twierdzi, że nie ma takiego mężczyzny, poza oczywiście mną samym, który sprostałby moim oczekiwaniom. No, ale przecież za ojca nie wyjdziesz. Mimo że jako dziecko wielokrotnie mi to obiecywałaś.

Dlatego też pomyśleliśmy z mamą, że może byś zaprosiła na dziś tego twojego Mikołaja. Mielibyśmy okazję bliżej się poznać, porozmawiać. Mama upiecze szarlotkę, kupimy lody. Co ty na to? Myślisz, że to dobry pomysł?

W oczekiwaniu na odpowiedź oczy obojga rodziców przylepiły się do jej twarzy niczym magnes do nieskazitelnie białej lodówki. Propozycja ułatwiała wszystko.

– Z przyjemnością. W zasadzie to sami chcieliśmy wam to zaproponować.

– Naprawdę? – zdziwiła się matka. – To miło z waszej strony. Ale… ale chyba nic się nie stało, prawda? Mamy się martwić?

– Mamo, jakie martwić? Czym ty się chcesz znowu martwić? Upiecz ciacho i martw się, aby smakowało. Mogę pojechać po lody. Będę miała swój wkład w kulinarną popołudniową ucztę.

Nie wydawało jej się, że jej słowa uspokoiły matkę, chociaż próbowała się niepewnie uśmiechać.

– Idę dziś do kliniki tylko na dwie godziny. Wrócę i upiekę ciasto. Możesz zaprosić pana Mikołaja na szesnastą, dobrze?

– Na pewno się ucieszy.

– To jesteśmy umówieni. – Ojciec klasnął w dłonie, po czym energicznie nimi potarł.

– Mikołaj wypadnie z kapci, jak się dowie, że przyszły teść zaprasza go na szarlotkę – rzuciła szybko, po czym w podskokach pobiegła na górę.

Edward Leoński stał jak wryty. Gdyby nie zawiasy żuchwy, mógłby teraz zbierać szczękę z podłogi. Jego żona ze wszystkich sił próbowała się nie roześmiać.

– Słyszałaś to? Przyszły teść. Laura, słyszałaś, co ona powiedziała?

– Oj tam, Edziu. Pewnie chciała sobie z ciebie zażartować. Nie znasz naszej Paulinki?

– Zażartować. Dobre mi co. Zażartować. Jeszcze czego! – mamrotał pod nosem. – Żart jest śmieszny, jak wszyscy się śmieją, Laura. Sama to powtarzasz.

Kobieta nie wytrzymała i zaczęła śmiać się w głos.

– Edziu, ale tylko ciebie to nie bawi, kochanie.

– Dobrze, że was bawi. Doprawdy nie wiem, co w tym śmiesznego.

Gdy tylko weszła do pokoju, chwyciła za telefon i napisała wiadomość do Mikołaja.

Od: Paula
Do: Mikołaj

Dziś godzina 16 wizyta u przyszłych teściów, ubierz się ładnie ;-)

Wstała z zamiarem włożenia na siebie czegokolwiek, lecz cofnął ją rozbrzmiewający optymistycznie dźwięk telefonu.

– Widzę, że szybko działasz. To co, mam przynieść kwiaty i poprosić twojego ojca o rękę córki?

– Daj spokój. Darujmy sobie te ceregiele.

– Wiesz, nie chciałbym wyjść na ignoranta tradycji.

Wyczuła sarkazm w jego głosie.

– Nabijasz się?

– Ja? Skądże znowu, kochanie. Jak byś to powiedziała? Hm… naprawdę mam pełne gacie ze stresu.

– Jasne, uważaj, bo ci uwierzę.

– Okay, muszę kończyć. Sprzedaż kancelarii jest praktycznie na finiszu. Niebawem będę mógł się całkowicie przenieść do Szczecina.

– Cudowna wiadomość.

– Nie mogę się doczekać.

– Punkt szesnasta jestem.

– Do zobaczenia.

Zanim wreszcie się ubrała, zadzwoniła jeszcze do Dagmary. Opowiedziała przyjaciółce ze szczegółami, co wydarzyło się w trakcie ostatnich kilku dni i co dopiero ma się wydarzyć. Dagmara wyraziła swój szczery zachwyt nad jej barwną codziennością. Odkąd Hanka przestała chwilowo pić, jej życie przypominało jedną wielką sielankę. Nic tylko leżeć i pachnieć, zachwycając się nudą.

***

Podpisanie aktu notarialnego, zamykającego kolejny etap jego życia, okazało się nad wyraz łatwym zadaniem. Gdy budował swoje małe imperium, wkładając w nie całą swoją życiową energię, miał zwyczaj myśleć o kancelarii jak o własnym dziecku. Na początku nie było łatwo, lecz wygrany głośny proces o zniesławienie osoby publicznej niczym lawina przyniósł mu rzesze klientów, tym samym windując maleńką kancelarię na szczyt prawniczego warszawskiego świata.

Klient, chcący przejąć interes, był na tyle zainteresowany, że przyjechał za nim do Szczecina celem dokonania wszelkich formalności.

Mikołaj był w stu procentach przekonany, że czyni dobrze. Zarówno rozum, jak i serce były zgodne co do podjętej decyzji. Nie wahał się ani chwili. Wręcz przeciwnie, poczuł ulgę. Cieszył się, że wreszcie wraca do domu.

Współpraca z Patrykiem układała mu się doskonale. Zawsze rozumieli się bez słów. Wieści o tym, że „ten" warszawski adwokat przenosi się do Szczecina, rozeszły się w zaskakująco szybkim tempie. Pracy przybywało na tyle skutecznie, że partnerzy postanowili zatrudnić do pomocy dwóch aplikantów.

Tylko myśl o Krzemianowskich nie dawała mu spokoju. Jak się zachowają? Czy zdobędą się na powiedzenie prawdy? Na szczęście między nim a Paulą nie było żadnych tajemnic.

Cieszył się na dzisiejszą wizytę w domu ukochanej. Nie przeszkadzała mu niechęć przyszłego teścia. Może i był zazdrosny, ale najwyraźniej nie na tyle, aby nie szanować decyzji córki. To odróżniało go od starego Krzemianowskiego. Mógł mu się nie podobać partner wybrany przez córkę, lecz jej szczęście było decydujące.

Wracał do domu Słupskich, układając w głowie scenariusze rozmowy z rodzicami przyszłej żony. Czuł lekkie podenerwowanie tym, jak zareagują na wieść o ciąży i rychło nadchodzącym ślubie. Wjechał na parking posesji przyjaciela, dochodząc do wniosku, że musi jak najszybciej coś wynająć. Czas gościny powinien dobiec końca. Mimo że wszyscy traktowali go jak domownika, nadeszła pora, aby się wynieść.

– Cześć, Mikołaj. To zabawne, praktycznie razem mieszkamy, a widujemy się niezwykle rzadko. Napijesz się kawy? – zaproponowała Hania.

– Cześć, Haniu. Dziękuję za kawę. Przyjechałem się tylko odświeżyć. Jestem umówiony z Paulą. Jej rodzice zaprosili mnie na kawę. Zapewne będzie emocjonująco, wolałbym zatem nie podnosić sobie zbytnio ciśnienia. Sama rozumiesz. – Uśmiechnął się.

Stała, trzymając w dłoniach filiżanki z ręcznie malowanej porcelany. Nie dało się ukryć, że jest zawiedziona jego odpowiedzią.

– Tak sobie pomyślałem, że postaram się jak najszybciej coś wynająć. Dziś ostatecznie sprzedałem kancelarię. Pora zająć się trochę życiem osobistym. Wreszcie.

– Mam nadzieję, że…

– Nie, no coś ty. Nie bierz mojej wyprowadzki personalnie. Może to wyglądać, jakbym uciekał, ale absolutnie nie jest to prawdą. Nie mogę wam siedzieć na głowie. Poza tym Pauli przybywa z każdym dniem. Dziś powiemy rodzicom. Lada moment pewnie i tak sami zauważą brzuszek. Wtedy będzie trudniej.

Upiła łyk czarnego płynu.

– Mikołaj, ja... Jeszcze raz cię przepraszam. Nie mam nic na swoje usprawiedliwienie. Mówienie o tym, że byłam młoda i głupia, byłoby nie na miejscu.

– Nie mam do ciebie żalu. Może i czasami... – Urwał wpół zdania, chciał powiedzieć, że zastanawia się, dlaczego to zrobiła. W sumie to domyślał się przyczyny, lecz postanowił nie wyciągać swoich domysłów na światło dzienne. – Haniu, nie myśl już o tym. Prawda tamtych czasów chyba już nie jest mi do niczego potrzebna. Zapomnij o tym. Między nami wszystko w porządku. Gdybym miał jakiś wpływ na Paulę, wolałbym ją odwieść od pomysłu spotkania z Krzemianowskimi. Niestety ona się upiera. Staram się zrozumieć jej decyzję. Chcę ją wspierać. Nic dziwnego, że chce poznać swoje korzenie. Niebawem się tam wybieramy.

Była blada jak ściana. Jedynie przybrudzony kolorowymi farbami fartuch dodawał jej barw. Stała przed nim piękna, zagubiona w swojej przeszłości kobieta.

– Co malujesz?

– Ech, nic szczególnego – odparła. – Zapisałam się na kurs malowania obrazów. Próbuję stworzyć słoneczniki, chociaż do Van Gogha mi daleko – dodała, odrobinę się uśmiechając.

– Martwa natura.

– Tak... martwa... – zamyśliła się.

Uznał rozmowę za zakończoną. Był już kwadrans po trzeciej. Czas płynął zdecydowanie zbyt szybko. Mężczyzna skierował swoje kroki do łazienki.

– Mikołaj?

Odwrócił się.

– Chciałabym, abyś wiedział, że ja żałuję. Nigdy sobie nie wybaczę, że stanęłam na drodze waszej miłości. Powinnam była odszukać cię i powiedzieć wszystko, co wiedziałam. Byłam straszną egoistką i... chyba... byłam zazdrosna. – W jej oczach stanęły łzy. Odstawiła filiżankę z kawą, na zimny kamienny blat. – Sama nie wierzę, że ci to powiedziałam. Zapewne domyślasz się, dlaczego to uczyniłam. Tego jednak nie odważę się powiedzieć na głos. Niech powody pozostaną w strefie domysłów. To prawda, chyba teraz nikomu nie jest potrzebne, aby nazywać je po imieniu. Co do Pauli to wiem, że się wam uda. To cudowna dziewczyna. Piękna, mądra, dobra. Zupełnie taka jak Sterna. Na pewno ma więcej pewności siebie, co tylko jej w życiu pomaga.

Stał, przysłuchując się z uwagą temu, co mówiła. Nie miał czasu na tę rozmowę, a poza tym wolał już nie ciągnąć tego tematu. Jakie to teraz miało znaczenie? Hanna zawsze była dla niego „tylko", a może „aż" ukochaną jego przyjaciela.

– Jest w porządku, Haniu. Nie wracajmy już do tego. Nie przepraszaj – wydukał. – Chętnie napiłbym się z tobą kawy, ale naprawdę się spieszę.

– Jasne, w porządku leć. Ja... Ja też jestem zajęta.

– Słoneczniki czekają?

Spojrzała na niego zdziwiona, tak, jakby nie zrozumiała, o czym mówi.

– Słoneczniki – powtórzył. – Mówię o obrazie.

– Ach, słoneczniki. No tak, muszę wracać do pracy. To znaczy, nie muszę – poprawiła się. – Bardzo chcę. Chcę żyć dobrze. Powinnam żyć dobrze.

Nic już nie odpowiedział. Zniknął za drzwiami swojej sypialni. W pośpiechu zrzucał z siebie ubrania, ze wszystkich sił odpędzając od siebie myśli z cyklu „co by było, gdyby".

***

Położyła się na łóżku celem „spłaszczenia" brzucha. Chciała dopiąć swoje ulubione białe spodnie. Nawet jej się to udało, lecz gdy wstała, było jej tak samo ciasno, jak wtedy, gdy przed studniówką próbowała się wcisnąć w wyszczuplające majtki. Zrezygnowała. Włożyła błękitną kwiecistą sukienkę, której rękawy obszyte były białą koronką.

Była za kwadrans czwarta. Mama krzątała się na dole, czyniąc ostatnie przygotowania przed spotkaniem. W całym domu pachniało szarlotką. Szczerze, to sama nie mogła się doczekać, kiedy spróbuje tego genialnego smakołyku.

– Paulinka – zawołał ojciec. – Paulinka, możesz zejść?

Miała nadzieję, że uniknie wcześniejszego przepytywania. Próbowała udawać, że nie słyszy, lecz głos ojca przybierał na sile, przywołując ją coraz głośniej i natarczywiej.

– Tata, ja się maluję. Zaraz Mikołaj przyjdzie.

– Tylko mi nie mów, że nigdy nie widział cię bez makijażu, bo nie uwierzę.

Czyżby ojciec żartował? – pomyślała, robiąc minę wyrażającą zdziwienie.

– Powiedz mi lepiej, jak wyglądam. Mama twierdzi, że odwaliłem się jak szczur na otwarcie kanału.

Spojrzała na ojca i nie mogła uwierzyć własnym oczom. Był naprawdę elegancko ubrany. Jak nie on! Gdzie się podziała jego niezniszczalna koszulka polo, z którą praktycznie się nie rozstawał? Jej miejsce zajęła przepiękna, modna, można by rzecz nawet, że młodzieżowa bladoróżowa koszula ze srebrnymi spinkami. Nawet krawat założył. Czyżby to był ten sam ojciec?

– Błagam cię, córcia, nie milcz tak.

– Wiesz co? – zastanowiła się przez chwilę. – Wyglądasz naprawdę świetnie. Ale czy… – urwała.

– Czy co?

– Nie będzie ci za gorąco? Jest nieziemska parówa.

– W tej koszuli wyglądam jak różowa parówa. Jedna mówi, że szczur, druga, że parówa. Idę się przebrać! – wkurzył się i zaczął nerwowo rozluźniać krawat.

– Wcale nie powiedziałam, że wyglądasz jak szczur, Edziu. – W rozmowę włączyła się matka.

– Tata, zostań w tej koszuli. Nie udawaj, że nie zrozumiałeś, co miałam na myśli?

Było już za późno. Mężczyzna zdecydował.

– A dajcie wy mi święty spokój! – syknął, znikając za drzwiami garderoby.

Kobiety stały jak wryte. Obie wiedziały, co jest prawdziwą przyczyną jego zdenerwowania, lecz żadna nie miała odwagi powiedzieć tego na głos.

– Ślicznie wyglądasz, córciu. Mam wrażenie, że ostatnio odrobinę się zaokrągliłaś. Cieszy mnie to bardzo. Teraz te dziewczyny tak się głodzą. Nie wiem, co jest pięknego w kobiecie wyglądającej jak wieszak na ubrania. Kobieta musi mieć tu i ówdzie trochę ciała. Powariowali wszyscy z tą modą na anorektyczne wdzięki. O ile to w ogóle można nazwać wdziękiem. Nie masz pojęcia, jak tym dziewczynom się zęby potem psują. Wiem, co mówię. Nie dojada taka, to co się dziwić. Wapnia brakuje, minerałów brakuje. Ale co ja się tam znam. – Machnęła ręką na znak dezaprobaty. – Nawet, jak próbuję im tłumaczyć, że nie ma z czego się odchudzać, to wiedzą lepiej. Całe szczęście z tobą nie mam takich problemów. Bo wiesz, taka nadmiernie wychudzona to potem ma problemy z zajściem w ciążę. Póki młode, to o tym nie myślą, ale kiedyś będą płakać i to rzewnymi łzami.

Na dźwięk słowa „ciąża", Pauli zrobiło się tak gorąco, że musiała usiąść. Przez chwilę nawet żałowała, że nie powiedziała matce wcześniej. W sumie to miała nawet zamiar, ale jakoś tak się złożyło, że koniec końców nie dała rady.

– Wszystko w porządku, Paulinko?

– Tak, tak. W porządku.

– Chyba cię nie uraziłam? Ja nie miałam na myśli, że jesteś gruba.

– Mamo, wcale tak nie pomyślałam, po prostu trochę gorąco dzisiaj. Podasz mi odrobinę wody?

– Jasne, kochanie.

Nalała wodę do szklanki i podała ją córce.

– Proszę. Faktycznie dziś gorąco. Ale ojciec się odstrzelił, co? – Matka zasłoniła otwartą dłonią roześmianą twarz. – Szkoda, że poszedł się przebrać. Ładnie wyglądał.

Widok matki naśmiewającej się z ojca sprawiał, że Paula poczuła łączącą ją z tymi ludźmi głęboką więź. Ich dom był po prostu normalny. Taki swojski, prawdziwy, nieidealny. W tym tkwiło prawdziwe piękno. Piękno idealne.

Nagle rozdźwięczał się dzwonek do drzwi. Dziewczyna uświadomiła sobie, że przez to całe strojenie ojca nie zdążyła się pomalować. Trudno – pomyślała. – Może lepiej, aby „widziały gały, co brały", jak by to powiedziała babcia. Wstała z krzesła, przeczesała dłonią włosy i podbiegła do drzwi.

Mikołaj wyglądał zachwycająco. Aż dziw, że właśnie jej trafił się ktoś tak przystojny. Na jego widok cały stres odszedł w niepamięć. Przywitali się czule i namiętnie, jakby od ich ostatniego spotkania minęły całe wieki, a nie zaledwie kilkanaście godzin. Wręczył jej bukiet radosnych kolorowych tulipanów. Taki sam podarował matce. Zastanawiał się długo, co podarować ojcu dziewczyny, w końcu zdecydował się na butelkę najbardziej wykwintnej, dostępnej w sklepie szkockiej.

– Wyglądasz obłędnie – szepnął jej do ucha. Wydawało mu się, że nikt nie słyszy, a zgorszona mina przyszłego teścia jest tylko dziełem przypadku.

– Czego się pan napije, panie Mikołaju? – zapytała matka.

– Przepraszam najmocniej, pani Lauro. Czy to nie będzie zbyt odważne, jeśli poproszę, aby zwracała się pani do mnie po imieniu?

Wyraźnie zaimponował Laurze tym pięknie ułożonym zdaniem.

– Dobrze, Mikołaju. Wydaje mi się nawet, że już mnie o to kiedyś prosiłeś – odparła, szukając w pamięci sytuacji z przeszłości. – Czego więc się napijesz?

– Kawę z mlekiem poproszę.

– Dla mnie bez mleka. Jakby ktoś pytał. – Ojciec mruknął pod nosem.

– Nie ma problemu, Edziu. Już podaję. Ukroję od razu ciasta, abyśmy sobie potem mogli spokojnie posiedzieć, nie biegać w tę i z powrotem.

Atmosfera była delikatnie napięta. Nawet mucha latająca w pokoju nie śmiała przysiąść na śnieżnobiałym obrusie. Matka krzątała się jeszcze przez chwilę, po czym usiadła.

– Proszę, niech się pan częstuje. To znaczy, poczęstuj się, Mikołaj.

– Z przyjemnością.

Nałożył ciasto na talerzyk.

– Oj, zapomniałam o lodach!

Już chciała wstać od stołu, lecz cała trójka ją zatrzymała, zgodnie uznając, że lody przy tej wyśmienitej szarlotce są absolutnie zbędne. Przez jakiś czas wszyscy jedli w ciszy i skupieniu. Mikołajowi przypomniało się, jak swego czasu ojciec mawiał do niego „jak pies je, to nie szczeka, bo mu miska ucieka". Kłóciło się to z jego aktualnym podejściem do zachowania przy stole. Ani nie był psem, ani nie miał przed sobą miski. Postanowił więc zacząć rozmowę:

– Bardzo mi miło, że mnie państwo zaprosili. Przyznam szczerze, że już od dawna nosimy się z zamiarem, aby z państwem porozmawiać.

– Od dawna? Przecież wy jesteście razem może ze trzy tygodnie – rzekł Edward, przegryzając ostatnie okruchy ciasta. Laura spojrzała na niego wymownie. Jej wzrok bezgłośnie zwracał mu uwagę na niestosowne zachowanie.

– Tato, nie trzy tygodnie, lecz trzy miesiące, a to różnica.

– Zasadnicza, córeczko. Przepraszam – bąknął z ironią.

Powietrze między nimi coraz bardziej gęstniało.

– Przepyszne ciasto, pani Lauro. Moja mama piekła podobne. Niestety, odeszła. Ten smak mi ją przypomina. Była bardzo dobrą, wrażliwą kobietą. Paulinka jest do niej podobna, dlatego też postanowiłem się z nią ożenić.

Nie było owijania w bawełnę ani zbyt długich wstępów z cyklu chciałbym, ale się boję, albo chciałbym, ale nie wiem, co państwo na to? Mikołaj po prostu powiedział to, co chciał powiedzieć. Jego krótka, lecz zwięzła wypowiedź doprowadziła do tego, że ojciec zakrztusił się kawą. Nieoczekiwanie zaczął głośno kaszleć. Laura wyjęła mu z rąk filiżankę i energicznie poklepała go po plecach. W oczach ojca stanęły łzy. Trudno było wyczuć, czy były to łzy smutku i rozpaczy, czy zwyczajne łzy osoby, która jeszcze chwilę temu kasłając, walczyła o oddech. Po chwili umilkł, wpatrując się w... no właśnie. Sam nie wiedział, w co się wpatruje.

Chciał pomyśleć, że w parę młodą, lecz młoda była tylko jego córka. Zdał sobie jednak sprawę, że nikt tu go o zdanie nie pyta, lecz tylko oświadcza. Dodatkowo go to obruszyło. Użył całej mocy swojego wojowniczego intelektu, aby nie rzucić się na przyszłego pana młodego z pięściami. Miał ochotę pominąć wszelkie aspekty ucywilizowania i załatwić sprawę „po męsku", pokazując intruzowi, gdzie jego miejsce. Zupełnie nie spodziewał się, że przeciwnik ma jeszcze jednego asa w rękawie, który miał go tylko dobitnie pogrążyć.

– O... Zaskoczyliście nas, kochani – wtrąciła się matka. Nawet bardzo. Nie, żebyśmy byli przeciwni, prawda, kochanie?

Zwróciła się do męża, przebywającego aktualnie w strefie gigantycznie przekraczającej granice emocjonalnego komfortu. Jako że mężczyzna nie był w stanie wypowiedzieć słowa, kontynuowała najdelikatniej, jak tylko mogła.

– To poważna decyzja, córeczko. Ty, Mikołaju, chyba zdajesz sobie z tego sprawę, że... że... – zawiesiła się.

– Jak państwo widzą, mam już swoje lata i wiele w życiu przeszedłem. Niespełnioną miłość również. Gdy spotkałem Paulę, broniłem się przed tym uczuciem. Lecz coś cały czas mnie do niej ciągnęło. Dziś, korzystając z okazji, chciałbym być z państwem absolutnie szczery, bo takim jestem człowiekiem. Powiedzenie, że nic nie rośnie na jałowym gruncie, przy państwa córce nabrało innego znaczenia, jest ona bowiem... – zawahał się przez moment – ...biologicznym dzieckiem kobiety, którą kiedyś kochałem ponad życie.

– Jezus Maria... – szepnął Edward.

– Spokojnie, proszę się nie obawiać. Paulina nie jest moją córką. Ojciec Stanisławy Krzemianowskiej był przeciwny naszemu związkowi. Uważał, że na nią nie zasługuję. Byłem przecież synem pijaka. Jednak nie przeszkodziło mi to w tym, aby stać się uczciwym, zasługującym na szacunek człowiekiem. Zdaję sobie sprawę, że dzieląca nas różnica wieku jest dla państwa szokiem. Pewnie wyobrażaliście sobie innego zięcia, lecz... Dziś, mając tyle lat, co mam, z całym szacunkiem do państwa, jako że, tu znowu się powtórzę, jestem uczciwy, chciałbym powiedzieć, że tym razem nie pozwolę sobie odebrać miłości. Wszyscy tu siedzący wiemy, że właśnie to uczucie nadaje życiu sens. Utraciłem ten sens na wiele lat. Powrócił w postaci Pauli. Dlatego byłoby nam miło, abyście uczestniczyli w naszym życiu.

Leońscy zamarli. Edward siedział z wybałuszonymi oczami, nawet nie mrugając. Laura obserwowała swoją córkę. Na jakieś pięć minut nastała pokerowa cisza. Wszyscy oczekiwali na jej przerwanie, przez kogoś potencjalnie z całej czwórki najsłabszego.

– Czy to wszystko, co macie nam do przekazania? – wyłamał się Edward. Córeczko, nie odezwałaś się ani słowem. Chciałbym znać twoje zdanie, bo jak na razie, to znam tylko zdanie pana Mikołaja.

Gdyby wiedział, co usłyszy, poskromiłby z pewnością swoją rozbuchaną do cna ciekawość.

Paulina, biorąc przykład z ukochanego, postanowiła nie przebierać w słowach.

– Kocham Mikołaja. Chcę z nim być, dzień po dniu. Zwłaszcza, że… Mamo, ja nie zaokrągliłam się przypadkiem. Ja chciałam wam powiedzieć, że zostaniecie dziadkami.

– Jezus Maria. – Tym razem szepnęła matka, w duchu przepraszając za słowa, których użyła.

Paulina spuściła głowę, jakby zrobiła coś złego. Mikołaj objął ją ramieniem. Okazywał wsparcie, cokolwiek by się miało wydarzyć. Ojciec złożył ramiona na klatce piersiowej. Przez chwilę wyglądało na to, że zamknął się na wszystko, co w danej chwili go otaczało. Laura nie spuszczała go z oka, obawiając się jego reakcji. Nagle wstał i zbliżył się do córki.

– Wstań, proszę – poprosił.

Bez słowa spełniła jego prośbę.

– Niech no cię uściskam, ty nasza mamusiu…

Policzki Laury nagle zrobiły się mokre. Pospiesznie ocierała je wierzchem dłoni, chcąc ukryć swoją wrażliwość. Coś, o czym marzyła, przyszło do niej samo. Paula łkała. Przytulona do ojca poczuła się naprawdę akceptowana. Nie oceniał jej, po prostu zamknął ją w rodzicielskim uścisku tak mocno, że czuła na swym policzku przyspieszone bicie jego serca. Chciała, aby ta chwila trwała wiecznie. Pierwszy raz w życiu czuła, że zrobiła coś, co ojciec od razu zaakceptował, nie dodając zbędnych słów.

Laura wstała niepewnie, nie chcąc burzyć tak pięknie grających dźwięków życia. Podeszła do dwóch najważniejszych osób w jej życiu i się przytuliła.

Patrzący na wszystko Mikołaj pomyślał tylko, że chciałby kiedyś być takim ojcem. Wiedział też, że dzisiaj nie odwiedzą Krzemianowskich. Paula również nie miała problemu ze zmianą planów. Tego dnia pragnęła pozostać w rodzinnym domu.

***

Laura leżała w łóżku, pogrążona we własnych myślach. Jeszcze nie tak dawno planowała, że jej córka zdecyduje się wreszcie na „ich" wymarzoną stomatologię. Była przecież taka mądra i błyskotliwa. Tak naprawdę, to odkąd pojawiła się w ich życiu, nieświadomie próbowali wcisnąć dziewczynę w tylko sobie znane ramy najwymyślniejszych obrazów. Plany planami, a życie życiem. Niebawem miała zostać babcią. Przekręcała się z boku na bok, nie mogąc zasnąć.

– Edziu, śpisz? – Szturchnęła męża.

Mężczyzna się nie poruszył. Zapytała więc ponownie.

– Edziu, śpisz? – Do pytania dodała energiczne szturchnięcie jego ramienia.

– Co? Co się dzieje? Coś się stało? – zapytał.

– Pytam, czy śpisz?

– Teraz już nie śpię. Obudziłaś mnie przecież.

– Przepraszam, nie chciałam. To śpij, porozmawiamy jutro. – Odwróciła się na drugi bok, wkładając sobie między kolana kawałek kołdry.

– Skoro już mnie obudziłaś, to powiedz, o co ci chodzi?

Wiedziała, że mąż nie zdoła ponownie zasnąć, zanim nie dowie się, dlaczego go obudziła.

– Myślę o naszej Paulince. Jeszcze nie tak dawno zmieniałam jej pieluszki. Ona jest jeszcze taka młoda. Cieszę się, że jest szczęśliwa i zakochana, ale…

Po jej policzkach leciały łzy. Nie potrafiła określić ich pochodzenia. Przecież jej dziecko było szczęśliwe. O czym więcej mogłaby marzyć dla córki?

Mąż rozumiał żonę doskonale. Wyczuwał jej nastroje jak nikt inny.

– Laura, ty sobie nie radzisz z tą sytuacją?

– Ja? Skądże znowu. – Nie wiedzieć czemu, chciała ukryć to, co czuje.

– Przecież słyszę, co mówisz. Nie znam cię od wczoraj. Co się dzieje?

Nie potrafiła dłużej udawać. Z Edwardem mogła przecież porozmawiać o wszystkim. No, prawie o wszystkim.

– Co ty myślisz o tym Mikołaju?

– Teraz mnie pytasz? Jak już mleko się wylało? Odkąd pierwszy raz go zobaczyłem, czułem, że będą z tego niezłe jaja.

– Ja tam bym wolała wnusię… – Kobieta próbowała zażartować.

– Laura, nie takie jaja mam na myśli. Chociaż jeśli o tym wspomniałaś, to ja bym jednak wolał chłopaka. Męski świat jest prostszy.

– Nie rozumiem, co chcesz przez to powiedzieć?

– Kochanie, jeszcze nie tak dawno to ty broniłaś tego całego Mikołaja. Kazałaś mi być cicho, bo tracimy córkę. No, to byłem cicho. No i masz babo placek. Teraz nie pozostaje nam nic innego, jak przywyknąć do sytuacji. Nie można dziewczynie dokładać. W ciągu trzech miesięcy jej życie wywaliło się do góry nogami. Dowiedziała się, że jej rodzice nie są jej rodzicami, a jej biologiczna matka była kiedyś dziewczyną ojca jej nienarodzonego jeszcze dziecka. Ja, stary facet, się w tym gubię. Co ona ma powiedzieć? Może i mi się nie do końca to wszystko podoba, ale to nie mnie ma się podobać. To jest jej życie i musimy to uszanować, Laura, zwłaszcza że teraz to nawet nie mamy wyjścia. Proponuję ci nie rozmieniać się na drobne i zacząć się cieszyć sytuacją. Przestań wszystko analizować. Ja przestałem i zdecydowanie lepiej się z tym wszystkim czuję.

– Kto powiedział, że wszystko analizuję?

– Zawsze, jak za dużo myślisz, to pytasz mnie, czy śpię. Gdybym nie spał, tobym się odezwał od razu, prawda? A nie dopiero wtedy, jak niby przypadkiem zdzielisz mnie z łokcia.

– Wcale nie zdzieliłam cię z łokcia. Delikatnie cię głaskałam.

Zakryła usta dłonią, aby stłumić śmiech.

– Dobra, nieważne. Śpij już i przestań się zamartwiać.

– Wiesz co, ale swoją drogą to jestem ciekawa, jak Krzemianowscy na nich zareagują. Pauli to jeszcze mogą się spodziewać, ale Mikołaja to raczej nie bardzo. W sumie to nie wiem, po co młodzi grzebią w przeszłości. Mogliby żyć spokojnie.

– Nie wiesz po co?

– Nie mam pojęcia.

– To ja ci powiem po co. Prawda, choćby nie wiem jak, była pogmatwana, zawsze będzie o niebo atrakcyjniejsza niż najlepsze kłamstwo. Nasza córka przez wiele lat żyła w kłamstwie, które jej zafundowaliśmy. Oczywiście, że opakowaliśmy je w najpiękniejszy papier, ale ono nadal było kłamstwem.

– Chyba jest sens w tym, co mówisz. Nigdy nie myślałam o tym w ten sposób.

– Śpij już.

Odwrócił się na bok.

– Edziu, jeszcze jedno pytanie. Ostatnie, obiecuję.

– No... – wymamrotał.

– Co o nim myślisz? Ale tak szczerze.

– O kim znowu?

– Jak to o kim? O Mikołaju!

– Przecież przed chwilą mnie o to pytałaś.

– Ale nie odpowiedziałeś.

– Naprawdę, chcesz wiedzieć, co myślę?

– Naprawdę.

Edward zamilkł na moment, zastanawiając się, jak odpowiedzieć na to pytanie. Laura w oczekiwaniu na odpowiedź zacisnęła oczy, ciesząc się w duchu, że mąż nie widzi jej obecnego wyrazu twarzy.

– Sam się zastanawiałem, dlaczego go nie lubię. Nie chodzi o to, że jestem zazdrosny. Do tej pory nie lubiłem nikogo, kto zbliżał się do naszego płotu. Jego nie lubię w szczególny, sobie znany sposób. Powiem to tylko raz i nigdy więcej nie wracaj, proszę, do tego tematu, dobrze?

– Obiecuję.

– Nie lubię go, bo on jest taki sam jak ja. Uparty jak osioł. Wie, czego chce i nikt mu nie będzie mówił, jak ma być. Nawet taki staruch jak ja. Myślę, że naszej Paulince włos z głowy przy nim nie spadnie. Wiem, że gadam jak kobieta. Po tym, co powiedziałem, chyba jednak powinienem zacząć go lubić.

Laura oniemiała. Po prostu ją zatkało. Wyglądało na to, że w zupełności zaakceptował wybór córki. Zabawne, jak ich podejście do związku Pauli zmieniało się wraz z następującymi wydarzeniami. Nie spodziewała się po sobie chwil zwątpienia. Prędzej przypisałaby je mężowi.

– Dziękuję ci, Edziu.

– Za co?

– Za wszystko.

– Ech. Śpij już, kobieto.

Nie cierpiała, gdy zwracał się do niej w ten sposób. Lecz za to, co powiedział wcześniej, gotowa mu była wybaczyć wszystko.

– Dobranoc – wyszeptała, ocierając wilgotne oczy.

Edward już nie odpowiedział.

Nie mogła zasnąć. Wyszła z pokoju i na paluszkach poszła do sypialni córki. Dziewczyna spała tak jak zawsze, trzymając kołdrę między kolanami. Spały w ten sam sposób. Były do siebie tak bardzo podobne. Nachyliła się nad nią, pocałowała jej czoło i zaciągnęła kołdrę na odkryte plecy córki. Wciąż była taka maleńka. Jej włosy pachniały tak samo, jak wtedy, gdy była małym dzieckiem. Za szybko urosła. Zdecydowanie za szybko.

Usiadła obok i cichutko, łamiącym się głosem zaśpiewała jej ukochaną kołysankę z dzieciństwa:

Śpij Paulinko już,
Słodkie oczka zmruż,
Tyle chcesz przejść nieznanych dróg,
a tu czas na spanie.

Śpij Paulinko już,
Z gwiazdek leci srebrny kurz,
Nie dorastaj, nie masz czas,
Niech cię sen otuli.
Słuchaj mnie, ułóż się,
Ziewnij sobie, dobrej nocy to znak.
Oczy zmruż, zawsze będę cię kochać tak mocno.

Śpij Paulinko już,
Nad tobą księżyc świeci tuż,
Twój cichy sen raduje mnie.
Więc śpij, Paulinko już,
W senne trasy rusz,
nie dorastaj jeszcze, nie.

Jej oczy wypełniły się łzami. Bezgłośnie zamknęła za sobą drzwi sypialni swojego jedynego dziecka, zeszła na dół i zagrzała sobie kubek mleka. Wyciągnęła z kredensu album ze zdjęciami, usiadła w fotelu i ocierając łzy, odpłynęła do wspomnień, po krótkiej chwili dochodząc do wniosku, że jedyne, co w życiu pewne, to zmiany. Nie pozostało jej nic innego, jak tylko się z nimi pogodzić.

Z pamiętnika Pauli

Dawno nic nie pisałam, chociaż wiem, że pisanie ma na mnie wpływ terapeutyczny. Poranne strony zapisanego pamiętnika wiele razy mi w życiu pomogły. W obecnej sytuacji powinnam więc pisać. Czasami mam wrażenie, że występuję w jakimś filmie. Rolę znam tylko ja i nikt nie ma szans mi podpowiedzieć, gdy zapominam tekstu.

Mam dwie matki. Mamę Laurę i mamę Stanisławę. Ta druga nie żyje. Chociaż może powinnam ją nazwać tą pierwszą?

Kiedyś, gdy byłam jeszcze w szkole podstawowej, do mojej klasy chodził chłopczyk, który miał dwóch tatusiów. Zazdrościłam mu. Zawsze miał podwójne urodziny, podwójne święta, podwójne wakacje. Wszystko razy dwa. Zupełnie nie rozumiałam, dlaczego każdy traktuje go wyjątkowo tylko dlatego, że jego rodzice się rozwiedli. Przecież to fajna sprawa być podwójnie ważnym.

Kiedy dowiedziałam się o tym, że jestem adoptowana, poczułam odrobinę emocji tego chłopca. Doszłam do wniosku, że wcale nie jest fajnie być podwójnie ważnym. Nie jestem podwójnie ważna. Nie mogę się doczekać, gdy spojrzę w twarz biologicznym dziadkom i zapytam, dlaczego mnie nie chcieli.

Kto nade mną czuwał?

Zresztą nieważne. Ktoś musiał czuwać, skoro sploty wszystkich wydarzeń doprowadziły do tego, że zamieszkałam w domu Leońskich. Nadano mi nowe imię, które nawet lubię. Jest chyba lepsze od Stasi. Chociaż nie obraziłabym się, gdybym była Stasią.

Moje myśli są pełne chaosu. Jak ja sama. Potrzebuję się przed kimś wygadać albo chociaż wypisać. Papier przyjmie wszystko, nie oceniając. Chyba tego mi potrzeba.

Wczorajszej nocy przyszła do mnie mama. Myślała, że śpię, ale ja tylko udawałam. Przypomniały mi się czasy, gdy kłamałam ją, że śpię, a w gruncie rzeczy miałam tylko zamknięte oczy. Gdy wychodziła, włączałam latarkę i zaczytywałam się w powieściach Lucy Maud Montgomery. Rety, jak ja kochałam „Anię z zielonego wzgórza". Jeśli urodzę córkę, nazwę ją Ania i sama będę jej czytać te książki. Chociaż, może nazwałabym ją jednak Stanisława? To imię przynosi miłość. Przyniosło i mnie, i mojej mamie... Jeszcze nie wiem. Zdecyduję za kilka miesięcy.

Ale nie o tym miałam napisać. Znowu odbiłam od tematu. To przez emocjonalne rozchwianie. Trudno, teraz mam taki czas. Nie zawsze muszę być idealna. Chyba mogę trochę odpuścić. Pożyć. Wylogować się ze strefy „muszę". Chciałabym pobyć w stanie uśpienia. Odpocząć. Tylko jak odpocząć, gdy potrzeba poznania prawdy nie daje mi spokoju?

Wracając do mamy, wczoraj weszła do mojego pokoju, nakryła mnie kołdrą, tak jak robiła to kiedyś. Było mi gorąco jak diabli, ale nie odkryłam się, aby nie sprawić jej przykrości. Słuchałam, jak śpiewa moją ukochaną kołysankę z dzieciństwa. Miałam takie piękne dzieciństwo. Miałam różowy rowerek, do którego kierownicy tata przyczepił kolorowe wstążeczki. Miałam sanki z oparciem. I to nie byle jakie! Miałam miłość. Przede wszystkim miałam miłość i poczucie akceptacji. Leońscy starali się, wiem o tym. Nadal się starają.

Moja biologiczna mama najwyraźniej tego w domu nie miała. Jak sobie teraz o niej myślę, to nie jestem zła. Wszyscy jesteśmy ofiarami ofiar. Może zaczęłabym medytować? Tego jeszcze nie próbowałam. Chciałabym się oczyścić z lęku swoich przodków. Wydać na świat niczym niezmąconą duszę. Tylko czy to jest możliwe? Jestem więc ciekawa, kim są rodzice mojej biologicznej mamy. Jak na ich twarzach układają się linie zmarszczek. Teraz mogę się jedynie domyślać, ale niebawem sprawdzę to na własne oczy.

Chciałabym poznać tajemnice rodziny Krzemianowskich. Czy jestem na nich zła? Chyba nie. Nie. Zdecydowanie nie jestem. Nie zadaję pytań, dlaczego oni mi to zrobili. Wolę myśleć, że trafiając do Leońskich, wygrałam los na loterii.

Krzemianowscy nie zrobili krzywdy mnie. Zrobili ją sobie. Nie jestem ofiarą. Napiszę to teraz sto razy, aż w końcu w to uwierzę. Nie jestem ofiarą, nie jestem ofiarą, nie jestem ofiarą, nie jestem ofiarą, nie jestem ofiarą…

Nie wiem, czy uwierzyłam, ale z pewnością zrobiło mi się lżej na sercu. Chyba właśnie o to mi chodziło.

Dziś jest ten dzień. Dziś prawdopodobnie poznam prawdę. Spojrzę w oczy mojej babci, mojemu dziadkowi. Jak żyją ludzie, którzy stracili wszystko? Może niczym się nie przejmują? Lecz czy tak można?

Ech... zmęczyłam się tym grzebaniem na dnie samej siebie... Pisanie pamiętnika może jest terapeutyczne, ale męczy okrutnie.

Teraz zamknę zeszyt i bez zbędnych emocji udam się na spotkanie z prawdą.

ROZDZIAŁ 19

Zadziwiał go spokój ukochanej. Znowu była taka, jak wtedy, gdy ją poznał. Nie mógł odgadnąć jej myśli, choć nie był pewien, czy chciałby je znać. Czasami lepiej nie wiedzieć. Nie pozbawiamy się wówczas złudzeń. Przepisowe czterdzieści na liczniku wydawało się zawrotną prędkością przybliżającą ich do prawdy. Paulina wpatrywała się w widoki zza szyby samochodu. Miliony razy przemierzała te ulice, nie pomyślawszy nigdy, że chodziła po nich jej biologiczna matka. Dojechali pod wskazany adres, okrążając budynek jeszcze kilka razy. Nie mogli znaleźć miejsca do zaparkowania. Wreszcie się udało. Jakiś życzliwy kierowca czerwonego suva ustąpił im miejsca. Powolnym ruchem wtoczyli się w lukę pomiędzy innymi autami.

Mikołaj zgasił silnik i spojrzał w stronę dziewczyny. Wyglądała, jakby zastygła. Jej oczy nawet nie mrugały, co wydawało się nieprawdopodobne. Przeciętnie człowiek mruga siedemnaście razy w ciągu minuty. Kozy mrugają co trzydzieści-sześćdziesiąt sekund. Rekiny nie mrugają, lecz poruszają oczami w tył podczas jedzenia. Paula w tej chwili ani nie jadła, ani nie była rekinem, ani nie była kozą, mimo to nie zdołał zauważyć ruchu jej powiek.

– Dojechaliśmy na miejsce – poinformował ją.

Nawet nie drgnęła.

– Jesteś? – zapytał cicho.

– Co? – przebudziła się nagle.

– Jesteśmy na miejscu, skarbie. Wszystko w porządku?

– Tak, tak. Wszystko w porządku. To co? Idziemy?

– Jeśli tylko jesteś gotowa.

– Jestem gotowa.

– To idziemy.

Wysiedli z samochodu i mijając wątpliwej jakości piwiarnię, skierowali się w stronę ogromnej bramy. Trzeba było przyznać, że architektura czasów przedwojennych robiła niesamowite wrażenie. Obecnie nikt nie budował w ten sposób. Kto by inwestował? Dziś budowano szybko, nie zawracając sobie głowy zbędnymi ozdobnikami.

Wraz z przekroczeniem progu poczuli w nozdrzach zapach stęchlizny.

– Ciekawe, ile pamiętają te mury? – szepnęła Paula.

Mikołaj pomyślał o tym samym. Wilgoć panująca w budynku doprowadziła do powstania ubytków na oleistej zielonej lamperii. Ściana wyglądała teraz niczym mapa świata, wskazująca nikomu nieodkryte jeszcze tereny. Budynek nie przypominał pięknego mieszkania Krzemianowskich, z którego balkonu zwisały różnokolorowe surfinie i pnące róże. W warunkach tu panujących jedyne, co miało szansę rosnąć, to grzyby na ścianach. Paula podeszła bliżej, przyglądając się z zaciekawieniem temu, co zobaczyła. Pomiędzy jednym a drugim oskubanym kawałkiem lamperii, ktoś przy pomocy ostrego narzędzia wyrył na ścianie napis: A + M = WNM.

Dziewczyna pogładziła napis śnieżnobiałą wypielęgnowaną dłonią.

– Niesamowite, prawda?

Nie wiedział, co może być niesamowitego w obdrapanej ścianie. Milczał zatem, obawiając się, że powie coś, co zaburzy pełen tajemnicy nastrój.

– Niesamowite jest to, że ludzie potrafią kochać się wszędzie. Bez względu na okoliczności. Spójrz tylko – zwróciła się do Mikołaja. – To miejsce jest tak obleśne, że aż piękne. Jego zapach oznajmia, że był tu przynoszony chleb z niejednego pieca. WNM. Czy myślisz, że istnieje wielka nieskończona miłość?

Znowu nie wiedział, co powiedzieć. Paulina wyglądała teraz jak postać z baśni, której nigdy nikt mu nie czytał. Była piękna, a zarazem przerażająco oddalona od rzeczywistości. Oczy wypełniły jej się łzami.

– Wierzę w miłość. Odkąd cię poznałam, wszystko jest łatwiejsze. Decyzja o tym, aby tutaj przyjść, nie była dla mnie wyzwaniem. Myślisz, że istnieją granice miłości? Że można ją zniszczyć przez rozdzielenie dwojga zakochanych w sobie osób? Zbłąkane, rozdzielone dusze zawsze znajdą do siebie drogę. Teraz, gdy tu jestem, zdałam sobie sprawę, że nie jestem na tym świecie przypadkiem. Noszę w sobie duszę mojej matki. Dlatego przyciągnęłam ciebie. Pokochałeś mnie, mimo że nie miałeś takiego zamiaru.

Mężczyzna wziął wdech, jakby chciał coś powiedzieć, lecz mu nie pozwoliła. Podeszła do niego i zamknęła mu usta głębokim, pełnym oddania pocałunkiem.

– Jestem twoja – szepnęła. – Bez względu na wszystko, jestem twoja. Nawet, jeżeli jutro miałoby mnie tu nie być, na zawsze wyryję w tobie P + M = WNM. Nasza miłość jest nieskończona.

Jej zimne policzki pokryły się gorącymi łzami. Mikołaj ujął jej drobną twarz w swoje dłonie i scałował z nich słoną wodę. To, co mówiła, było piękne i zarazem przerażające. Wyglądała inaczej. Była jakby obłąkana.

– Myślisz, że jestem obłąkana?

Czytała w jego myślach? Jak to możliwe?

– Dziękuję, że ze mną przyjechałeś. Jestem gotowa na poznanie prawdy o swoim życiu.

Stali naprzeciwko siebie, patrzyli sobie w oczy i trzymali się za dłonie. Żadne z nich nie usłyszało drobnych kroków. Ich skupienie na sobie skutecznie wyalienowało cały zewnętrzny świat. Nagle obok ich stóp wylądowało małe czerwone jabłko. Stojąca w bramie kobieta upuściła siatkę. Jej zawartość rozsypała się po nierównej zniszczonej posadzce. Mikołaj pierwszy spojrzał na tę kobietę. Niemalże natychmiast go poznała.

– Mikołaj – rzekła tak dobrze znanym mu głosem.

Rozluźnił uścisk dłoni.

– Dzień dobry, pani Tereso.

– Nic się nie zmieniłeś. Wejdziesz? – zapytała, unikając patrzenia na Paulę.

– Nie jestem sam.

– Widzę – odparła. Uklękła i zaczęła zbierać porozrzucane zakupy.

Paula i Mikołaj dołączyli do niej. Zapanowało ratujące całą trójkę zamieszanie. Skupieni na jednym celu bezszelestnie usuwali ślady spożywczego bałaganu. Nagle dłoń Pauli zderzyła się przypadkiem z pomarszczoną dłonią kobiety chwytającej jabłko. Trwało to ułamek sekundy, ale spojrzenia kobiet zdążyły się spotkać.

– Ciebie też zapraszam, Stanisławo.

Paula cofnęła dłoń, przez którą przeszedł dreszcz. Teresa Krzemianowska poznała ich oboje.

– Zastanawiałam się każdego dnia, kiedy przyjdziecie. Jestem jedynie zaskoczona tym, że jesteście tu razem. To dobrze, że jeszcze coś potrafi mnie w życiu zadziwić. Mawiają, że póki człowiek się dziwi, oznacza to, że żyje. Więc chyba nie jest ze mną aż tak źle.

Stali, wpatrując się w nią i przysłuchując się temu, co mówiła.

– Bo do mnie przyszliście, prawda? Chyba, że się mylę? – zapytała.

– Tak, przyszliśmy do pani. Pani nazywa się Teresa Krzemianowska, prawda? – zapytała Paula.

– Tak, to ja. Nazywam się tak od kilkudziesięciu lat. To jak? Napijecie się herbaty?

– Napijemy się czegokolwiek – odparł Mikołaj.

– Zapraszam.

Wskazała dłonią drzwi, zapraszając ich do środka mieszkania.

Wnętrze zdawało się ogromne. Prawdopodobnie było to jedynie optycznym złudzeniem, wywołanym przez bardzo wysokie stropy. Paulina starała się nie rozglądać na boki, jednak jej starania nie miały szans z przepełniającą ją ciekawością. Zostali zaproszeni do dużego pokoju, jak go nazwała Teresa.

– Nie nazywaj mnie panią – zwróciła się do Pauliny. – Możesz mi mówić po imieniu. Nie śmiem prosić, abyś nazywała mnie babcią, byłoby to pozbawione wszelkich kompleksów – rzekła gorzko.

Paulina przemilczała jej prośbę. Na razie to trudno jej było się odezwać.

Teresa zniknęła za drzwiami kuchni, zostawiając ich samych. Mikołaj usiadł przy prostokątnym stole nakrytym komunistyczną ceratą w kratkę. Na środku stołu stała popielniczka i cukier w kryształowym pojemniku. Paula nie mogła usiedzieć na miejscu. Podeszła do kredensu, za którego szybą stały jej zdjęcia. Było ich dokładnie trzy. Na pierwszym była niemowlakiem, owiniętym w becik przystrojony prawdopodobnie ręcznie dzierganą koronką. Na klatce piersiowej miała ułożoną szatkę z wyszytym napisem „Chrzest święty Paulinki". Drugie zdjęcie pochodziło z komunii, a trzecie z bierzmowania.

– Mam jeszcze jedno. Najświeższe – rzekła, ustawiając na stole herbatę oraz ciastka z dziurką, pokryte kryształkami cukru. – Nie zdążyłam jeszcze kupić ramki.

Sięgnęła do szuflady i wyjęła z niej zdjęcie Pauli, zrobione chwilę po obronie. Podała je dziewczynie, nie spuszczając jej z oka.

– Pewnie chcesz wiedzieć, skąd mam te fotografie?

Paula milczała.

– Twój ojciec mi je przysyłał. Ten, który cię wychował. Od razu powiem, że nie mam pojęcia, kim był twój ojciec biologiczny. Tę tajemnicę moja córka zabrała ze sobą do grobu. Nigdy go nie szukaliśmy.

Serce dziewczyny biło jak oszalałe. Krew pulsowała w całym jej ciele.

– Cieszę się, że przyszliście tutaj oboje. Będzie mi łatwiej opowiadać. Miliony razy wyobrażałam sobie spotkanie z wami. Układałam w myślach, co wam powiem. Zawsze jednak widziałam was osobno. Ciebie – wskazała na Mikołaja – wyobrażałam sobie spotkać na cmentarzu. Zastanawiałam się, kiedy wreszcie Hanka ci powie, gdzie pochowano Sternę. – Ugryzła ciastko, zapijając je herbatą.

– Lubię Krakuski. Twoja matka też je lubiła – zwróciła się do Pauli. – Pamiętasz, Mikołaj, jak pakowałam je dla Staśki w woreczki? Kłamała, że jej tak smakują i prosiła, abym wkładała ich więcej. Dobrze wiedziałam, że cię podkarmia.

– Mam być wdzięczny?

– Nie musisz. Bo i za co? Gdybym mogła cofnąć czas... – urwała. – Napijesz się herbaty, dziecko? – zapytała Paulę.

Dziewczyna skinęła głową.

– Powiesz coś wreszcie? Twój głos brzmi tak samo, jak głos twojej matki. Jesteście kropla w kroplę takie same. Czasami przychodziłam pod przedszkole, aby na ciebie popatrzeć. Potem w podstawówce zaprzyjaźniłaś się z córką Hanki. Chude to takie, aż strach. Cieszyłam się, że masz przyjaciółkę. Twoja matka nie miała przyjaciółek. Miała tylko jego. – Kiwnęła na Mikołaja.

– Nie podobało ci się to najwyraźniej – przemówiła Paula.

– Mnie? A co ja miałam do gadania? Dziecko.

– Dlaczego ich rozłączyliście?

Kobieta zjadła kolejne ciastko, wypiła do końca herbatę. Szklanka odziana w metalowy koszyczek nie przestawała parować.

– Gdyby tylko Leon mógł wam o tym opowiedzieć. Niestety, nie ma szans.

– No właśnie, a gdzie jest pan Leon? – wtrącił się Mikołaj.

– Siedzi w sąsiednim pokoju.

Mikołaj zerwał się na równe nogi.

– Nie masz po co tam iść. Od lat do nikogo ust nie otworzył. Zachowuje się jak roślina. Podlewam go każdego dnia, aby do reszty nie usechł. Chociaż może gdybym wreszcie przestała to robić, wraz z nim odeszłoby ze świata całe zło, które uczynił.

– Dlaczego jest rośliną?

– Dobre pytanie. Macie czas?

Para spojrzała po sobie.

– Mamy sporo czasu – powiedziała Paula. Mikołaj wsparł ją kiwnięciem głowy.

– To dorobię jeszcze herbaty. Nie lubię jeść ciastek na sucho. Zawsze wolę maczać je w herbacie. – Wykrzywiła twarz w coś, co prawdopodobnie było uśmiechem i zniknęła za drzwiami.

Mikołaj siedział osłupiały. Jego matka mawiała zawsze, że nie należy się mścić na innych za krzywdy, które nam wyrządzili. Podobno ręka sprawiedliwego wcześniej czy później każdego dosięgnie. Czyżby Leon Krzemianowski płacił teraz za swoje występki? Dlaczego był na wózku? Chyba nie ze starości.

Teresa wróciła z kolejnym dzbankiem herbaty i dolała jej tylko sobie.

– Dlaczego pani mąż porusza się na wózku? – zapytał Mikołaj.

– Porusza się to zbyt wiele powiedziane. On na nim po prostu siedzi i gapi się przed siebie. Jak go ustawię przy oknie, to gapi się w okno, jak go ustawię na wprost ściany, to gapi się w ścianę. Kiedyś tylko tak go stawiałam, do ściany właśnie. – Spuściła wzrok. – Nie chciałam dawać mu żadnych uciech, za karę. Za to, do czego doprowadziło jego zachowanie. Potem doszłam do wniosku, że za swoje grzechy chciał zapłacić, tylko ja mu nie pozwoliłam.

– Nic nie rozumiem, czy mogłaby się pani wyrażać jaśniej?

– Jak nie będziesz mi przerywał, to wszystko powiem. Jestem już stara. Mam stare ciało i stary umysł. Nie robię nic, aby utrzymać siebie w świeżości. Kiedy mi przerywasz, trudno mi się ponownie skupić.

– Przepraszam, już nie będę.

– Nie przepraszaj. Niczego od ciebie nie wymagam. Tylko mówię, jak jest.

Rozmowa nie należała do najłatwiejszych. Głos kobiety co chwilę zawieszał się w pół zdania, zupełnie jakby tracił kontakt z rzeczywistością. Przeżuwane przez nią ciastka dodatkowo rozpraszały i tak już rozkojarzonych słuchaczy opowieści. Motała się od zdania do zdania, skacząc po tematach.

– Spokojnie, pani Tereso. Proponowałbym, abyśmy zaczęli od początku.

– Dobrze, spróbuję. – Upiła łyk ciepłego napoju i zaczęła mówić: – Zacznijmy od tego, że ja nigdy nie miałam nic przeciwko tobie. Wręcz przeciwnie. Cieszyłam się, że moja córka znalazła wreszcie bratnią duszę. Miała z kim dzielić czas, miała do kogo otworzyć usta. Nie mam pojęcia, dlaczego dzieci jej nie akceptowały. Dzieci potrafią być okrutne. Co w sercu, to na języku. Biedna była ta moja córka.

Mój mąż od pierwszych dni jej życia nie był zadowolony, że nie urodziła się chłopcem. Miał być mały Leon junior. Odkąd zaszłam w ciążę, chwalił się, że będzie miał syna. Potem twierdził, że musi oczami świecić przed kumplami, którym pępkowe obiecał. Dziewczyny nie ma co opijać przecież. Pierwsze dwa lata jej życia praktycznie się nią nie interesował. Dopiero gdy z pieluch wyrosła i zaczęła mówić, zwariował na jej punkcie. Owinęła go sobie wokół palca. Stała się córeczką tatusia. Cieszyłam się, że wreszcie jest między nimi więź. Mnie nigdy nie udało się zbudować więzi z własnym mężem.

– Odniosłem inne wrażenie. Wyglądaliście państwo na szczęśliwych – wtrącił Mikołaj.

– Pozory potrafią mylić, mój drogi. Mieliśmy wszystko. Piękny dom, piękne ubrania, piękne przedmioty, zdrowie, pieniądze i siebie, lecz… nie było miłości między nami. Stasia nie była dzieckiem miłości dwojga ludzi. Była dzieckiem miłości mojej. Kochałam ją. Tylko ona trzymała mnie przy życiu. Jak się okazuje, trzymała przy życiu również mojego męża. On odarł mnie z resztek złudzeń. Nawet nie wiecie, jak trudno jest żyć z osobą, od której oczekujemy miłości.

Poznałam mojego męża krótko po maturze. Od początku mi się podobał. Zakochałam się w nim w ekspresowym tempie. On był krótko po rozstaniu ze swoją pierwszą wielką miłością. Posprzeczali się o głupotę, nigdy nie powiedział dokładnie o co. W każdym razie tamta dziewczyna związała się z innym i bardzo szybko zaszła w ciążę. Urodziła dziecko. Leon chodził pod jej dom i przyglądał się, jak żyje. Wiem to, bo go śledziłam. Wstyd mi dzisiaj, że nie pozwoliłam mu wtedy odejść.

Byłam młoda, głupia i naiwna. Myślałam, że marzy o potomku, dlatego też szybko urodziłam Stasię. Dziękowałam za płodność, którą mnie Bóg obdarzył. Mój mąż nadal chadzał pod dom tamtej, tylko że wtedy to już nie mogłam go nawet śledzić, bo opieka nad niemowlakiem zajmowała mi wszystkie wolne chwile.

Żyliśmy tak wiele lat. Przestałam się uśmiechać, zaczęłam się brzydko starzeć. Ta zmarszczka pomiędzy moimi oczami codziennie przypomina mi o łzach samotności i cierpienia. Zapamiętaj sobie, moja panno – zwróciła się do Pauli. – Do czterdziestki mamy taką twarz, jaką nam Bozia dała, a po czterdziestce taką, na jaką zasłużyłyśmy. Ja zasłużyłam na wizerunek jędzy – dodała ciszej.

Mój mąż uśmiechał się tylko wtedy, gdy obok była Stasia. Do dziś mam przed oczami ich dwoje siedzących w wiklinowym fotelu na biegunach. To były piękne chwile.

– Dlaczego pan Leon nie zaakceptował wyboru mojej matki? Po tym, co pani mówi, znał znaczenie słowa „miłość". Wiedział, czym jest jej utrata. Dlaczego więc odebrał ją swojemu dziecku?

Powietrze zastygło w bezruchu. Stara kobieta obejmowała dłońmi szklankę, patrząc się smutnym wzrokiem w jej zawartość.

– Byłem synem pijaka. Niegodnym dziewczyny z dobrego domu – wtrącił się Mikołaj.

Teresa nie powiedziała nic. Po jej policzkach leciały łzy.

– Nawet nie wiesz, jak bardzo się mylisz, mój chłopcze.

– Nie rozumiem. Przecież byłem u was. Prosiłem, obiecywałem nie skrzywdzić. Kochałem waszą córkę.

– Wiem.

– Dziś zadawanie pytania „dlaczego" nie powinno mieć miejsca, bo siedzi z nami Paula. Gdyby nie stało się to wszystko, nie bylibyśmy dzisiaj razem.

– To prawda. Ciesz się tym zatem i nie grzeb w przeszłości. Prawdę mówiąc, jestem już trochę zmęczona. Za chwilę przychodzi pielęgniarka.

– Ale jeszcze nic nie powiedziałaś o mnie? Dlaczego mnie oddaliście? Dlaczego nie chciałaś mnie wychować? Skoro twój mąż kochał córkę tak bardzo, jak twierdzisz, powinien chyba zająć się własną wnuczką, prawda? Przelać na nią miłość!

– Powinien.

– To dlaczego tego nie zrobił?

– Naprawdę jestem zmęczona. Na dziś mam dość wrażeń.

W drzwiach pojawiła się pielęgniarka. Przywitała się grzecznym „dzień dobry", po czym poinformowała panią domu, że idzie wykonywać swoją pracę.

– Kochanie, chyba powinniśmy już iść.

– Dokąd iść? Nigdzie stąd nie wyjdę, dopóki moja szanowna babunia nie powie mi, dlaczego mnie oddali, jak jakiegoś śmiecia.

Teresa ukryła twarz w dłoniach.

– Paulinko, przyjdziemy innym razem. Może jutro, dobrze? – Mikołaj chwycił ukochaną za ramię, próbując ją wyprowadzić z mieszkania.

Dziewczyna wyszarpnęła się z jego uścisku. Była zdeterminowana. Gotowa na prawdę, tu i teraz.

– Zostaw mnie. Nigdzie się stąd nie ruszam, dopóki ona nie powie mi prawdy.

– Przecież widzisz, że pani Teresa nie jest w dobrej formie. Świat nie kończy się za godzinę. Jutro wrócimy. Nie denerwuj się, proszę.

– Powiedz mi. Słyszysz? – rzuciła nerwowo.

Kobieta milczała.

– Powiedz mi, proszę cię... – Paula zaczęła łkać błagalnie. – Proszę... Tyle lat żyłam w niewiedzy. Wychowali mnie obcy ludzie. To chyba naturalne, że chcę wiedzieć dlaczego. Dlaczego nie wzięliście mnie na wychowanie?

Teresa odkryła twarz.

– On próbował odebrać sobie życie – szepnęła.

– Kto?

– Leon... Gdybym weszła do pokoju chwilę później...

Paulina zasłabła. Nogi odmówiły jej posłuszeństwa. Usiadła na stojącej w pobliżu szafce z butami. Mikołaj podał jej wodę. Upiła łyk i jeszcze raz cichutko, niemalże błagalnie szepnęła:

– Proszę, powiedz mi prawdę.

Teresa wreszcie zaczęła mówić.

– W zasadzie to on powinien się teraz tłumaczyć, nie ja. Chociaż nie chcę zwalać na niego całej winy, bo przecież też byłam obok. On wie, dlaczego nie chciał, aby twoja matka spotykała się z Mikołajem. Ja, mogę się tylko domyślać.

Twoja matka szalała z miłości, a on wysłał ją w siną dal. Próbował odseparować. Dziś by mu się to nie udało, ale wtedy? Nie było internetu i tych wszystkich migających obrazów, za pomocą których ludzie się komunikują. Kiedyś była tylko poczta pantoflowa, a ta, wiadomo, potrafi zawodzić. Jedna baba drugiej babie, a na końcu wychodzi co innego... Nie podobał mi się ten pomysł, ale co ja mogłam? Kochałam go, nie chciałam się sprzeciwiać. Pragnęłam jego akceptacji, zainteresowania. Powinnam puścić go wolno.

Ludziom powinno się dawać wolność. Jeśli należą do nas, wrócą. Jeśli nie wrócą, to oznacza, że nigdy nie byli nasi. Leon nigdy nie był mój.

Kiedy to się stało, kiedy Stasia nie wytrzymała, całkowicie się załamał. Nie był nawet na jej pogrzebie. Sama musiałam wszystko załatwić. Kupić buty, wybrać ubranie do trumny, nawet tę przeklętą trumnę musiałam wybrać. Przymus wybrania trumny dla własnego dziecka jest najgorszym, co może spotkać rodzica. Miliony razy zadawałam sobie pytanie, dlaczego ona mi to zrobiła? Dlaczego? Przecież tak bardzo ją kochałam. Dopiero wieloletnia terapia, na którą chodziłam, pozwoliła mi zrozumieć, że ona nie zrobiła tego mnie, lecz sobie. Skrzywdziła siebie, ponieważ siebie nie lubiła, nie akceptowała. Pani terapeutka mówiła, że samobójcy w akcie czynu ostatecznego myślą tylko o sobie. Są egoistami. Na pewno nie myślą o nas, o tym, co po sobie zostawiają. Ten jej „złoty strzał”...

Nigdy nie wiadomo, czy chciała się zabić? Czy może było jej wszystko jedno?

Dziś już staram się o tym nie myśleć, ale to nie takie proste. Cały czas mam przed oczami otwartą trumnę. Wyglądała w niej jak pogrążona w śnie. Ktoś zaplótł jej warkocze. Właśnie taką z tymi warkoczami ją pamiętam. Boże, dlaczego? Dlaczego nie mogę już na nie patrzeć? Cały czas słyszę odgłosy spadającej na trumnę ziemi. Gdy zamykam oczy, widzę wielkie łopaty przebijające się przez duszące powietrze. Potem ci wszyscy ludzie chcą mi złożyć kondolencje. Nie mam ochoty ich przyjmować. Spuszczam głowę. Jestem sama. Zupełnie sama.

Leon został w domu. Nie chciał ze mną iść. Wszystko zniosłam w pojedynkę. Położyłam na grobie małą wiązankę z napisem „Ostatnie pożegnanie mojej maleńkiej córeczki”. Potem wszyscy się rozeszli do swoich domów i znów byłam sama. Ja i moja córka zakopana pod ziemią. Niby blisko, a jednak daleko.

Moja córka udowodniła, że będąc setki kilometrów od swojej miłości, zawsze pozostała jej wierna. A ja? Co z tego, że wyszarpałam od życia mężczyznę, którego kochałam, skoro on nie kochał mnie. Tylko był ciałem. Co mi po tym ciele?

Nie zrobiłam żadnej stypy. Co za durny zwyczaj ucztowania po tym, jak ktoś umrze. Przez gardło nic by mi nie przeszło. Potem cała dzielnica gadała, że Teresa na kotleta nie zaprosiła. Miałam to gdzieś...

Siedząc na cmentarzu, nie wiedziałam jeszcze, jaka „niespodzianka” czeka na mnie w domu. Nie pamiętam, jak się dowlokłam z powrotem. Marzyłam tylko o tym, aby się położyć i zasnąć. Odespać trochę ten przeklęty dzień i poprzedzające go bezsenne noce. Weszłam do domu i go zobaczyłam. Wisiał na ozdobnej belce w naszej sypialni. Kiedyś sam ją zamontował, bo chciałam przewiesić przez nią baldachim. Chciałam, aby było romantycznie. Po co mi to było? Ta pierdolona belka?

Jego szyja obwiązana była skakanką Stasi. Nie wiem, skąd znalazłam siłę, aby szybko działać. Nie pamiętam, jakim cudem chwyciłam za nożyczki, podstawiłam sobie krzesło i odcięłam go. Pobiegłam po sąsiada, a ten zrobił mu sztuczne oddychanie. Przyjechała policja i pogotowie. Z jednego dramatu płynnie wkroczyłam w drugi.

Nie protestowałam, gdy wstrzykiwano mi jakąś uspokajającą substancję, po której spałam prawie dobę. Oboje nas zabrali do tego szpitala. Wyszłam na drugi dzień wieczorem, nawet go nie odwiedzając. Piękna lekarka o kasztanowych włosach powiedziała mi tylko, że przeżył. Wszystkie funkcje życiowe zostały zachowane. Jego umysł jest sprawny do dziś, tyle że przy upadaniu z wysokości, został uszkodzony kręgosłup w odcinku lędźwiowym. Jeszcze tego brakowało, abym go łapała, gdy spadał. Przecież ja nawet nie pamiętam chwili, gdy go odcinałam! Gdybym przyszła do domu pięć minut później, w ciągu tygodnia pochowałabym dwie najbliższe memu sercu osoby!

Potem życie płynęło, dzień po dniu, tydzień po tygodniu, miesiąc po miesiącu, rok po roku. Przywykłam. Nie mam innego wyjścia. Leon milczy, chociaż przeszedł wszelkie badania, które wykluczyły innego rodzaju uszkodzenia, uniemożliwiające mu mówienie. Mimo to się nie odzywa.

Wiele razy analizowałam to, co się stało. Przez kilka lat terapii rozkładałam na czynniki pierwsze wszystko, co się wydarzyło. Jedyne, co zrozumiałam, to że nie mamy prawa podchodzić do miłości lekceważąco.

To piękne uczucie, lecz zdradliwe. Nie każdy umie się pogodzić ze stratą, ale... ale trzeba próbować. Nie pochwalam tego, co zrobiła moja córka i tego, co próbował zrobić mój mąż. Bóg daje życie i tylko on ma prawo je odebrać. Naszym obowiązkiem jest trwać na tym ziemskim padole i przynajmniej starać się cieszyć z faktu, że możemy sobie maczać ciastko w herbacie. Że mamy jeszcze te kilka zębów, aby je pogryźć. Może nie powinnam, ale... ja wciąż wierzę, że on się w końcu do mnie odezwie.

Po twarzach zakochanych leciały łzy. Wiedzieli, ile musiała kosztować staruszkę ta spowiedź. Każde jej słowo przenikało przez ich skórę, bezbłędnie docierając do serc. Żadne z nich nie miało odwagi zadawać dodatkowych pytań. Herbata w dzbanku dawno już ostygła. W oddali słychać było tylko kroki krzątającej się obok Leona pielęgniarki.

– Nie wzięłam cię na wychowanie, bo nie chciałam dla ciebie takiego życia. Kiedy odwiedzałam córkę w szpitalu, prosiła, abym oddała cię tym ludziom. Może planowała ze sobą skończyć? Może czuła, że zabraknie jej sił do walki? Co ja teraz mogę? Mogę gdybać jedynie. Co by było, gdyby, tego nie wie nikt. Postąpiłam, jak postąpiłam. Wolałam przyglądać ci się z ukrycia. Cieszyć się w samotności z twoich sukcesów. Byłam z ciebie taka dumna, jak pomagałaś Dagmarze. Serce mi się krajało, jak widziałam tę biedną Hankę pijaną w sztok! Też cierpiała z miłości. To uczucie jest wymagające. Ale co zrobić? Taki los. Pokażcie mi jedną osobę, która nie zaznała w życiu cierpienia. No właśnie...

Wybrałam mniejsze zło. Myślę, że dobrze się stało, że wychowali cię Leońscy. Dali ci dobry, ciepły dom. Dokładnie taki, na jaki zasługuje każde bez wyjątku dziecko. Tylko my, dorośli, często nie potrafimy takiego domu stworzyć. Babramy się w swoich smutkach, niedolach, pragnieniach. Grzebiemy, rozdrapujemy i szukamy piasku w skale. Ślęczymy przy niej z sitkiem, uparcie wierząc, że znajdziemy ziarenka. A wystarczyłoby się odwrócić i pójść po niego na plażę. Proste rozwiązania są najlepsze, tyle że tak trudno na nie wpaść.

Dotrwała do końca swojego monologu. Nawet odrobinę się uśmiechnęła. Nie przypominała już tej kobiety, którą była dwie godziny wcześniej. Wreszcie miała się przed kim wygadać, zrzucić z barków ciężar dawnych lat.

– Dziękuję, że mi o tym powiedziałaś.

– Byłam ci to winna.

Do pokoju weszła pielęgniarka. Zdała gospodyni relację z czynności wykonanych przy jej mężu. Zobowiązała się przyjść nazajutrz i przynieść ze sobą recepty na niezbędne leki. Teresa pożegnała ją cierpką grzecznością.

– Chyba powinniśmy się zbierać. Mikołaj, czy odwieziesz mnie do domu? Chciałabym się położyć.

– Oczywiście. Dziękujemy za gościnę, pani Tereso.

– Cała przyjemność po mojej stronie. Stasiu? – zwróciła się do wnuczki. – Czy odwiedzisz mnie jeszcze? Kiedykolwiek?

Dziewczyna odwróciła się tylko i ledwie słyszalnym głosem odparła „Do widzenia”.

ROZDZIAŁ 20

Minął miesiąc od pamiętnego spotkania w domu Krzemianowskich. Myślała o Teresie i czasami nawet miała ochotę do niej zadzwonić albo nawet ją odwiedzić. Dni niestety wypełnione były po brzegi formalnościami związanymi z wynajęciem ich wspólnego mieszkania i załatwianiem ślubu. Brzuszek stawał się coraz bardziej widoczny, co nie przeszkodziło jej w wyborze sukienki imitującej kształt syrenki. „Trudno, najwyżej będę grubą syrenką", odpowiadała Mikołajowi, gdy pytał, czy nie wolałaby jednak czegoś luźniejszego. Mężczyzna lubił jej poczucie humoru. Stawiała wesołe przecinki w ich nierzadko niewesołej rzeczywistości. Uczył się od niej tego każdego dnia, choć jego metryka wskazywałaby raczej, że to ona powinna uczyć się od niego.

– Zostawię kilka centymetrów luzu, Paulinko, a z tyłu wszyjemy delikatnie rozciągającą się gumkę. Wtedy nie będziemy się denerwowały, że za miesiąc się nie zmieścisz w sukienkę.

– Niech pani robi tak, aby było dobrze. Ja nawet guzika przyszyć nie potrafię, więc zdaje się całkowicie na panią.

– Kobieta w ciąży i taka ugodowa. Toż to skarb! – powiedziała krawcowa. – Teraz to wszystkie wydziwiają. Prawdziwa rewia mody przy tym ołtarzu. Zastanawiają się latami, czy się pobrać, potem przez kolejne lata szykują się do wesela, a pół roku po weselu się rozwodzą.

Paula spojrzała na krawcową. Nie do końca była pewna, czy dobrze zrozumiała jej intencje. Kobieta lekko się zmieszała, lecz wypowiedzianych słów nijak nie dało się cofnąć.

– Paulinko, ja przepraszam. Moja świętej pamięci matka zawsze mi powtarzała, że gębę mam niewyparzoną i zamiast paplać, powinnam zająć się tym, co umiem robić. Czyli szyciem. Ale ja zawsze coś głupiego palnę.

Z tego wszystkiego wbiła w Pauli ramię krawiecką szpilkę.

– Au!

– Przepraszam. Nie dość, że buzia niewyparzona, to jeszcze siermięga ze mnie.

Krawcowa spłonęła rumieńcem.

– Kochana pani. Proszę się tak nie denerwować, bo jak tak dalej pójdzie, na własnym ślubie będę wyglądała jak biedronka. Pani zobaczy, krew mi leci. Ma pani może jakiś plasterek?

– Mam, mam. Proszę poczekać.

Pobiegła szybko do apteczki. Ilość posiadanych przez nią plasterków w różnych rozmiarach pokazała, że wbijanie ludziom szpilek nie jest dla niej czymś rzadkim. Spryskała rankę płynem odkażającym i zakleiła ją odpakowanym wcześniej plasterkiem.

– Jeszcze raz przepraszam.

– Nic się nie stało. Jest trochę prawdy w tym, co pani mówi. – Paula podjęła temat rozwodów.

– Ależ oczywiście, że jest. Ja nigdy nie kłamię. Mówię tylko to, co zaobserwowałam. – Wyraźnie ożywiła się po usłyszanych słowach.

– U nas jest trochę inaczej. Z ojcem mojego dziecka przespałam się po kilku dniach znajomości. Na szczęście jest ode mnie dwadzieścia lat starszy, więc nie w głowie mu było, aby się od ojcostwa wymigać.

Krawcowa patrzyła na Paulinę jak na przybysza z innej planety. Gdyby nie to, że jej wargi mocnym uściskiem obejmowały potrzebne do fastrygowania szpilki, nie zdołałaby pewnie utrzymać języka za zębami. Zadzwonił telefon. Paula spokojnie wytłumaczyła ukochanemu, gdzie znajduje się zakład krawiecki.

– To mój przyszły mąż. Zaraz tu przyjdzie, chyba to pani nie przeszkadza?

– Mnie? Ależ skąd! Ale, ale, ale to… nie chciałabym się wtrącać, ale…

– Oj tam, wiem, co chce pani powiedzieć. Niby przyszły mąż nie może widzieć wybranki swojego serca w ślubnej kiecce. Coś pani powiem. Nie wierzę w te wszystkie zabobony. Jak mamy być razem, to będziemy i tyle. Jak nie jest nam pisana wspólna droga, to i wieloletnie przygotowania do ślubu nie pomogą.

– Wiesz, że ja nigdy w ten sposób nie myślałam?

– No, to błąd!

– Człowiek to się jednak uczy całe życie…

– …i głupi umiera! – dokończyła Paula.

– Dlatego nie wolno brać życia zbyt serio – rzekł męski głos, którego brzmienie skłonna była rozpoznać wszędzie, o każdej porze dnia i nocy. – Cudnie, kochanie! Wyglądasz oszałamiająco!

– Cześć, Mikuś. Piękna ze mnie rybka, prawda?

– Najpiękniejsza, jaką w życiu widziałem. Jestem szczęściarzem.

Podszedł do dziewczyny, objął ją wpół i złożył na jej ustach powitalny pocałunek.

– Przepraszam, że tak się wtrącam znienacka. Drzwi były otwarte.

– Nic nie szkodzi, proszę pana. Tak tu sobie rozmawiam z Paulinką. Mądrą pan będzie miał żonę. Bardzo mądrą – zachwyciła się, nawet nie mrugając. Paulina odsunęła się od niej delikatnie, obawiając się, że tym razem wbije jej szpilkę w inne, bardziej czułe miejsce.

– Przepraszam, nie przedstawiłam was sobie. Mikołaju, poznaj, proszę, panią Władzię. Pani Władzia szyła mi sukienkę komunijną. Tylko ja miałam niezliczoną ilość falbanek. Później jeszcze przez dwa lata sypałam w niej kwiatki na Boże Ciało. Niestety z niej wyrosłam, ale mama do dziś przechowuje tę sukienkę w pamiątkowym pudle.

– Mikołaj Klimant, bardzo mi miło panią poznać. – Schylił się, aby ucałować jej dłoń.

– Władzia, Władzia krawcowa. To znaczy Władzia Kowalska, robiąca za krawcową – poprawiła się.

– Pani Władziu, czy na dziś to już wszystko?

– Tak, kochanieńka. Ja już sobie miarę ściągnęłam, będzie wszystko tak, jak sobie życzysz. Przyjedziesz tydzień przed ślubem, jeszcze raz wszystko zmierzymy i w razie czego będzie chwila, aby coś jeszcze poprawić.

– Świetnie, bardzo pani dziękuję.

– Nie ma za co. Piękna z was para. Jesteście tacy... – Podrapała się po głowie, szukając odpowiedniego słowa. – Jesteście tacy dobrani. Jakbyście szukali się całe życie, a nie ten tego, no... po tygodniu.

– Nie rozumiem – zdziwił się Mikołaj.

Pani Władzia oblała się rumieńcem, zakrywając dłonią usta. Paula roześmiała się szczerym śmiechem.

– Opowiadałam pani Władzi historię naszej znajomości.

– Ach, tak. Mam nadzieję, że nie ze szczegółami?

– Te najpikantniejsze zostawiłam tylko dla siebie. Możesz spać spokojnie.

Pożegnali się, zostawiając krawcową w stanie osłupienia i wyszli na zewnątrz. Piękne sierpniowe słońce odbijało się w jasnych włosach dziewczyny. Trzymali się za ręce, idąc w stronę samochodu.

– Przy tobie czuję, że mam wszystko. Nie zastanawiam się już. Nie szukam odpowiedzi. Chyba przywykłem do myśli, że nigdy nie dowiem się, dlaczego Krzemianowski postąpił w ten sposób. Czasami jest mi go nawet żal. Siedzi teraz na wózku i milczy.

Paula musnęła dłonią policzek ukochanego, wyrażając w ten sposób pełną akceptację jego osoby.

– Myślałaś już o tym, czy zaprosić ich na ślub? Wiem, że umawialiśmy się, że zaprosimy tylko najbliższych, lecz kto jak kto, ale oni chyba są bliscy, jak sądzisz?

Szukała odpowiedzi w bezchmurnym niebie.

– Myślałam.

– I jak? Podjęłaś decyzję?

– Podjęłam.

– Zdradzisz mi jaką? Czy będziesz taka tajemnicza?

– Zaprosimy ich. Nie chcę pielęgnować w sercu żalów. Trzeba patrzeć do przodu. Nie zmienię przeszłości. Ale mam wpływ na przyszłość. Chciałabym, aby przyjechali na przyjęcie. Zadzwonię do Teresy i się z nią umówię.

– Bardzo dobra decyzja.

– Wiem – odparła dumnie.

– Kiedy chcesz to zrobić?

– Jak najszybciej. Babcia Terenia musi mieć czas, aby się przygotować, prawda?

Wyciągnęła telefon z torby i wybrała numer staruszki.

– Jesteś niemożliwa. Po prostu niemożliwa. – Śmiał się szeroko.

– Taką mnie pokochałeś.

– I ten, tego, po tygodniu – dodał.

– Otóż to!

Uniosła palec w górę, dając znak, że potrzebuje chwili ciszy.

– Dzień dobry, Tereso. Dzwonię, ponieważ chciałabym cię odwiedzić. Też się cieszę, że cię słyszę. Przepraszam, że nie dzwoniłam, ale miałam dużo ważnych spraw na głowie. Nie, nic się nie stało. To znaczy, stało się, ale nie chcę tak przez telefon. Czy mogłabym wpaść? Kiedy chcę? No, może jutro? Świetnie, to jesteśmy umówione. Wpadnę tak około dwunastej. Kup te ciastka z cukrem. Ostatnio wszystkie sama zjadłaś. Tym razem mogłabyś się podzielić. Dobra, dobra. Nie stresuj się, przecież ja żartuję. Sama je kupię i przywiozę. Niczym się nie martw. Okay, to jesteśmy umówione. To pa!

Mogłaby przysiąc, że głos Teresy się łamał. Ona sama była wdzięczna, że włożyła na nos okulary przeciwsłoneczne. Dzięki nim Mikołaj nie zauważył jej wzruszenia. Albo może udał, że go nie widzi. Tak czy siak, cieszyła się na spotkanie ze staruszką. Z babcią.

***

Prosto od krawcowej pojechali do domu Słupskich. Relacje między przyjaciółmi ostatnio nieco się rozluźniły, postanowili więc na powrót je zacieśnić. Mikołaj zaproponował ukochanej otworzenie się na nowych ludzi, twierdząc, że jak tak człowiek porozmawia z kimś innym, to od razu otwierają mu się oczy. Paula była temu przeciwna.

– Nie jesteśmy w stanie przyjaźnić się z wieloma ludźmi. Na stworzenie trwałych relacji potrzeba czasu. Dagmara jest moją przyjaciółką. Chyba jedyną, jaką mam, nie licząc mojej mamy. No, ale przecież mamie nie powiem o tym wszystkim, o czym rozmawiam z Dagmarą, prawda?

Słuchał tego, co mówiła. Z każdym dniem mówiła coraz więcej. Oswajała się z przestrzenią, w jakiej przyszło jej funkcjonować. Było w niej coś z kameleona. Potrafiła zmieniać ubarwienie swojej osobowości zależnie od otoczenia. Tak jak i on posiadała też oryginalny kształt ciała. Z każdym dniem podobała mu się bardziej. Była trochę dziewczynką, trochę kobietą, trochę nastolatką. Nigdy nie wiedział, w jakim nastroju ją zastanie i właśnie to nie pozwalało mu przestać o niej myśleć. Upijał się jej zapachem, wdziękiem, każdym słowem. Nie był w stanie wytrzymać godziny, aby do niej chociażby nie zadzwonić. Chciał spędzać z nią noce i witać każdy nowy dzień. Życie na odległość? To nie było możliwe.

– No nareszcie! Jesteś, mój grubasku! – Dagmara wydzierała się od progu. – Koniecznie musisz wpadać częściej, póki jeszcze twoja kula u nogi znajduje się wewnątrz ciebie. Potem jak się urodzi, to wiesz, tylko zupki, kupki i te inne.

Ble... – Pomachała dłonią przed nosem, jakby chciała odpędzić roznoszący się dookoła dziecięcy smrodek.

– Jak tyko urodzę, będę przyjeżdżać dwa razy częściej. Nie myśl sobie, że nie mam potrzeb. Ktoś będzie musiał zostać z „kulą u nogi", abym mogła się udać na terapeutyczny pedicure Nic nie robi kobiecie tak dobrze, jak czerwone paznokcie u stóp.

– Po co ci czerwone paznokcie, on cię kocha nawet z tarką na piętach. – Kiwnęła na Mikołaja. – Poza tym, podam ci numer do mobilnej kosmetyczki. Za stówkę robi wszystko. Poważnie!

– Wiedziałam, że mogę na ciebie liczyć.

Padły sobie w ramiona, jakby nie widziały się sto lat. Mikołaj wciąż nie mógł się przyzwyczaić do ich wyjątkowego sposobu wyrażania sympatii. Właśnie to było w nich najcudowniejsze. Brak konieczności ważenia słów i absolutna akceptacja.

W drzwiach pojawiła się Hania. Jej twarz wyrażała niepewność. Niby chciała się przytulić, przywitać, ale jakiś niewidzialny magnes odciągał ją nieco w tył.

– Dzień dobry.

– Witaj, Haniu. Miło cię widzieć.

Usłyszawszy te słowa, oczy Hanki rozbłysły nadzieją.

– Paulinka. Pięknie wyglądasz. Naprawdę pięknie.

– Przytulisz mnie wreszcie?

– Mogę?

– Co to za głupie pytanie. Hania! Korzystaj, póki jeszcze wystarcza ci rąk. Za chwilę będę taka wielka, że faktycznie będę zmuszona korzystać z usług mobilnej kosmetyczki.

Hanka podeszła do dziewczyny i przytuliła ją z całej siły.

– Nie myśl, że nie mam w tym interesu. – Paula szepnęła jej do ucha.

– Będę zostawać z twoją kulą u nogi. Kiedy tylko będziesz chciała. Przysięgam. – Ścisnęła ją odrobinę za mocno.

– Trzymam za słowo.

Powietrze natychmiast stało się lżejsze. Obok nóg Pauliny pojawił się Stinki. Wyraźnie obrażony, że nie odwiedzała go tak długo.

– Pieseczku mój piękny. Tak się cieszę, że cię widzę. – Wycałowała futrzaka.

– Nie wiem, czy powinnaś, kochanie. To przecież zwierzę.

– Oj tam, nic mi nie będzie. Stinkuś jest czyściutki jak pupcia niemowlaka.

– Nie sądzę – wtrąciła się Daga, ponownie machając dłonią przed nosem.

W drzwiach pojawił się Patryk, przyodziany w bokserki z wizerunkiem plemników i koszulkę na ramiączkach.

– Co tu się dzieje? O, to znowu ty? Nie dość, że w pracy się na ciebie gapię, to jeszcze tu. Matko jedyna, Hanka, chyba zrobię sobie wolne i będę malował z tobą słoneczniki.

– Jasne, już to widzę. Po dwóch godzinach odebrałbyś sobie życie pędzlem. Ty potrzebujesz adrenaliny, a nie malowania. Twój strój idealnie odzwierciedla twój charakter. – Wskazała wzrokiem na bokserki i wszyscy wybuchnęli śmiechem.

– Bardzo śmieszne. Będziecie tu tak stać w progu, czy wejdziecie?

Wszyscy weszli do środka. Hania, przejęta niezapowiedzianą wizytą z piętnaście razy przepraszała, że nie jest kulinarnie przygotowana. W końcu Patryk ulżył jej w cierpieniu i zamówił pizzę, ciesząc się jak dziecko, że przy trzech sztukach w wersji gigant, otrzymał gratis dwulitrową colę.

– Może zostawimy ten babiniec, stary? – zwrócił się do Mikołaja. – Zapraszam na tarasik, nowe mebelki żona kupiła. Ra-ta-no-we! – podkreślił.

– Jak ra-ta-no-we, to koniecznie trzeba je wypróbować. – Mikołaj pocałował Paulę w czoło i wyszedł za przyjacielem.

Meble były naprawdę piękne. Klasyczny ratan dodawał tarasowi orientalnego smaku. Mikołaj usiadł w fotelu.

– Kiedy ona je zdążyła kupić? Rano, jeszcze ich nie było.

– Dzisiaj kurier je przywiózł. Od razu zwaliła mnie z łóżka i kazała robić przemeblowanie. Dlatego tych gaci jeszcze nie zdążyłem przebrać. – Wskazał na komiczne bokserki. – No, ale nie o gaciach ani o meblach będziemy gadać. W pracy nigdy nie ma czasu, a w domu ciągle się mijamy. Powiedz mi stary, co u ciebie? Szczerze, wasza historia jest niesamowita. Nie możemy się z Hanką nadziwić. Sterna zawsze była nieprzewidywalna. Nawet po śmierci potrafi zaskakiwać. – Rozsiadł się w drugim fotelu, zdjął gumowe laczki i położył swoje nogi na przeszkolonym stoliku.

– Jeszcze tego brakowało, ja się kawy nie zdążyłam napić przy tym stoliku, a ty już swoje nogi na nim układasz – krzyknęła Hanka.

– Dobra, już dobra. Chciałem tylko sprawdzić.

Zdjął pospiesznie nogi.

– Przyzwyczajaj się. Lada moment twoja też się będzie tak darła. Tego nie, tamtego nie, to tak. Bla, bla, bla. Co za kobieta, ech… – westchnął. – Co ja bym bez niej zrobił? Nie wiedziałbym, co mi wolno, a czego nie?

Mikołajowi imponował dystans przyjaciela. Chciał się nauczyć tej całej magii olewania wielu spraw. Takim ludziom żyje się łatwiej.

– Nie mogę się doczekać. Po ślubie się wyniosę, okay? Wynająłem już mieszkanie w Mierzynie. Na razie wpuściłem tam ekipę remontową. Mają skończyć za tydzień, ale Paula upiera się, że do ślubu chciałaby mieszkać z rodzicami. Co ja mogę? Pozostaje mi tylko się z nią zgodzić.

– Nie masz innego wyjścia.

– Dokładnie.

– A jak Gośka? Jak mały? Przyjedzie na ślub?

– Wiesz, raczej Paula nie byłaby zachwycona, gdyby na naszym ślubie pojawiła się moja była żona. Chciałbym, aby Tadzio był, ale wiem, że nie będę miał szans się nim zająć.

– A Gośka się zgodzi, żeby mały był sam?

– Myślę, że gdybym ją poprosił, może by się zgodziła.

– To poproś. Zajmiemy się młodym. Hanka pali się do małych dzieci. Zobaczysz, będzie z niej babcia jak ta lala.

– U was, widzę, wszystko dobrze.

– Na razie tak. – Odpukał w niemalowane. – Uspokoiła się, maluje te swoje obrazy. Mam w domu artystkę. Naprawdę ładne te słoneczniki namalowała, co nie?

Gdyby tylko wiedział, co wydarzyło się kilka tygodni wcześniej, nie uśmiechałby się w ten sposób. Mikołaj nie powiedział przyjacielowi o tym, że zastał jego żonę z butelką whisky. Nie chciał rozgrzebywać, miał nadzieję, już zamkniętego tematu.

– Okay, porozmawiam z Gośką. Myślę, że się zgodzi. Dziękuję za propozycję.

Panowie porozmawiali jeszcze chwilę i wrócili do dziewczyn, gdzie czekała już na nich ciepła i pachnąca pizza. Patryk rzucił się na colę, pochłaniając ją prosto z butelki, za co oczywiście został przez żonę zrugany.

– Nie możesz sobie nalać do szklanki jak człowiek?

– Nie piłem coli od miesięcy. Dajże mi się nacieszyć.

– Znowu przytyjesz.

– Nie przytyję. Biegam przecież cały czas.

– Tak biegasz, chyba do lodówki i z powrotem na kanapę. Bieg z przeszkodami, na krótkim dystansie.

Miło było słuchać ich przekomarzania. Wyglądali na bardzo szczęśliwych. Ich jedyne, dorosłe już dziecko również. Ktoś obcy mógł się pokusić o stwierdzenie, że są rodziną jak z reklamy.

Przyjaciele spędzili ze sobą całe popołudnie. Rozmowy o wszystkim i o niczym działały terapeutycznie na nich wszystkich. Gdy słońce zaczęło zachodzić, Mikołaj odwiózł Paulę do domu. Po drodze jeszcze kilka razy próbował przekonać ją do tego, aby szybciej zamieszkali razem. Nie dała za wygraną.

– Całe życie ze mną spędzisz, te kilka tygodni nie ma już większego znaczenia. Chciałabym dać rodzicom trochę czasu.

Z tym argumentem nie mógł i nie chciał walczyć. Nie pozostało mu nic innego, jak tylko uzbroić się w cierpliwość.

ROZDZIAŁ 21

Wszystkie poranki wyglądały tak samo. Zanim jeszcze otworzyła oczy, skanowała całe swoje ciało, począwszy od palców stóp, a skończywszy na czubku głowy. Teraz odrobinę dłużej zatrzymywała się na swoim brzuchu, a raczej na jego wnętrzu. Biły w niej przecież dwa serca. Jeszcze mogła leżeć na plecach, lecz poradniki dla przyszłych matek informowały ją, że stan ten nie potrwa zbyt długo. Podobno będzie zmuszona pokochać pozycję leżenia na lewym boku. Gdy skończyła, wstała leniwie z łóżka i zeszła na dół. W kuchni przy stole siedziała mama, piła kawę i przeglądała promocyjną gazetkę wziętą z pobliskiego marketu.

– Ty i te bzdety, mamuś? To do ciebie niepodobne!

Matka nieco się zmieszała. Zawsze była zwolenniczką minimalizmu. Nie gromadziła zbędnej ilości rzeczy, nie robiła zapasów na promocjach, twierdząc, że ci wszyscy specе od reklamy robią ludziom niepotrzebną papkę z mózgu.

– Ach, tak wzięłam. Tata przyniósł wczoraj. Patrzę na te kolorowe obrazki bezmyślnie.

Ewidentnie coś ją trapiło. Jej spojrzenie wcale nie wyglądało na bezmyślne. Wręcz przeciwnie.

– Wszystko okay? Wyglądasz, jakbyś była chora.

– Nie, nie. Nic mi nie dolega.

Skłamała wbrew sobie. Nie lubiła oszukiwać córki.

– Dobra, powiedz mi, co jest grane.

Jeszcze chwilę się wahała. W końcu postanowiła to z siebie wyrzucić.

– Córcia. Ty byłaś u nich prawda? Wiesz, ja nie chciałam wypytywać wcześniej. To jest wasza uroczystość i to wy decydujecie, ale... Wolałabym wiedzieć, czy ich zaprosisz. Chyba muszę się do tego przygotować. Zrozum mnie, nie chciałabym być zaskoczona.

Paulina upiła łyk świeżo zaparzonej herbaty i uśmiechnęła się serdecznie. Podeszła więc bliżej i przytuliła ją z całej siły.

– Dziś jestem umówiona z Teresą.

– Z Teresą? To jesteście na „ty"? – zdziwiła się Laura.

– Tak jakoś wyszło. Trudno mi nazywać ją babcią. Wiesz, mam taką blokadę.

– Nie dziwię się. Często ją odwiedzasz?

– Nie, no coś ty. Idę w sumie drugi raz. Chciałabym ją zaprosić na ślub. Nie masz nic przeciwko?

Laura ucieszyła się, że córka pyta ją o zdanie.

– Nie mam prawa mieć nic przeciwko. To jest twoja rodzina – dodała ciszej.

Paulina złapała matkę za twarz tak, aby ta nie miała szansy odwrócić głowy.

– Posłuchaj mnie, proszę. Wy i tylko wy jesteście moją najbliższą rodziną. Ty i tylko ty jesteś moją matką, a tata i tylko tata jest moim ojcem.

W oczach Laury stanęły łzy. Paula odsunęła się od niej, sięgając po chusteczkę. Otarła matce twarz, usiadła na stojącym obok krześle i kontynuowała swoją wypowiedź.

– Mieliśmy trudny czas, to prawda. Mnie też nie było łatwo. Jeszcze kilka miesięcy temu byłam niczego nieświadomą dziewczyną kończącą studia. Teraz jestem w ciąży, wychodzę za mąż, lada chwila mam się wyprowadzić z domu, w którym mieszkałam z ludźmi, którzy nie są moimi biologicznymi rodzicami. Wiem, że nie byłam najłatwiejsza. Lecz nie możesz zaprzeczyć, że nauki, które wpajaliście mi przez lata, poszły na marne, prawda? Dzięki wam przeszłam przez to wszystko w miarę bezkolizyjnie. To wy jesteście moimi prawdziwymi rodzicami. Nic i nikt tego nie zmieni.

Laura odetchnęła z ulgą.

– Dziękuję, córeczko. Potrzebowałam tych słów. – Kobieta rozpłakała się na dobre.

– Nie rycz, mamuś, wszystko będzie dobrze. Całe życie mi to powtarzałaś. Myślisz, że jestem w stanie zapomnieć, co dla mnie zrobiliście? Mało jest ludzi o takim sercu.

– Po prostu cię kochamy.

– Wiem. Dlatego też nie czuj zagrożenia. Od jakiegoś czasu widzę, że coś z tobą nie tak, a kiedy już zobaczyłam cię przeglądającą to coś – wskazała na gazetkę – to uznałam, że rozmowa jest tu absolutnie konieczna.

– Dziękuję.

– To raczej ja powinnam ci podziękować.

– Oj tam, bez przesady. Za chwilę sama będziesz matką, zobaczysz, jak to jest.

– Straszysz mnie? – Po tych słowach Laura nareszcie się roześmiała.

– Nie, kochanie. Nie straszę. Bycie matką to najcudowniejsze doświadczenie, jakie można sobie w życiu wyobrazić. Kiedyś myślałam, że jestem inną matką, gorszą, mniej ważną. Dlatego, że cię nie urodziłam. Nie było mi dane poczuć twoich ruchów w swoim ciele. Długo cierpiałam z tego powodu. Nikt nie wiedział, że jesteś dzieckiem adoptowanym. No, może kilka osób, ale naprawdę niewiele. Zabawne było to, jak ludzie czasami mówili, że jesteś do mnie podobna. Zamiast się cieszyć z komplementów, wymyślałam problemy. Teraz jak o tym myślę, dochodzę do wniosku, że największe ograniczenia tworzymy sobie sami. Nie popełniaj mojego błędu, córeczko. Nie myśl za dużo, nie analizuj. Ciesz się tym, co jest. Wiedziałam, że nadejdzie ten moment, kiedy będziesz chciała poznać prawdę. Oboje z ojcem wiedzieliśmy. Jest mi trudno się tobą dzielić, ale wiem, że muszę pozwolić ci żyć twoim życiem.

– Jesteś najlepsza.

– Paulinko, przepraszam, że tak skaczę po tematach, ale ostatnio ciągle się mijamy. Naprawdę nie chcecie wesela?

– Naprawdę. Nie jest to nam do niczego potrzebne. Ty chyba powinnaś to rozumieć.

– Babcia Róża będzie załamana. Dzwoniła do mnie wczoraj i prosiła, abym na ciebie wpłynęła.

– Nie ma mowy.

– Dobrze, już dobrze. Cóż, powodzenia u Krzemianowskich.

– Dzięki, pozdrowić Teresę?

To pytanie zaskoczyło Laurę. Jąkała się przez chwilę, po czym odparła.

– Tak, pozdrów. Pozdrów serdecznie. Od nas. To znaczy ode mnie i od taty.

– Tak zrobię.

Poranna rozmowa podziałała na kobiety oczyszczająco. Laura poszła do pracy nieco lżejszym krokiem i jakby w lepszym nastroju. Paulina postanowiła odwiedzić Teresę sama. Zadzwoniła do Mikołaja i poprosiła, aby to zrozumiał. Mężczyzna nie miał innego wyjścia, jak tylko zaakceptować decyzję wybranki. Poprosił ją tylko, aby zadzwoniła po spotkaniu, to po nią przyjedzie.

Do centrum pojechała miejskim autobusem. Bardzo lubiła czasami wysiąść ze swojego bezpiecznego wygodnego życia, pełnego cywilizacyjnych wygód. Odkąd była z Mikołajem, zapomniała o urokach komunikacji miejskiej. Jazda zwykłym autobusem dla wielu nie była niczym nadzwyczajnym. Z chęcią zamieniliby się z nią miejscami, przesiadając się do auta Mikołaja. Ona jednak potrafiła cieszyć się z rzeczy zwykłych, dzięki którym tworzyła tylko sobie dostępny niezwykły świat.

Gdy wysiadła, wstąpiła do sklepu spożywczego, kupiła paczkę herbatników z cukrem, tak jak obiecała Teresie, i podreptała pieszo w stronę ulicy Śląskiej. Przekraczając próg kamienicy, czuła lekkie zdenerwowanie. Chłód korytarza natychmiast wziął w objęcia jej rozpalone letnim słońcem ramiona. Zapach wilgoci nie wydawał się już tak odrzucający, jak wtedy, gdy była tu ostatnim razem.

Podeszła do drzwi mieszkania i zanim zdążyła zapukać, ujrzała w nich Teresę. Zdziwiła się nieco. Nie była w stanie wykrztusić z siebie słowa.

– Widziałam cię przez okno – powiedziała Teresa.

– Chcesz powiedzieć, że mnie wyczekiwałaś?

Kobieta nieśmiało kiwnęła głową. Mimochodem zerknęła na trzymane przez Paulinę ciastka.

– Ja też kupiłam, i to dwa opakowania. Aby nie zabrakło. Wybacz, że ostatnio wszystko zjadłam sama.

– Byłaś głodna, to zjadłaś. Nic nie szkodzi – przewróciła żartobliwie oczami.

– Wejdź, proszę. – Teresa odsłoniła wejście.

– Cieszę się, że jesteś.

– Ja też się cieszę.

Rozmowa średnio się kleiła. Po wymianie zdań na bezpieczne tematy związane z pogodą i samopoczuciem nastała cisza.

– Naprawdę się cieszę, że nas odwiedziłaś. To dla mnie wiele znaczy.

– Już to mówiłaś.

– Wiem, przepraszam.

– Mam wrażenie, że odwiedziłam tylko ciebie. Co u Leona?

– Ach, to co zwykle. Siedzi. Opowiadałam mu o waszej wizycie. Wydaje mi się, że jego twarz zmieniała kolory pod wpływem moich słów. W sumie to jestem tego pewna. Cały czas wierzę, że jeszcze kiedyś się odezwie. Dziś, gdy przyjedzie pielęgniarka, chciałabym wyjść z nim na spacer. Sama nie daję już rady przepchać go przez wysoki próg. Pani Krysia jest na szczęście tak uczynna, że z własnej woli mi pomaga. Nie muszę jej dodatkowo płacić. Są na świecie jeszcze dobrzy ludzie. Wystarczy się tylko dookoła rozejrzeć.

Paulina zadumała się przez chwilĘ nad tym, co powiedziała Teresa. Miała rację. Samotni ludzie często szukają przyjaźni w sieci. Wtedy zazwyczaj stają się jeszcze bardziej samotni. A wystarczyłoby tylko szerzej otworzyć oczy.

– Może ci pomogę z tym spacerem?

– Ty? Naprawdę? Trzeba wiele siły, aby pchnąć ten wózek przez próg…

Dziewczyna zapomniała, że stan, w którym przebywa, niejako ją ogranicza.

– No tak, niestety nie mogę ci pomóc. Jestem w ciąży.

Teresa zapomniała o oddechu. Nie wiedziała, jak się zachować. Od konieczności skomentowania sytuacji uratował ją gwiżdżący w kuchni czajnik. Wybiegła nadspodziewanie szybko, zupełnie zapominając o tym, że jej wiek powinien ograniczać fizyczne zapędy. Paula zdziwiła się takim zachowaniem. Przeszło jej nawet przez myśl, że Teresa bała się, że się zarazi. Zupełnie niepotrzebnie zresztą, bo przecież ciąża nie jest chorobą. Gospodyni na szczęście po chwili wróciła z tacą, na której stał dzbanek z herbatą, ciastka i cukier w kryształowej cukierniczce.

– Ja to zrobię, usiądź, proszę. – Paula przerwała jej czynność nalewania herbaty. – Widzę, że się denerwujesz?

– Chyba tak.

– Zaskoczyłam cię – stwierdziła.

– Tak, zaskoczyłaś.

– Tym, że tu jestem, czy tym, że jestem w ciąży?

Kobieta sięgnęła po ciastko, zatrzymując dłoń kilka centymetrów przed ustami.

– Przepraszam, zanim tu przyszłaś, obiecałam sobie, że nie będę się rzucać na te ciastka. Chrupanie ich jest odruchem bezwarunkowym. Uspokaja mnie. Dobrze, powiem to, nie potrafię się przy tobie rozluźnić. Nie przestajesz mnie zaskakiwać wszystkim. Najbardziej tym, że jesteś do niej taka podobna.

– Jedz śmiało, mamy przecież trzy paczki – rzekła dziewczyna, skupiając się na ciastkach i zgrabnie ignorując ostatnie zdanie Teresy.

Teresa posłusznie wsunęła herbatnik do ust, popiła szybko herbatą i zaczęła się śmiać z siebie samej. Paulę rozśmieszył widok staruszki. Do tej pory myślała, że tylko małe dzieci potrafią w takim pośpiechu pałaszować łakocie. Kobiety śmiały się, przełamując wiszące w powietrzu niewidzialne lody.

– Nic nie widać – Teresa wskazała na brzuch. – To chyba początek, prawda?

– Termin porodu wyznaczono na luty.

– Gratuluję.

– Dziękuję. Będziesz prababcią.

Teresa podrapała się po siwej głowie.

– Kiedy mnie ostatnio zapytałaś o to, czy jeszcze kiedyś cię odwiedzę, nie byłam w stanie odpowiedzieć. Musiało upłynąć trochę czasu. Dzisiaj chciał przyjść ze mną Mikołaj, ale wolałam odwiedzić was sama. Chyba zdążyłaś się domyślić, że jesteśmy parą. To jest jego dziecko.

– Życie nauczyło mnie tego, że niczego nie wolno się domyślać, moje dziecko. Póki ktoś nam czegoś nie powie, nie ma co samemu wymyślać różnych teorii.

Nazwała dziewczynę „moje dziecko". Trochę dziwnie to brzmiało dla uszu Pauli, lecz powstrzymała się od komentarza.

Teresa znowu podrapała się po głowie, szukając miejsca dla palców świadomie pozbawionych trzymania ciastka. Chyba myślała, co powiedzieć. Wreszcie najzwyczajniej w świecie pogratulowała jeszcze raz, szczerze ciesząc się szczęściem Pauliny.

– Co robisz czwartego września? To znaczy, co robicie. Bo jeśli nie macie w planie tańców albo nie wiem, może skoku na bungee, to chciałabym wam coś zaproponować.

Staruszka wyprostowała plecy. Chciała przyjąć godną postawę.

– Biorąc pod uwagę pewne ograniczenia, to na tańce Leon raczej nie da się namówić. Jeśli chodzi o skok na bungee, to wstyd się przyznać, ale ja nawet nie wiem, co to jest.

– To taka gumowa lina.

– Lina? Gumowa? A po co?

– Nieważne. To był tylko taki przerywnik.

– Próbuję za tobą nadążyć, Stasiu. To znaczy, Paulinko – poprawiła się.

– Nazywaj mnie, jak chcesz. Nie mam z tym problemu.

– Naprawdę?

– Jasne.

– Dziękuję w takim razie. Wróćmy jednak do tematu. Miałaś dla mnie jakąś propozycję.

– Ach tak, no widzisz. O mało co zapomniałabym, że przyszłam zaprosić was na nasz ślub.

Teresa najpierw poprosiła Paulinę, aby ta powtórzyła wypowiedziane wcześniej słowa, potem siedziała przez dłuższą chwilę, nie dając żadnych oznak życia, wreszcie przykryła twarz dłońmi i się rozpłakała.

– Ty ciągle płaczesz! Opanuj się, Terenia. Ślub to radosna nowina, chyba że się mylę. Będziesz miała okazję wskoczyć w ekstra kieckę i pocieszyć się trochę życiem. Co prawda, nie robimy wesela, ale jak znam mojego ojca, to bez tańców się nie obędzie. Mam nadzieję, że jakoś to przeżyję. Terenia, słyszysz mnie? Powiedz mi, proszę, gdzie jest toaleta. Bardzo chce mi się siusiu. Jak wrócę, to chcę cię zastać ogarniętą.

Teresa wskazała na frezowane drzwi, pomalowane białą farbą, za którymi chwilę później zniknęła dziewczyna. Gdy wróciła, gospodyni uporała się z własnymi emocjami. Jedynie stos zasmarkanych chusteczek zdradzał wylane wcześniej łzy.

– Nie oceniasz mnie, prawda? – zapytała Teresa.

– Ja? A kto mi daje takie prawo? Moja mama, to znaczy Laura, powiedziała mi dziś rano, że mam za dużo nie myśleć. Ona zawsze ma w rękawie jakieś złote rady. Trudno jest żyć z tą kobietą naprawdę. Zresztą, kto jest bez winy, niech pierwszy rzuci kamień.

– Jesteś taka mądra. Jak twoja matka.

– Rozumiem, że zaproszenie przyjęte? Zmienisz swój depresyjny image na ten dzień i wskoczysz w coś kolorowego?

– Depresyjny image?

– Oj, przepraszam. Ubierz się, jak chcesz, byle nie na czarno. Ja tam w sumie w zabobony nie wierzę, ale moja babcia Róża jak zobaczy cię w czarnych ciuchach, to gotowa przegonić z urzędu. Podobno na śluby trzeba ubierać się kolorowo. Przynosi to szczęście młodej parze. A chyba chcesz, abym była szczęśliwa, co nie?

– Niczego na świecie nie pragnę bardziej. To będzie najszczęśliwszy dzień w moim życiu.

– No raczej.

– Nie wiem, jak ci dziękować. Wniosłaś w moje życie powiew radości. Już nie pamiętam, kiedy oddychałam.

– A, to źle. Oddech jest bardzo ważny. Powinnaś się na nim skupiać. Człowiek bez jedzenia wytrzyma około czterdziestu dni. Bez picia, nie wiem. Tydzień? A bez oddechu? No właśnie. Ja codziennie przez kwadrans skupiam się tylko na oddychaniu. Skanuję wtedy całe swoje ciało. Wypełniam je świeżym tlenem. Powinnaś spróbować. Poważnie.

– Nie wiem, jak ci się za to wszystko odwdzięczyć?
– Ja wiem.
– Proś o cokolwiek. Jestem ci tak wiele winna. Niestety, czasu nie da się cofnąć.
– Przestań ciągle biadolić, Terenia.
Staruszka wyglądała teraz na szczerze rozbawioną.
– Wiesz, że nikt się tak do mnie nigdy nie zwracał.
– Naprawdę?
– Naprawdę.
– To źle, Terenia. Masz całkiem fajne imię. A jeśli już tak bardzo chcesz się odwdzięczyć, to możesz mnie zabrać na wasz dzisiejszy spacer.
Teresa zgodziła się natychmiast. Wydawało się, że jest zadowolona z takiego obrotu sprawy. Kilkakrotnie jeszcze zapytała Paulinę, czy jest gotowa na widok dziadka. Gdy dziewczyna się zgodziła, w babcię Terenię wstąpiło nowe życie. Zadzwoniła do pielęgniarki, prosząc, aby ta przyjechała nieco wcześniej.
W trakcie oczekiwania na pomoc kobiety dolewały sobie herbaty i jadły ciastka, rozprawiając o wydarzeniach z przeszłości. Teresa wyciągnęła pamiątkowe pudło, w którym przechowywała skarby z życia swego nieżyjącego dziecka. Zatrzymywała się nad każdą pamiątką, opowiadając stosowną anegdotę. Niczym nie przypominała teraz zgorzkniałej staruszki sprzed miesiąca. Tętniło w niej życie tamtych lat. Gładziła fotografie pomarszczonymi palcami, dumnie spoglądała na świadectwa z czerwonym paskiem, zadając Paulinie pytania o to, jak wyglądało jej dzieciństwo i czasy, gdy była nastolatką. Słuchała przejęta, uczyła się na pamięć każdego słowa.
Około godziny trzynastej przerwała opowiadanie, ze strachem w oczach informując wnuczkę, że musi nakarmić męża.

Paulina oświadczyła spokojnie, że nie widzi w tym najmniejszego problemu i chętnie jej potowarzyszy. Teresa odgrzała rosół i nalewając go do śnieżnobiałych małych miseczek, zapytała:

– Zjesz z nami?

– Z przyjemnością – odpowiedziała Paulina.

Staruszka położyła na tacy miseczki z zupą.

– Zjemy z Leonem. Chodź – rzekła do wnuczki.

Paulina weszła za nią do tajemniczego pokoju. Pomieszczenie urządzone było w inny sposób niż reszta mieszkania. Jasnozielone ściany sprawiały wrażenie optymistycznych. Białe jednoosobowe łóżko, dostosowane do potrzeb ludzi starszych, ustawione było na środku pokoju tak, aby z każdej strony był do niego dostęp. Na jasnych komodach stały różnokolorowe storczyki, znajdujące się obecnie w fazie kwitnienia. Wyglądało to na tyle imponująco, że Paulina szerzej otworzyła oczy.

– Leon, masz gościa.

Mężczyzna ani drgnął.

– Leon, odwiedziła nas Stasia. To znaczy, Paulinka. Opowiadałam ci o niej.

Odwrócił głowę w stronę Pauliny, mierząc ją wzrokiem z góry na dół i na odwrót.

– Dzień dobry – przywitała się.

Nie odpowiedział. Przeniósł wzrok na miseczkę zupy.

– On się cieszy, że cię widzi. Poznaję to po jego oczach. Tylko nic nie mówi. Prawda, Leoś? Cieszysz się? Paulinko, usiądź sobie przy stoliczku. Zjedz w spokoju, a nami się nie przejmuj. My zawsze jemy razem, to znaczy ja karmię Leona i w międzyczasie zjadam swoją porcję.

Paula usiadła przy wskazanym przez Teresę stoliku i zaczęła jeść. Jeszcze nigdy nie jadła w takich warunkach.

Atmosfera posiłku przepełniona była takim rodzajem miłości, jaki ciężko było jej sobie wyobrazić. Terenia karmiła swojego sparaliżowanego męża, który ufnie zjadł z jej ręki całą zupę. Sposób, w jaki wycierała mu usta, nieznacznie się do niego uśmiechając, można było porównać do tego, w jaki matka dba o swoje dziecko. Może nie była idealna, lecz była prawdziwa. Prawda biła z każdej komórki jej ciała.

– Rosół był pyszny. Dziękuję. Może posprzątam? – zapytała Teresę.

– Ja posprzątam. Posiedź tu z Leonem. Kochanie, obiecałam Paulince wspólny spacer. Zaraz przyjdzie pani Krysia, zmieni ci cewnik i pójdziemy trochę na powietrze.

Ustawiła puste miski na tacy i wyszła z pokoju, zostawiając Paulinę sam na sam z nim. Ciszę między dwojgiem ludzi wypełniała brzęcząca obok jego nosa mucha. Leon wykonał nieporadny gest dłonią, jakby chciał ją odpędzić. Po chwili wyraźnie zmęczył się tą czynnością. Paulinie przeszło przez myśl, że ma tak słabe dłonie, że nawet nie może samodzielnie odgonić muchy. Z kuchni dochodziły odgłosy lecącej z kranu wody potrzebnej do umycia naczyń. Terenia prawdopodobnie celowo zostawiła ich samych.

Paula zaskoczona swoją odwagą podeszła do niego jeszcze bliżej. Nie miał możliwości ucieczki wzrokiem. Jedyne, co mógł zrobić, to zamknąć oczy, lecz tego nie uczynił. Ich spojrzenia się spotkały. Mogłaby przysiąc, że zobaczyła w nich żal.

Do pokoju wróciła Teresa, prowadząc za sobą panią Krysię. Pochwaliła się pielęgniarce, że nakarmiła męża i jest on prawie gotowy do spaceru. Pani Krysia wyprosiła obie panie z pokoju swojego podopiecznego, tłumacząc wesoło, że ma z panem Leonem do pogadania. Po chwili wyszła, informując je, że mogą zabrać przystojniaka na spacer.

Cała przygotowawcza operacja była dość zabawna. Wszystko przebiegało naturalnie. W trakcie spaceru pozwolono jej nawet popchać wózek. Czuła się nieco dziwnie, ale nie było to uczucie odpychające. Paula oznajmiła Leonowi, że niebawem zamierza przychodzić do niego z jego prawnuczką i wtedy, kto wie, może urządzą jakieś wyścigi wózkowe? Jeśli oczywiście silna pani Krysia wyrazi zgodę na wzięcie w nich udziału. Leon na ten pomysł zareagował błyskiem w oku.

Po niespełna godzinie wróciły. Paula zadzwoniła po Mikołaja, który obiecał za kwadrans ją odebrać. Usiedli więc na ławce przed domem. Pani Krysia przez większość czasu rozmawiała przez telefon. Na pewno nie chciała im przeszkadzać.

– Dziękuję wam za ten dzień. Cieszę się, że was poznałam.

– To my się cieszymy.

– Widzimy się na ślubie, tak? Panie Leonie? Może kiwnąłby pan głową chociaż? – zwróciła się do mężczyzny, rozbrajając tym pytaniem Teresę.

– Jesteś niemożliwa. Tyle w tobie radości. Zwracaj się do niego po imieniu. Wystarczy Leon.

– Okay, Leon. Mam nadzieję, że się wystroisz. Ślub wnuczki zobowiązuje. Ja już z Terenią ustaliłam zakaz czarnych strojów. Także wiesz, zastanów się, w czym chcesz wystąpić i powiedz to swojej żonie. Jak tak będziesz milczał, to ubierze cię w coś niestosownego i co wtedy? Nie chciałabym być w twojej skórze, jak cię babcia Róża zobaczy. Ona ma świra na punkcie tych wszystkich przesądów. Jest bardzo uduchowiona. Ostatnio nawet jogę zaczęła ćwiczyć i upierała się, abym do niej przyjechała i pochwaliła ją za to, jak fantastycznie stoi w pozycji drzewa. Odparłam jej, że nic nie przebije tego, jak ja świetnie potrafię leżeć w pozycji trupa. – Sama nie wierzyła, że to powiedziała. Ale po tym wywodzie staruszek wykonał dziwny grymas twarzy, który jakby się uprzeć, mógł nawet być zakwalifikowany do uśmiechu. Może jeszcze nie wszystko stracone? Może uda im się zrekonstruować utracone przed laty relacje?

Pożegnała Krzemianowskich. Tuż za zakrętem czekał na nią Mikołaj. Gdy opowiedziała mu, co się wydarzyło, nie mógł wydobyć z siebie słowa. Jego ukochana niewątpliwie miała w sobie dar zjednywania sobie ludzi. Nawet kogoś takiego jak stary Krzemianowski.

– Kropla drąży skałę? – wydusił z siebie Mikołaj.

– No, raczej – odparła z uśmiechem na ustach.

ROZDZIAŁ 22

Teresa Krzemianowska nie przestawała myśleć o swojej odzyskanej wnuczce. Każdego poranka budziła się z uśmiechem na ustach i idąc za radą Pauli, próbowała skanować swoje ciało. Nie było to proste. Leżenie w bezruchu przez piętnaście minut i skupianie się tylko na oddechu, początkowo graniczyło z cudem. Zamiast centralizować się na rękach, nogach, brzuchu i innych częściach ciała, myślała o tym, o której godzinie Krysia przyjjdzie zmienić cewnik Leonowi, co ma przygotować na obiad, czy zdążą przed deszczem wyjść na spacer i jak ma się ubrać na ślub własnej wnuczki, skoro w jej szafie znajdują się tylko i wyłącznie sukienki w „depresyjnych" barwach.

Jeszcze nie znała babci Róży, a już obawiała się, jak ta oceni jej image, czy coś w tym stylu. Zauważyła, jednak że po tej całej praktyce świadomego oddychania i skanowania ciała, stała się o wiele spokojniejsza. Już nie martwiła się na zapas. A jeśli już się martwiła, to jakoś tak mniej. Oddychanie ją uwalniało. Sprawiało, że czuła się lżejsza o toksyczne, nagromadzone w jej ciele emocje. Nigdy nie wpadłaby na myśl, że taka z pozoru błaha czynność tak znacznie wpłynie na jej życie. Zauważyła też, że Leon również jakby był pogodniejszy. Gdy wchodziła do zielonego pokoju, reagował na jej obecność ruchem głowy, co oznaczało, że zwracał na nią uwagę. Do tej pory zauważał jedynie muchy latające w pobliżu jego nosa.

Czwarty września zbliżał się wielkimi krokami. Teresa opowiedziała pani Krysi, że wnuczka zaprosiła ich na ślub. Pani Krysia zaproponowała jej wspólne wyjście do świetnego butiku, do którego można wejść prosto z ulicy, bez konieczności zagłębiania się w trudne labirynty centrów handlowych. Wybrały się tam pewnego dnia i zaszalały.

Błękitny zestaw składający się z bluzki i ołówkowej spódnicy idealnie podkreślał skrywane przez Teresę do tej pory kształty.

Gdy przeglądała się w lustrze sklepowej przymierzalni, jej oczy błysnęły zapomnianym dawno blaskiem. Zakupiła również krawat dla Leona, w odcieniu idealnie dopasowanym do jej zestawu. Nie pamiętała już, kiedy ostatnio była taka szczęśliwa.

Gdy wróciła do domu, pokazała wszystko mężowi. Przyglądał się tylko z zaciekawieniem.

– Naprawdę się cieszę, że pójdziemy na ten ślub. Zobacz, Leonie, miałam rację. Nigdy nie jest tak, że klęska trwa wiecznie. Wszystko przemija. Nawet ból, prędzej czy później, przybiera inne barwy. Boli mniej, zaciera się, czasami nawet znika. Mój ból nigdy nie zniknie, ale z każdą chwilą staje się trochę bledszy. Cieszę się. Po prostu się cieszę. – Podrapała się w głowie, jakby nie dowierzając, że to się dzieje naprawdę, po czym wróciła do swojego monologu.

– Może i nie kochałeś mnie tak, jakbym to sobie wyobrażała, ale spędziłeś ze mną całe życie. Jesteś tutaj i jestem ci za to wdzięczna. Chyba nie było ze mną aż tak źle, co? Znam więcej twoich tajemnic, niż ci się wydaje. Wiem, gdzie spędzałeś wieczory, podczas gdy ja zajmowałam się dzieckiem. Od zawsze to wiedziałam. Jak człowiek jest zakochany, to czuje niemalże z zegarmistrzowską dokładnością stany, w których przebywa jego druga połówka jabłka. Ty byłeś, jesteś i zawsze będziesz moją drugą połówką jabłka. Nie patrz tak, mówię samą prawdę. Od czasu, nazwijmy to twojego „wypadku", nigdy ci tego nie mówiłam, ale teraz to powiem. Kocham cię. Nawet jak siedzisz i się nie odzywasz. Nie pozwolę cię oddać. Póki śmierć nas nie rozłączy. Ja będę.

Chcę ci powiedzieć jeszcze jedno. Czuję, że nadeszła pora, aby powiedzieć Mikołajowi, dlaczego tak bardzo go nie lubiłeś. Jesteś mu winien prawdę. Nie chcesz mówić? Rozumiem. Będę więc twoimi ustami, rękami, czynami…

Nie martw się. Wszystko będzie dobrze.

Leon słuchał monologu swojej żony. Łzę leniwie spływającą po jego policzku Teresa potraktowała jak przyzwolenie na wyjawienie prawdy, która na wszystkich miała zadziałać oczyszczająco.

***

Zgodnie z życzeniem młodej pary po uroczystości wszyscy mieli się udać na skromne przyjęcie. Dagmara z Patrykiem nie byliby sobą, gdyby nie zorganizowali rekordowej ilości balonów, jaką zdołała pomieścić Restauracja nad Jeziorkiem. Gdyby tylko nie kazali właścicielom lokalu dmuchać tychże balonów własnymi ustami, byłoby o niebo przyjemniej. Nikt jednak nie odważył się im sprzeciwić.

– Niecodziennie wydaje się przyjaciółkę za mąż, prawda tato? – zwróciła się do ojca. – Jako świadkowie musimy trzymać poziom tej imprezy.

– Jak zawsze się z tobą zgadzam, córcia. – Patryk zasalutował niczym żołnierz na warcie.

Dopiero Hania okiełznała ich dyktatorskie zapędy.

Uroczystość zaślubin przebiegła w iście wzruszającej atmosferze. Zespół muzyczny, bez najmniejszej skazy na żadnym dźwięku, przygrywał wybrane przez młodą parę utwory. Wybrzmiały takie hity jak: *Wszystko mi mówi, że mnie ktoś pokochał*, *Chodź, pomaluj mój świat* czy *Zabiorę cię, właśnie tam*.

Po złożeniu przysięgi małżeńskiej wszyscy udali się do sali toastów. Dopiero tam cały stres związany z przygotowaniami opuścił młodą parę. Wśród zaledwie garstki gości znaleźli się ci, na których im zależało.

– Myślisz, że będzie z nim szczęśliwa? – zapytała Laura.

– I kto to mówi? – odparł Edward.

– Po prostu się denerwuję.

– To się nie denerwuj. Wyluzuj i ciesz się.

– Widziałeś Krzemianowskich?

– Widziałem.

– Trochę mi ich szkoda. Teresa wygląda na zagubioną.

– Podejdźmy do niej.

– Tak myślisz?

– Tak myślę.

Babcia Róża, odstrzelona we wściekle różową sukienkę, radośnie klaskała w rytm muzyki, co chwila wykrzykując: „gorzko, gorzko".

– Mamo, dajże już spokój. To nie wesele, tylko zwykły skromny ślub. – Laura próbowała uspokoić własną matkę.

– Pogrzeb też nie – rzuciła babcia, nie przestając śpiewać.

– Twoja matka zawsze była mistrzynią ciętej riposty.

– Powiedziałabym raczej, że na starość jej się tak język wyostrzył.

– Sama jesteś stara! – obruszyła się Róża. – Każdy ma tyle lat, na ile się czuje.

– Słuch ma raczej absolutny – szepnął Edward do żony. – Proponuję już jej nie strofować. Po prostu się cieszy. To nie jest zakazane, prawda?

– Raczej nie jest. Chyba za bardzo się denerwuję.

Patryk Słupski, jak przystało na twardziela, trzymał fason iście perfekcyjnie, nie pozwalając emocjom wydostać się spod pancerza.

Dagmara przyszła z Miśkiem. Dzień wcześniej zadzwoniła do Pauli z informacją, że chyba do siebie wrócą.

– Pogodziliście się? – zapytała Paula dyskretnie podczas składania życzeń.

– Postanowiłam dać mu drugą szansę.

– Sama mawiasz, że nie wchodzi się dwa razy do tej samej rzeki.

– Ech... Paula, ty wiesz najlepiej, że tylko krowa, za przeproszeniem oczywiście, nie zmienia poglądów.

– To fakt!

– Wszystkiego naj, moja przyjaciółko. Niech się wam wiedzie.

Dziewczyny padły sobie w ramiona, roniąc niejedną łzę.

Hanna Słupska była nieco zmieszana. Niby zadowolona, ale jakoś tak... inaczej? Mikołaj zerkał w jej stronę oczami wyrażającymi coś podobnego do litości i żalu. Paula nie chciała tego roztrząsać. Bynajmniej nie dzisiaj.

Na końcu, w samym rogu sali stała Terenia. Chowała się za wózkiem Leona, wyraźnie onieśmielonego całą sytuacją. Obok Tereni stała Krysia, która obejmowała ją ramieniem, co chwilę szepcząc coś do ucha. Prawdopodobnie dodawała jej otuchy. Na widok rodziców, zbliżających się do Krzemianowskich, Paulinie zaparło w piersiach dech. Dopiero gdy serdecznie się ze sobą przywitali, nerwy odpuściły.

– Ślub to jednak stresujące przeżycie – szepnęła do Mikołaja.

– Dlatego nie zamierzam się nigdy więcej z nikim żenić – odparł jej mąż, rozluźniając całą sytuację.

Największego uroku całej imprezie dodawał biegający dookoła mały Tadzio. Plątał się pod nogami młodej pary. Ubrany w dziecięcy garniturek wyglądał na tyle uroczo, że babcia Róża nie mogła oderwać od niego wzroku.

– Tatusiu, a kiedy będzie tolt?

– Za chwilę, synku.

– A co ma w bzuchu ciocia Paulina?

– Twoją siostrzyczkę.

– Ale ja wolę blata. Ciocia, słyszysz? Ja wolę blata.

– Zobaczymy, co da się zrobić, kochanie. – Paula przytuliła chłopczyka, zastanawiając się, czy istnieje jakiś sposób na to, aby wpłynąć na płeć swojego jeszcze nienarodzonego dziecka.

Teresa, pchając ciężki wózek, próbowała dostać się do młodej pary. Kiedy już jej się to udało, Tadzio nieoczekiwanie wskoczył na kolana Leonowi.

– Jesteś moim nowym dziadkiem? – zapytał. – Ej no, dlacego nic nie mówis? Ja jestem Tadzio, a ty?

– Pan Leon od dawna nie mówi, ale jeśli chcesz, to może być dla ciebie dziadkiem. Myślę, że bardzo się ucieszy z posiadania takiego ślicznego, mądrego wnuczka – rzekła Teresa.

– Nie mówi? To supel! Chcę, aby się mną opiekował, jak mama idzie do flyzjela. Nie będzie mi niczego zablaniał. Supel, ze nie mówi. Supel, supel! – wykrzykiwał chłopczyk, uroczo sepleniąc i tym samym dając do zrozumienia pozostałym, że na każdą życiową sytuację można spojrzeć w dwojaki sposób. To, co dla kogoś może być udręką, dla kogoś innego jest błogosławieństwem.

Mały Tadzio wciąż siedział Leonowi na kolanach. Piszcząc z podniecenia, wyraził zachwyt nad jego „supelwózkiem". Goście pokładali się ze śmiechu. Nawet pan Leon wykrzywił twarz w grymas podobny do wyrazu radości.

Teresie wreszcie, jakimś cudem, udało się dostać do sprawców całego zamieszania.

– Kochani, dziękuję za zaproszenie. Od tygodni próbowałam układać sobie w myślach to, co wam powiem i… – zachlipała pod nosem – Zapomniałam.

– Nic się nie martw… babciu. Najważniejsze, że jesteś. To znaczy, chciałam powiedzieć, że… – Paulinie łamał się głos. – Najważniejsze, że jesteście. Ty i… dziadek.

Padły sobie w ramiona przez dłuższą chwilę, pozostając we wzajemnym uścisku.

– Powiedziałaś do mnie „babciu"? Dobrze usłyszałam?

– Chyba nią jesteś prawda? Mogę się do ciebie tak zwracać?

– To najpiękniejsze, co mogło mnie spotkać. Dziękuję… wnusiu.

Paula otarła łzy z pergaminowej skóry babci. Przyglądająca się całej sytuacji Laura, ukradkiem wycierała nos, ciesząc się, że wszystko, niczym w bajce, znalazło swoje szczęśliwe zakończenie.

Teresa stanęła teraz naprzeciwko Mikołaja.

– Wmawianie ludziom, że mogą wszystko, jest robieniem im z mózgów miazgi. Człowiek może wiele, lecz z pewnością nie wszystko.

– Nie rozumiem, co pani ma na myśli? – zdziwił się Mikołaj.

– Proszę, mów mi po imieniu. Jestem przecież babcią twojej żony. – Schyliła głowę, po czym kontynuowała swoją wypowiedź.

– Człowiek nie może wszystkiego z prostej przyczyny. Nie jest na świecie sam i nie na wszystko ma wpływ. Czasami ograniczają nas inni ludzie. Decyzje podjęte przez innych potrafią wpłynąć na nasze życie nieodwracalnie.

– Pani Tereso, to znaczy, Tereso. Ja nie mam już żalu. Wszystko jest w porządku. Nic nie musi pani mówić.

– Wiem, że nie muszę, ale bardzo chcę. Przygotowywałam się do tej rozmowy wiele lat. Czy poświęcisz mi kilka chwil w dowolnym dla siebie momencie?

– Oczywiście. Jesteśmy przecież rodziną.

– Będę cierpliwie czekać.

– Jesteśmy umówieni.

– Wszystkiego najlepszego, kochani. Jestem z was taka dumna. Jeszcze raz dziękuję za zaproszenie.

Po złożonych życzeniach wszyscy goście zostali zaproszeni na uroczysty obiad. Nie obeszło się bez tradycyjnego sypania grosikami. Para młoda nie chciała, by sypano ryżem, bo na świecie jest tylu głodujących ludzi, że nie przystoi wyrzucać jedzenia, które następnie się zdepcze. Goście oczywiście uszanowali tę decyzję, zawstydzeni humanitarną postawą młodej pary, pochowali woreczki białych ziaren.

Orszak weselny składał się jedynie z kilku pojazdów, niespiesznie przemieszczających się ulicami pięknego Szczecina. Mikołaj zamyślony wyglądał przez okno samochodu, ciesząc się, że udało mu się wrócić do miejsc, w których napisała się jego historia. Ściskając Paulę za rękę, był najszczęśliwszym człowiekiem pod słońcem.

– Tego jeszcze nie grali! – krzyknął Patryk.

– Co się stało? Dlaczego się zatrzymujesz?

– Dlaczego? Sam chciałbym to wiedzieć. Jakaś babcia zatarasowała nam drogę. Ale jaja!

Paula wychyliła się do przodu.

– Nie jakaś babcia, tylko Pietrzykowa.

– Kto to jest Pietrzykowa? Czy coś mnie ominęło?

– Tato, Pietrzykowa, to Pauli sąsiadka. Bardzo wścibska sąsiadka zresztą.

– Bramę zrobiła. Ale numer. Ten zwyczaj jeszcze istnieje? – zdziwił się Patryk.

– Jak widać, istnieje.

Świadek wysiadł z samochodu i ruszył w kierunku starszej pani. Po krótkich negocjacjach, aby zdjęła obwieszoną kolorowymi bibułami taśmę, wrócił do samochodu.

– Nic z tego. Powiedziała, że nie ruszy się z miejsca.

– Daj jej butelkę. Mamy przecież w bagażniku. W razie czego Misiek za nami jedzie i z tego co wiem, też wiezie niezły zapas – wtrąciła się Dagmara, mrugając okiem. Paula cieszyła się, że drogi tych dwojga ponownie się zeszły. Prawdę mówiąc, nie wyobrażała sobie kogoś innego u boku Dagmary.

– Jak takaś mądra, to sama jej daj. Uparła się, że chce wypić „brudzia" z panem młodym.

Wszyscy wybuchnęli śmiechem.

– No, kochanie. Nie pozostaje nic innego, jak tylko przejść na „ty" z naszą ulubioną sąsiadką.

Całe towarzystwo miało ubaw po pachy. Mikołaj nieco zaskoczony sytuacją wysiadł z samochodu, nie bardzo wiedząc, co go czeka.

– Dzień dobry, pani Pietrzykowa. Podobno, chciała pani ze mną rozmawiać.

– A no chciała, chciała. Ale ten o tutaj – wskazała na Patryka – próbował mnie odprawić z jakimś tanim winem. Takie to ja mam w domu, przystojniaku. Sama se potrafię upędzić.

– Przepraszam, nie chciałem pani obrazić – wydukał Patryk, nieco zakłopotany.

– Nie gniewam się. Za stara jestem na obrażanie. Ale nie po to tu jestem, żeby takie pierdoły roztrząsać. Nawet pan nie wie, panie Mikołaju, jak ja się natrudziłam, żeby dowiedzieć się, o której ten ślub bierzeta. Moja córka najpierw w internacie sprawdzała, ale tam nie napisali i musiałam sama do urzędu jechać i się dowiadywać.

– W internacie? – zdziwił się Patryk.

– W internacie, w internacie. Pan nie wiesz, co to internat? Wstyd. Teraz to każde dziecko ze smródfonem w ręku lata.

Panowie ze wszystkich sił starali się utrzymać powagę, w obawie przed urażeniem starszej pani.

– Pani Jadziu, do rzeczy. Żona czeka głodna. Chcielibyśmy jechać na obiad.

– Wypijesz pan ze mną brudzia i możecie jechać. Takiej okazji nie przepuszczę.

– Nie ma problemu, tylko nie mamy kieliszków.

– Po co komu kieliszki?

– Jak to po co? Na alkohol.

– Z gwinta wypijem, a potem ja te butelki zabiorę i będziemy kwita.

Patryk wyciągnął z bagażnika dwie butelki czystej wódki, odkręcił je, podając jedną starszej pani, a drugą przyjacielowi.

– Jak chce, to potrafi – starsza pani pochwaliła Patryka.

Mikołaj, przekładając ramię przez ramię z panią Pietrzykową, wypił swój pierwszy w życiu bruderszaft z gwinta.

– Mikołaj – przemówił z wykrzywioną twarzą.

– Jadźka.

– To jak, Jadzia, możemy jechać?

– Nie tak szybko!

– Nie tak szybko? – powtórzył.

– Za moich czasów to po brudziu następował zawsze buziaczek. – Uradowana zatarła wymownie ręce. – Możesz pocałować mnie w policzek. Daruję ci usta, już taka będę litościwa. – Uśmiechnęła się do Patryka.

Mikołaj pocałował jej policzek.

– To jak, możemy jechać? – zapytał po wszystkim.

– Teraz to możecie – odparła dumnie, opuszczając kolorową wstęgę. Zakręciła szczelnie odkręcone wcześniej butelki z wódką i wrzuciła je do lnianej torby przewieszonej na ramieniu. – Miki, Miki – krzyknęła wesoło. – Tylko żebyś nie zapomniał, co nie? Ja Jadzia jestem.

– Nie zapomnę, pani Jadziu. To znaczy, Jadziu. Nie zapomnę.

Panowie wrócili do samochodu, w którym Paulina i Dagmara zwijały się ze śmiechu. Przez otwarte okno pojazdu dobiegały jeszcze wesołe okrzyki Pietrzykowej.

– Wszystkiego najlepszego, wszystkiego najlepszego na nowej drodze życia!

– Dziękuję, pani Jadziu – odpowiedziała Paulina, rzucając w stronę sąsiadki swój ślubny bukiet. Mogliby przysiąc, że sąsiadka podskoczyła z radości, chwytając go w swoje zgrabiałe ręce.

– O nie, rzuciłaś jej bukiet. Ona i tak na tym nie skorzysta. Ja tak na niego liczyłam. Jestem zawiedziona – marudziła Dagmara.

– Niby dlaczego miałaby nie skorzystać?

– A bo ja wiem? No… bo… Jest stara?

– Starość, moja droga, to stan umysłu. Pani Jadzia ewidentnie pokazała, że ma w sobie więcej życia niż niejedna nastolatka ze „smródfonem" w kieszeni.

– To fakt. – Dagmara uderzyła się w pierś. – Cofam wszystko, co powiedziałam.

Patryk zdziwiony spojrzał w jej stronę.

– Czyżby moja córeczka przeprosiła? Nie poznaję koleżanki.

Dagmara zasłoniła uszy, zacisnęła oczy i udając, że nic nie słyszy, śpiewała „Sto lat, sto lat".

ROZDZIAŁ 23

Słońce leniwie przebijało się przez chmury, aby swoim blaskiem umilić pierwszy dzień miodowego miesiąca młodej pary. Za namową Mikołaja jego żona zgodziła się spędzić noc poślubną w hotelu. Świeżo upieczony mąż stanowczo oznajmił, że w domu własnych teściów „takich rzeczy" to on robił nie będzie. Z takim argumentem Paula nie zamierzała ani też nie chciała dyskutować.

Zanim jeszcze się obudziła, poczuła na plecach znajomy dotyk ukochanych rąk. Przesuwały się równomiernie wzdłuż kręgosłupa, fundując jej ciału przyjemne odprężenie.

– Dzień dobry, mężu – szepnęła, nie otwierając oczu.

– Dzień dobry, żono – odpowiedział.

Kciukiem prawej dłoni sprawdziła, czy na jej serdecznym palcu w dalszym ciągu znajduje się dowód wczorajszego zamążpójścia. Dopiero gdy to poczuła, otworzyła oczy, przewróciła się na plecy i przeciągnęła się leniwie.

– Mikołaj? Czy mogę cię o coś zapytać?

– Wszystko możesz – odparł, całując wnętrze jej dłoni.

Wyglądała na kogoś, kto myśli, jak zadać pytanie, wiedząc, że zważywszy na okoliczności, paść ono nie powinno.

– Wczoraj nie chciałam psuć atmosfery i dlatego nie poruszałam tego tematu, ale... mam nieodparte wrażenie, że między tobą a Hanią coś wisi w powietrzu.

Teraz to on wyglądał na kogoś, kto chciałby udzielić odpowiedzi, ale zważywszy na okoliczności, nie powinien. Z drugiej strony rozpoczynanie budowy małżeńskiego szczęścia na fundamencie kłamstwa również nie było godnym pochwały pomysłem. Chwycił butelkę wody mineralnej, którą ktoś z obsługi hotelu ustawił na szafce nocnej ich łóżka. Granie na zwłokę wielokrotnie uratowało mu w życiu tyłek.

– No i jeszcze jedno. Babcia Terenia coś szeptała ci do ucha. Był harmider i nie dosłyszałam. Umawialiście się na jakąś rozmowę? Dobrze zrozumiałam?

Czy każda kobieta ma wbudowany detektywistyczny system, namierzający konieczność odbycia trudnych rozmów bez jej udziału? O ile rozmowa z babcią Terenią mogłaby zostać poruszona w obecności Pauli, o tyle rozmowy z Hanią wolałby wcale nie odbyć.

Wypił prawie całą butelkę wody i nie wpadł na pomysł udzielenia żadnej sensownej odpowiedzi.

– Nie próbuj kłamać. Chyba nie chcesz, abyśmy tak zaczęli naszą wspólną przyszłość.

Czy ona czytała w jego myślach?

– Nawet bym nie śmiał.

– To odpowiedz, proszę.

Musiał powiedzieć prawdę. Wytężył swój nieświeży po wczorajszej imprezie mózg, próbując najpierw w myślach sklecić jakąś sensowną odpowiedź. Poprzedniego dnia wcale nie wypił dużo. Swoją aktualnie nikłą lotność umysłu zwaliłby raczej na wreszcie odpuszczające zdenerwowanie.

– Nie wolałabyś najpierw odpakować prezentów?

– Okay, czyli powinnam się martwić.

– Nie, dlaczego?

– Dlatego, że unikasz odpowiedzi.

– Wcale nie unikam. – Z przerażeniem dostrzegł, że skończyła mu się woda. – Twoja babcia ma mi coś do powiedzenia. Sam nie wiem co. Mogę się domyślać, że chodzi o przeszłość. Bo o przyszłość raczej nie, prawda? Nie sądzę, aby chciała nam zaproponować wypad pod namioty, do Wisełki.

– Bardzo śmieszne – odparła z ironią.

– Nie rozbawiłem cię?

– Chyba musisz się bardziej postarać. Okay, zostawmy to. Jeśli chodzi o babcię, to jestem spokojna. Nie sądzę, aby po tylu latach separacji z własną wnuczką, chciała wytwarzać jakiekolwiek tajemnice. Pójdziemy do niej, prawda?

– Naturalnie. Kiedy tylko będziesz chciała.

– Wracając do Hani, to uważam, że nie wyglądała wczoraj na szczęśliwą.

Rety – pomyślał. Za nic nie był w stanie wykręcić się od odpowiedzi.

– Skarbie, spędźmy ten czas razem. Jesteśmy nowożeńcami, porozmawiajmy o czymś przyjemnym. Ostatnio ciągle tylko rozwiązujemy zagadki z przeszłości. Nie masz tego dość?

Nie mogła się z nim nie godzić. Wstała z łóżka i udała się w kierunku łazienki. Czyżby zaczynały ją dopadać pierwsze ciążowe zmiany nastrojów? Odkręciła wodę i czekając na moment, aż jej strumień się ocieplił, wyciągnęła z kosmetyczki potrzebne rzeczy. Migdałowy żel pod prysznic zawsze działał kojąco na jej zmysły. Masowała ciało okrężnymi ruchami, wyjątkową uwagą obdarzając krągłości brzucha. Stawał się coraz większy. Przedziwne budziło to odczucia. Takie nowe i nieopisane. Jeszcze przed kwadransem leżała pogrążona w myślach o własnym szczęściu, a teraz chciało jej się płakać. Każdy z jej bliskich, bez wyjątku każdy, miał do ukrycia jakąś tajemnicę.

Pierwszy poranek ich małżeńskiego życia nie wyglądał jak u bohaterów filmowych komedii romantycznych. Przed oczami stanęły jej wszystkie internetowe memy, śmiejące się z tego, że po ślubie wszystko się zmienia. Czyżby ona się zmieniła? Tak szybko? To niemożliwe.

Im dłużej o wszystkim myślała, tym bardziej nakręcała spiralę buntu. Dlaczego to ona zawsze musiała być tą mądrzejszą. Wybaczać innym popełnione wcześniej błędy. Czuła się zmęczona pozytywnym myśleniem. Miała wszystko, to fakt. Wczoraj przecież wzięła ślub z ukochanym mężczyzną, ale… no właśnie. Czy zawsze musi być jakieś „ale"?

– W przyszłym tygodniu przewieziemy moje rzeczy do naszego mieszkania – zakomunikowała zaraz po wyjściu z łazienki. Zapach jej świeżo umytych włosów rozniósł się po całym pomieszczeniu. Boże, jak ona na niego działała. Odbierało mu rozum na jej widok.

– Nie mogę się doczekać.

– Powiedz mi, Mikołaj, gdybyś mógł być w życiu kimkolwiek, to kim chciałbyś zostać?

O co jej chodziło? Czy kiedykolwiek uda mu się nadążyć za jej myślami? Rano było miło, chwilę potem się zepsuło, poszła pod prysznic i wydawało się, że wyszła spod niego w całkiem niezłym nastroju. Czy to pytanie było jakąś podpuchą? Czy znowu przyjdzie mu się wygłupić?

– Bo ja wiem? Prezydentem raczej nie chciałbym być. Edem Sheeranem raczej też nie, chyba źle wyglądałbym w rudych włosach. O, wiem. – Uniósł w górę palec prawej dłoni, prosząc, aby mu nie przerywała. – Chciałbym być twoim ojcem. Poznałbym jego sekretne myśli. Ty widziałaś, że wczoraj na ślubie, niby przez przypadek dosypał mi sól do kawy? Potem się tłumaczył, że się pomylił. Mógłbym przysiąc, że śmiał się pod nosem, na widok mojej miny, zaraz po upiciu pierwszego łyku. Tak, zdecydowanie chciałbym być twoim ojcem.

Paulina roześmiała się.

Jest! Udało się! Chyba ją rozbawił. Unosząc się na fali chwilowego sukcesu, postanowił iść za ciosem i wciągnąć ukochaną w tę niby zabawną, niezapowiadającą żadnej bury rozmowę.

– A ty? Kim chciałabyś być?

– To zależy.

– Zależy? Od czego?

– Czy na zawsze, czy jedynie na moment.

– A co to za różnica?

– Ogromna. Jeśli miałabym być kimś na moment, chciałabym być Hanką. Znam ją od tylu lat, a nie potrafię jej rozgryźć. Zawsze było mi jej żal. Patrzenie, jak zmaga się z alkoholizmem, skutecznie zniechęciło mnie do zaglądania w kieliszek. Nigdy nie lubiłam alkoholu. Widząc, ile krzywdy Hanka wyrządziła własnej córce, śmiało mogę powiedzieć, że nie zafundowałabym takiej karuzeli życia własnemu dziecku. Góra, dół, góra, dół. Myślę, że ta cała sprawa z Patrykiem i jego zdradą ma w sobie jakieś drugie dno. Zdecydowanie chciałabym nią pobyć przez chwilę.

Drugą osobą, którą chciałabym być, jest mój dziadek. Widzę, że moją babcię wiele kosztuje mówienie za niego. Cały czas go tłumaczy, usprawiedliwia. Jestem na niego zła, że się nie odzywa. Tak jakby tylko on jeden na świecie zaznał cierpienia. Moja mama zrobiła, co zrobiła, ale nie bez powodu, prawda? Gdybym była nim, zaczęłabym mówić.

Znowu go zaskoczyła. Miało być śmiesznie, a wyszło jak zawsze. To, że nie mógł jej rozśmieszyć, działało deprymująco na jego poczucie własnej wartości. Jak każdy zakochany w swojej kobiecie facet, chciał być dla Pauli niczym Mariolka z *Paranienormalnych*.

– A gdybyś miała być kimś na zawsze? – odważył się zapytać, próbując podtrzymać rozmowę, która jakoś tak samoistnie zboczyła na nieco poważniejsze tory.

Sądząc po wyrazie jej twarzy, ponownie się wygłupił.

– Chciałabym być sobą. Za nic w świecie nie chciałabym żyć życiem innego człowieka. Dookoła siebie mam ludzi, którzy brali udział w pożarze, a jego popiół został zrzucony na moje barki. Jesteś moim mężem, kocham cię najmocniej na świecie. Jestem szczęśliwa, że się pobraliśmy, ale... czasami przeszkadza mi, że spałeś z moją matką. Wiem, że to było kiedyś i nie mam na to wpływu, lecz mimo wszystko jest mi z tym uczuciem nieco dziwnie. Nigdy o tym nie rozmawialiśmy. Bo i nie było nawet kiedy. Staram się, jak umiem, ale czasami przychodzi taki dzień jak ten, że wszystkiego mam dość.

– Kochanie, czy ty żałujesz, że się pobraliśmy?

Zaskoczył ją tym pytaniem.

– Skądże znowu. Czy ty mnie słuchasz? Przecież powiedziałam przed chwilą, że cię kocham. Jesteś ojcem naszego dziecka. Tyle tylko, że męczą mnie te wszystkie tajemnice. To, że nic nie mówię, nie oznacza, że nic nie widzę. Tu coś usłyszę, tam coś usłyszę, przez chwilę niczym pies merdam ogonem z radości, że udało mi się coś dowiedzieć, że udało mi się dopasować jakiś element układanki, której poszczególne puzzle to wy trzymacie w rękach.

Postaw się przez chwilę na moim miejscu. Po prostu czuję, że jeśli nie poznam prawdy, nie będę umiała przestać o tym wszystkim myśleć. Hanka coś kręci. Ewidentnie coś kręci. Niby jest dla mnie serdeczna, ale... – Zamknęła na chwilę oczy, próbując powstrzymać napływające do nich łzy. – Ją może jakoś uda mi się zmusić do mówienia albo ty mi powiesz coś, o czym nie wiem.

– Kochanie, ale ja... ja mogę się jedynie domyślać.

– Mikołaj, ja chciałabym żyć przyszłością. Trochę bardziej skupić się na teraźniejszości. Być tu i teraz. Skoncentrować się tylko na nas, na dekorowaniu naszego domu, na sadzeniu kwiatków na balkonie. Codziennie medytuję, próbuję zagłuszyć w sobie odgłosy przeszłości. Próbuję je zrozumieć i zaakceptować. W sumie przez długi czas mi się to udawało, ale... dłużej nie wytrzymam. Słyszysz? Nie wytrzymam tych szeptów, spojrzeń i tajemniczych uśmiechów.

Albo pomożesz mi odkryć prawdę raz na zawsze, albo zwariuję. Ileż można wmawiać sobie, że przeszłość nie ma znaczenia? Mojej matki tu nie ma. Rozumiesz? Nie opowie mi dlaczego? Nie przytuli, nie złoży życzeń na ślubie, nie pokłócę się z nią o kolor paznokci i nie będę miała szansy zobaczyć, jak się denerwuje, gdy przynoszę ze szkoły jedynkę.

Nie ma jej, słyszysz? Ja nawet nie wiem, gdzie jest jej grób. Gdyby dziadek nie zabronił jej z tobą być, prawdopodobnie byłabym waszą córką. Widzisz, jakie to wszystko jest pogmatwane? – przerwała swój głośny monolog. – Czy ja zwariowałam? – dodała nieco ciszej.

Podszedł do niej i zamknął jej małe ciało w ciasnym uścisku swoich ramion.

– Nie zwariowałaś, kochanie. Nie zwariowałaś.

Głaskał ją po głowie, zastanawiając się, czy nadejdzie taki dzień, w którym za nią nadąży. Zdecydowanie widziała więcej niż przeciętny człowiek i czuła mocniej. Od samego początku to jej godzenie się z rzeczywistością wyglądało podejrzanie. Nigdy wcześniej nie znał nikogo, kto tak płynnie przechodziłby przez zawirowania życia. Nad wyraz długo płynęła z falą. Nic dziwnego, że wreszcie opadła z sił. Brutalna rzeczywistość z impetem wyrzuciła ją na brzeg. Tuląc ją, czuł na swojej piersi jej przyspieszone bicie serca. Oddałby wszystko, by tylko nie cierpiała.

***

Z pamiętnika Pauli

Stało się. Zostałam mężatką. Nigdy nie sądziłam, że życie człowieka może tak szybko się zmienić. Zmówiłam tyle modlitw, od których wcale nie poczułam się lepiej. Przeczytałam tyle książek, które powinny uczynić mnie mądrzejszą. Co z tego, jak wcale mądrzejsza się nie czuję. Wszechogarniające nas pozytywne myślenie trochę mnie zmęczyło. Na każdym rogu krzyczą do nas ckliwe tytuły książek o tym, jak to niby łatwo jest obudzić w sobie tygrysa, albo jak to niby szybko można się stać lepszą wersją samej siebie. Męczy mnie to stawanie się lepszą siebie. Dlaczego nie mogę być po prostu sobą? Czy nie jestem wystarczająco dobra? Czy ciągle muszę być lepsza? No właśnie…

Mam nadzieję, że to moje pesymistyczne nastawienie to chwilowa niedogodność, bo zdecydowanie lepiej mi się żyje wtedy, gdy myślę pozytywnie. Powinnam przestać roztrząsać przeszłość. To by było najlepsze.

Wiążąc się z Mikołajem, myślałam, że to on będzie miał problem z tym, że jest ode mnie tyle starszy. Myślałam, że będą go męczyły te wszystkie ledwo słyszalne szepty. Tymczasem on zdaje się niczym nie przejmować. To raczej ja myślę o jego przeszłości. Myślę o jego rękach obejmujących moją matkę. Zazdroszczę mu, że miał możliwość poczuć ciepło jej ciała.

Czy ja zwariowałam?

Tak, zdecydowanie zwariowałam.

Nie, nie zwariowałam.

Tylko… czuję się odrobinę zagubiona. Chyba powinnam z kimś porozmawiać.

Albo lepiej nie.

Życie ze mną to rollercoaster. Staram się, jak tylko potrafię, przyjmować z godnością to, co przynosi mi każdy dzień. Tyle że czasami nie wytrzymuję. Każdy wymaga ode mnie zrozumienia i cierpliwości. Każdy oczekuje wybaczenia swoich błędów. Co robię? Oczywiście wybaczam, tym samym rezygnując po części z samej siebie. Nie chcę być egoistką. Koło się zamyka i wciąż kręci na nowo… Jestem jak szczur w pułapce…

Wypisuję codziennie te karteczki, piszę, za co jestem wdzięczna. Przecież tak dużo mam, a jednocześnie tak dużo mi brakuje. Może wymagam zbyt wiele?

Dobrze, że nigdy nie analizuję tego, co napisałam w pamiętniku, bo gdybym zaczęła, mogłoby się okazać, że naprawdę jest ze mną coś nie tak.

Jedyne czego pragnę, to normalność. Tylko… czym ona jest?

No właśnie…

ROZDZIAŁ 24

Po trzydziestu minutach spędzonych w parku Kasprowicza postanowiła wybrać się do centrum handlowego. Przechadzając się między sklepami, oglądała wystawy, szukając inspiracji do wystroju ich nowo wynajętego mieszkania. Do tej pory tym tematem zajmował się Mikołaj. Nie miała głowy do wybierania paneli, koloru ścian i innych tego typu rzeczy. Mikołaj stwierdził, że nie ma na to czasu i zlecił wszystko jakiejś firmie.

W planach mieli budowę domu, więc szkoda im było czasu i energii na zastanawianie się nad wyższością zasłon nad żaluzjami. Mimo to chciała, by w ich tymczasowym gniazdku czuć było kobiecą rękę.

Wstąpiła do sklepu z artykułami wystroju wnętrz i wybrała kilka drobiazgów. Wśród nich znalazły się świeczki o zapachu cytrusowym. Aromat wanilii, niegdyś jej ulubiony, dziś działał na nią wręcz odstraszająco. Kupiła wazon w kształcie kuli i śnieżnobiały pled na kanapę, po czym stwierdziła, że nic więcej nie da rady udźwignąć. Perspektywa wiezienia tego wszystkiego autobusem wydała jej się mało atrakcyjna. Zadzwoniła więc po męża.

Ostatnimi czasy wszystko bardzo szybko się działo, zdecydowali więc przełożyć podróż poślubną na końcówkę października. Po sprzedaży warszawskiej kancelarii Mikołaj miał pełne ręce roboty. Nie zdążyli się nawet sobą nacieszyć, jak dopadła ich zwykła proza życia.

– Może odwiedzimy babcię i dziadka?

– Twoich rodziców?

– To prawda, oni niedługo również będą dziadkami. Myślałam jednak o moich dziadkach.

– A, dobrze, dobrze. Źle cię zrozumiałem. Oczywiście, kiedy tylko chcesz.

– Zawieźlibyśmy im zdjęcia ze ślubu, co ty na to?

Złapał ją za dłoń, ucałował jej wnętrze i obiecał zrobić, co tylko będzie chciała.

– Cieszę się, że jesteś. Chociaż ostatnio jesteś trochę nieobecna. Chcę, abyś wiedziała, że jesteś punktem stałym wszystkiego. Dla ciebie to wszystko. Gdyby nie ty, siedziałbym teraz w Warszawie i pracował bez celu. Otworzyłaś mi oczy na świat. Dzięki tobie widzę lepiej. Wiem, co jest ważne. Jestem przy tobie. Pamiętaj o tym.

– Skąd to nagłe wyznanie?

– Wiem, że się miotasz. Dodatkowo ciąża robi swoje.

– Przecież to nie choroba.

– No, niby nie, ale jest to stan wyjątkowy. Wiesz, że możesz na mnie liczyć w każdej sytuacji, prawda?

– Wiem, kochanie. – Łzy stanęły jej w oczach. Objęła jego dłoń dwiema rękami i przysunęła ją do swojego policzka. – Wiem, że ostatnio jestem nieznośna. Męczę się sama ze sobą. Szukam sobie zajęcia, aby nie myśleć. Jakaś nostalgia mnie dopadła. Myślisz, że to kwestia hormonów?

Zamilkł na chwilę, zastanawiając się nad odpowiedzią. Faktycznie była ostatnio odosobniona. Miał nawet wyrzuty sumienia, że to przez niego. Nie potrafił się zdobyć na szczerą rozmowę z żoną. Ani z kimkolwiek. Teresa dała mu zielone światło do tego, aby mógł wreszcie poznać prawdę. Minęło już trzy tygodnie od ślubu, a on do niej nie zadzwonił. Czuł przez skórę, że rozmowa ze staruszką zmieni wszystko. Nie był pewien, czy jeszcze cokolwiek chce w swoim życiu zmieniać. Odkąd był mężem Pauli, niczego więcej mu nie było trzeba, z wyjątkiem spokoju.

– Myślę, że to kwestia niedokończonych rozmów, od których i ja uciekam.

– Nie rozumiem?

– Twoja babcia chce mi coś wyznać. Boję się, że to wyznanie może wszystko zmienić. Z jednej strony pragnę poznać prawdę, a z drugiej bardzo się jej boję.

– No właśnie…

– No właśnie… – powtórzył.

Zadzwonili do babci Teresy i umówili się z nią na niedzielne popołudnie. Paula zaproponowała, że przywiezie ciasto marchewkowe, za którym ostatnio bardzo przepadała. Wyglądało na to, że niebawem odkryją kolejną kartę przeszłości.

Temat Hanki cały czas wisiał w powietrzu. Żadne z małżonków nie miało odwagi do niego wracać.

***

Odszukała w kartonach instrukcję obsługi piekarnika. Zamierzała rozdziewiczyć urządzenie, piekąc w nim ciasto marchewkowe na niedzielne spotkanie z dziadkami. Mikołaj, korzystając z okazji, że jego ukochana przez najbliższe dwie godziny będzie oddawać się kulinarnym tematom, zadzwonił do Patryka i umówił się z nim na bieganie.

– Kochanie, tu nie ma instrukcji w języku polskim? Czy ja nie widzę? – zapytała.

Mikołaj chwycił w dłonie małą białą książeczkę, przeleciał wzrokiem po jej stronach, wykrzywiając usta w grymasie zdziwienia.

– Faktycznie, nie ma. Ale jest w angielskim.

– Tego to jeszcze nie grali. Gdzie ty kupiłeś ten piekarnik?

– To nie ja, to ten facet od mebli kuchennych zamawiał sprzęty. Nic się nie przejmuj, pomieszkamy tu najwyżej dwa lata. W nowym domu sama sobie wybierzesz piekarnik, jaki tylko będziesz chciała. Oczywiście z instrukcją w języku polskim.

– No tak, a do tego czasu mam się męczyć z angielskim? Masakra… Poszukam w internecie.

– Tak bardzo potrzebna ci ta instrukcja?

– Oczywiście, że potrzebna. Mama mówi, że każde urządzenie jest inne. Trzeba je wyczuć. To samo ciasto upieczone w innym piecu może smakować całkiem inaczej. Dasz wiarę?

Wciągnął na siebie bluzę od dresu i zaczął sznurować biegowe buty.

– Kochanie, ty mnie wcale nie słuchasz. Naprawdę zależy mi na tej instrukcji. Chcę wiedzieć, gdzie jest oznaczenie termoobiegu. Nie pamiętam tej ikonki. Nie mam ochoty na angielską łamigłówkę.

Zniecierpliwił się nieco. Nie sądził, że do upieczenia ciasta potrzebna jej będzie instrukcja piekarnika. Kto by czytał instrukcje? Piekarnik to tylko piekarnik, a nie jakaś stacja kosmiczna.

– Nie możesz po prostu zrobić rozpoznania bojem?

– Czego? – zdziwiła się. – Rozpoznania bojem? A co to takiego?

Podszedł do urządzenia i zaczął przyciskać wszystkie guziki po kolei.

– Nie wiesz, co to jest rozpoznanie bojem? Włączasz wszystko na raz i patrzysz, jak działa. O, widzisz? Wiatrak się włączył. O! To chyba termoobieg. – Rozpromienił się.

– Poczekaj, bo nie jestem pewna, czy dobrze cię zrozumiałam. Mam za każdym razem, przed upieczeniem ciasta, robić to twoje „rozpoznanie bojem", tak? – Używając kluczowych słów, uniosła wskazujące i środkowe palce obydwu rąk, naśladując cudzysłów.

– A co? To problem?

– Nie, nie, dzięki za radę. Wiedziałam, że mogę na ciebie liczyć.

Chyba nie zauważył ironii w jej głosie. Wyprostował się, wyprężając do przodu swoją męską pierś i uśmiechnął się, ukazując swoje równe wypielęgnowane zęby.

– Idę biegać. Patryk już pewnie czeka przy smródce.

– Przy smródce?

– Tak mówimy na to jeziorko przy cmentarzu. Zrobimy kilka kółek, pogadamy. Jak wrócę, to ciasto będzie dobre? Wiesz, po bieganiu zawsze trzeba doładować węgle.

– Nie wiem, jakie będzie ciasto, skarbie. Nie mam pojęcia, czy „rozpoznanie bojem" przyniesie taki efekt, jakiego oczekuję.

– Poradzisz sobie, jestem pewien. Zmykam, pa.

Pocałował ją na pożegnanie i zniknął za drzwiami.

Idąc za radą męża, odpaliła piekarnik i zaczęła uruchamiać po kolei wszystkie funkcje. W końcu udało jej się nastawić grzanie góra/dół. Co prawda trochę niezręcznie się czuła, obawiała się, że coś zepsuje, lecz po chwili, gdy zauważyła, że „rozpoznanie bojem" działa, była z siebie naprawdę dumna.

Otworzyła stary poczciwy zeszyt z przepisami, który dostała w prezencie ślubnym od mamy. Pożółkłe kartki przesiąknięte były zapachem trzech pokoleń. Zeszyt założyła jej prababcia, następnie przeszedł on w ręce babci, potem mamy i teraz jej. Była więc czwartym pokoleniem. Zabawne było to, jak każda następna gospodyni dopisywała na marginesach swoje uwagi, dostosowując przepisy do panujących kulinarnych trendów.

Ciasto marchewkowe

Potrzebne będzie:

200 g utartej na małych oczkach marchewki
200 g mąki pszennej (bądź gryczanej)
50 g mieszanki ulubionych orzechów (włoskie, nerkowce i laskowe) – drobno posiekać
100 g jabłka – pokrojonego w malutką kosteczkę
150 ml oleju roślinnego (rzepakowy, kokosowy upłynniony)
2 duże jaja (w temperaturze pokojowej)
1 łyżka miodu
120 g cukru (erytrytol, ksylitol, stewia)
1 łyżeczka cynamonu
1 łyżeczka sody
0,5 łyżeczki proszku do pieczenia
szczypta soli

Przygotowanie:

Jaja ubijamy ręcznym mikserem około 3 minut, tak aby przynajmniej podwoiły swoją objętość. Powoli w trakcie ubijania partiami dodajemy cukier i nadal ubijamy na gładką masę. Później dodajemy miód, nadal miksując. Następnie małym strumieniem dodajemy olej, nie przestając miksować. Do powstałej puszystej masy dodajemy startą marchewkę, pokrojone jabłko i posiekane na drobno orzechy.

W osobnej misce przesiewamy mąkę, łącząc ją z cynamonem, solą, sodą i proszkiem do pieczenia. Następnie przesypujemy ją do miski z marchewką i delikatnie mieszamy łyżką.

Ciasto przekładamy do formy, wyłożonej papierem do pieczenia (wymiary formy 16 × 25. Można upiec ciasto w tradycyjnej tortownicy).

Wstawiamy ciasto do nagrzanego piekarnika – temp. 150° góra/dół i pieczemy przez godzinę.

Po tym czasie wyjmujemy ciasto z piekarnika, czekamy, aż ostygnie i delikatnie pozbywamy się papieru do pieczenia.

Przepis był genialny. Ciasto marchewkowe kojarzyło jej się ze świętami. Zapach roznoszącego się po domu cynamonu łagodził obyczaje. Mama zawsze piekła to ciasto na szkolny grudniowy kiermasz. Paula była dumna, że ciasto JEJ MAMY sprzedawało się jako pierwsze i to za wyższą od pozostałych cenę. Uśmiechnęła się do swoich wspomnień. Były piękne, przepełnione ciepłem rodzinnego domu. Miała naprawdę dobre dzieciństwo.

Paula nie byłaby sobą, gdyby nie dodała czegoś od siebie. Wymyśliła więc polewę do ciasta. Wymieszała serek ricotta z miodem w proporcjach na tak zwane oko. Zanurzyła łyżkę w bladożółtym sosie, po czym oblizała ją, zachwycając się genialnym smakiem, który odkryła.

– Mikołaj zwariuje, jak podam mu takie „węgle" – powiedziała sama do siebie.

W tym momencie rozległ się dźwięk dzwonka do drzwi.

– O wilku mowa!

Podążając w kierunku drzwi, przeglądnęła się w stojącym w korytarzu lustrze. Wyglądała naprawdę ładnie w fartuszku, który mama dołączyła do zeszytu. Poprawiła szybko włosy, uśmiechając się do swojego odbicia. Czas spędzany w kuchni zawsze ją odmieniał i działał na nią relaksująco. Potrzebowała tego spokoju. Zresztą oboje go potrzebowali.

– Hania? – zdziwiła się na widok niespodziewanego gościa. – Co ty tu robisz? Jesteś jakaś blada. Czy coś się stało?

– Mogę wejść?

– Jasne, wejdź. Upiekłam ciasto. Czekam na Mikołaja, zaraz ma przyjechać.

– Są u nas. Dzwonił do ciebie. Chciał ci powiedzieć, że przyjedzie za jakąś godzinę. Nie odbierałaś.

Paula chwyciła w rękę swój smartfon.

– Faktycznie, miałam wyciszony telefon. Napisał SMS. Okay, to mamy chwilę dla siebie. – Uśmiechnęła się do Hani i odłożyła smartfon na półkę. – Rozpracowywałam nowy piekarnik i straciłam poczucie czasu. Nie stój w progu, wejdź. Zaparzę herbaty. Gdzie Dagmara? Mogłyście obie przyjść. Co prawda ciasto jest na jutro. Wybieramy się do moich dziadków, ale chyba nic się nie stanie, jak skosztujemy po kawałku, prawda? – Uśmiechnęła się do Hanki po raz drugi, lecz ta nie odwzajemniła uśmiechu.

– Haniu, czy wszystko w porządku? Jesteś blada. Chcesz porozmawiać? Rozbierz się i wejdź. Coś ty taka wystraszona? Niepokoisz mnie.

Hania zdjęła płaszcz i usiadła przy kuchennej wyspie, rozglądając się dookoła.

– Ładnie tu. Powinnam była coś ci przynieść na nowe mieszkanie.

– Oj tam, nie przejmuj się. Będzie jeszcze okazja. Poza tym to nie ja tu urządzałam, lecz firma. Mikołaj dogadał się z właścicielem, że remontujemy mieszkanie na cito i w zamian za ten remont mieszkamy przez jakiś czas.

– Całkiem fajny układ.

– Też nam odpowiada. Do momentu wybudowania domu możemy tu spokojnie mieszkać. Nie zrobiliśmy żadnej parapetówki, bo szczerze nie mamy nawet do tego głowy. Może w przyszły weekend? Zapytam Mikołaja, czy nie ma żadnych planów. Ty zapytaj Patryka i może wpadniecie, co? Będę miała okazję, aby coś dobrego upiec. Może lasagne? – zastanawiała się głośno. – Ty wiesz, że ten piekarnik nie ma instrukcji? Mikołaj mi dzisiaj kazał robić rozpoznanie bojem.

– A co to jest?

– Też nie wiedziałam, ale mi wytłumaczył. Klikasz, co popadnie, i tak uczysz się obsługi urządzenia. Ciągle poznaję mojego męża i ciągle mnie zaskakuje.

– No tak... – westchnęła Hania. – Cały Mikołaj.

Paulina pokroiła ciasto i ułożyła je starannie na talerzykach, których brzegi oblała sosem.

– Wygląda doskonale. Jesteś perfekcjonistką. Chciałabym taka być... – Hanka spuściła głowę.

– Oj tam, do perfekcji to mi daleko. Poza tym perfekcyjni ludzie są strasznie sfrustrowani. Nie chcę być sfrustrowana. Wolę raczej cieszyć się życiem.

– Skąd bierzesz tę radość?

– Hania, co się dzieje? Nie przyszłaś tu, aby rozmawiać o mnie prawda? Gdybyś ze mną pomieszkała trochę, zobaczyłabyś, że nie jestem taka do końca radosna, na jaką wyglądam. Pracuję na ten uśmiech. Szczęście nie jest darem niebios ani dziełem przypadku. Szczęście to decyzja. Erich Fromm, przecież wiesz. Jak tam twoje obrazy? Istnieje szansa, że namalujesz coś dla mnie?

– Nie jestem pewna, czy po dzisiejszej rozmowie będziesz chciała, abym to zrobiła.

Paulina skończyła jeść ciasto i właśnie oblizywała po nim talerz. Przy Hance mogła sobie pozwolić na tak infantylne zachowanie. Gdy skończyła, przetarła usta chusteczką i usiadła obok przyjaciółki, która dla odmiany nie mogła przełknąć ani kęsa. Skubała tylko z nerwów skórki przy paznokciach.

– Przestań skubać. Zaraz krew ci będzie leciała. Nie denerwuj się.

Hanka zerwała się na równe nogi, chwyciła za torebkę i ruszyła w kierunku drzwi.

– Przepraszam, nie powinnam była tu przychodzić.

– Ale przyszłaś. Sądząc po twoim zachowaniu, śmiem twierdzić, że chcesz mi coś powiedzieć.

Paulina spoważniała.

– Wiedziałam, że będziesz sama. Przepraszam, że nie zadzwoniłam wcześniej.

– Och, przecież nie znamy się od wczoraj. Nie musisz się anonsować z dwutygodniowym wyprzedzeniem. Ja mam teraz naprawdę dużo wolnego czasu. Nie wypuszczę cię, dopóki mi nie powiesz, co się dzieje?

Hania odłożyła torebkę i usiadła na fotelu. Zakryła twarz dłońmi i wciągnęła w płuca pachnące cynamonem powietrze. Spojrzała na Paulę pełnym żalu spojrzeniem.

– To wszystko przeze mnie.

– Nie rozumiem. Co przez ciebie?

– Nie mogę tego dłużej w sobie nosić. Mam wrażenie, że wcale siebie nie znam. To zabawne, prawda? Spędzamy sami ze sobą całe życie, a znamy siebie najmniej. Codziennie patrzę w lustro i zastanawiam się, kim jest ta kobieta? Czy jestem czynem, czy jestem myślą? Kim jestem?

Paulina milczała. Nie znała Hani takiej. Oczywiście nieraz słuchała jej wywodów na temat życia, lecz zawsze wychodziły one z ust pijanej kobiety. Dziś Hania była trzeźwa. Paula mogła się jedynie domyślać, ile odwagi kosztowało ją przyjście tutaj. Była skrytą kobietą. Chowała się za kieliszkiem wypełnionym whisky i tylko udawała odważną. Gdy trzeźwiała, wraz z procentami ulatniała się cała jej odwaga.

– Wychowałam się w na pozór normalnej rodzinie. Miałam dwóch starszych braci. Byłam najmłodsza i byłam oczkiem w głowie mojego ojca. Z matką średnio się dogadywałam. Chyba dlatego, że jestem taka sama jak ona. Praktycznie byłam dorosła, gdy rodzice się rozwiedli. Matka, chociaż nigdy tego oficjalnie nie powiedziała, oczekiwała, że stanę po jej stronie. Ojciec przecież odszedł do innej kobiety. Mój nieskazitelny tata wreszcie wykonał rysę na szkle swojego idealnego wizerunku.

– Haniu, nie gniewaj się, ale co to ma wspólnego ze mną? – wtrąciła Paula.

Hania nie zwróciła uwagi na jej słowa. Jakby ich nie słyszała. Odkaszlnęła jedynie, wygładziła dłonią swoje włosy i mówiła dalej.

– Mama zawsze faworyzowała braci. Oni byli na pierwszym miejscu, a ja na drugim albo nawet jeszcze dalej. Może poza skalą? Nie wiem. Wiele razy mi wykrzyczała, że z chłopakami jest mniej problemu. Zresztą, po co ja ci to mówię. Do niedawna sama myślałam, że dzieciństwo nie jest ważne, Myliłam się. Wiesz, że pierwsze trzy lata dziecka są najważniejsze dla jego późniejszego życia?

– Tak, wiem. Nie zapominaj, że rozmawiàsz z pedagogiem.

– No, tak... Ja dowiedziałam się tego dopiero podczas terapii. Ale... nie o tym chciałam mówić. – Zamyśliła się przez chwilę, jakby szukała odpowiednich słów, w końcu machnęła ręką, odwracając wzrok od Pauli. Patrzyła teraz w okno. – Ty wiesz, że Patryk mnie zdradzał, prawda?

Paula kiwnęła głową. Nagle jakoś zaschło jej w ustach i nie mogła wydobyć z siebie żadnego dźwięku. Po co Hania jej o tym wszystkim mówiła? Wolałaby nie mieszać się w ich prywatne sprawy. I tak już zbyt wiele wiedziała. Chwilowo nie miała sił ani ochoty, aby skupiać się na problemach innych. Źle to na nią działało. Nie była jednak wystarczająco asertywna.

– Wszyscy dookoła mi współczuliście. A tak naprawdę, powinniście współczuć jemu... Wracając do mojego taty, zmarł krótko po tym, jak opuścił moją matkę. Zachorował. Choroba zabrała go w ciągu trzech miesięcy. Kiedy umierał, przepraszał za to, co się stało. Płakał, błagał mnie o wybaczenie. Tłumaczył, że się po prostu zakochał i nie umiał walczyć z tym uczuciem. Niewinny z pozoru romans zakończył niemalże trzydziestoletnie małżeństwo moich rodziców. Wraz z ojcem odeszła miłość... Miłość idealna. Miłość ojca do córki jest wyjątkowa. Nawet nie wiesz, jak mi przykro, że nie znasz swojego ojca.

– Biologicznego ojca raczej już nie poznam i dzięki Bogu, tym akurat nie zaprzątam sobie głowy. Edward jest moim jedynym ojcem. Nie czuję pustki. Chociaż, może sobie to wmówiłam? Nieważne.

– No tak...

Paula głaskała Hanię po głowie. Taka już była. Nawet, jak nie miała najmniejszej ochoty na wysłuchiwanie cudzych żalów, to wolała zrezygnować ze siebie, niż kogoś rozczarować.

– Jesteś dobrym człowiekiem, Haniu. Każdy popełnia błędy. Patryk żałuje tego, co się stało. Jestem pewna, że kocha cię najmocniej na świecie.

– Nie chodzi o niego. Miał prawo się załamać. Poszukać pocieszenia gdzieś indziej. Nigdy nie jest tak, że wina leży tylko po jednej stronie. Zapamiętaj to sobie na zawsze. To ja popełniłam zbyt wiele błędów. A nie wszystkie możemy po prostu naprawić...

Kiedy patrzyłam na Mikołaja i Sternę, twoją matkę, to... zazdrościłam jej, wiesz? To nie była zwykła miłość. Nie wiem, co to było, ale nazwanie tego uczucia miłością to zbyt mało. Oni byli ze sobą tak ściśle związani... – Przerwała na chwilę, by potrzeć oczy. – Wiesz... ona go szukała. Błagała mnie, abym przekazała mu od niej informacje. On też jej szukał. Oboje się szukali. Nie mogłam na to patrzeć. Byłam zła, że mają coś, czego ja nie mam. Mój związek nie był taki jak ich. Mogli się nie widzieć miesiącami, latami, a ciągle mieli w oczach ten sam ogień, który ich połączył.

– Haniu, daj spokój. Po co teraz do tego wracać? Miłość to nie jest patrzenie na siebie z oddaniem. Miłość to codzienność, to pewnego rodzaju zobowiązanie. Nie uważasz? – próbowała dodać coś od siebie, lecz Hania zdawała się nie słuchać. Konsekwentnie ciągnęła swój wywód.

– Myślałam, że to niesprawiedliwe. W sumie, to ja nie wiem, co ja sobie myślałam. W każdym razie nie pomogłam ani jednemu, ani drugiemu. Uważałam się za przyjaciółkę, a odmówiłam twojej matce pomocy wielokrotnie. Nawet wtedy, gdy prosiła, abym… Czas mijał. Zaczęłam się zastanawiać, czy zrobiłam dobrze. Próbowałam zagłuszyć swoje wyrzuty sumienia tą całą perfekcyjnością. Masz rację. Nie ma w niej nic dobrego. Z dnia na dzień popadałam w coraz większe frustracje.

Potem pobraliśmy się, urodziła się Dagmara, zdecydowaliśmy, że ja zajmę się domem i dzieckiem. Wstawałam rano, szykowałam śniadanie, mąż szedł do pracy, potem zakupy, spacer, sprzątanie, pranie, książeczki, obiad, kolacja, prasowanie. Wykonywałam swoje obowiązki. Starałam się nie zaniedbywać siebie. Chodziłam do kosmetyczki, miałam jakieś tam koleżanki na placu zabaw. Wiodłam normalne, nudne życie. Byłam jak zaprogramowana. Wmawiałam sobie, że jest super. Wyparłam z pamięci wszystko, co było mi niepotrzebne…

– To właśnie jest miłość, Haniu. Robiłaś to z miłości do swoich bliskich.

– Nieprawda… robiłam to, bo nie chciałam myśleć, że… że gdzieś na świecie żyje dziewczynka, która mogłaby mieć teraz szczęśliwy dom. A nie ma, bo… bo ja…

– Haniu… co ty mi chcesz powiedzieć?

– Patryk nie wytrzymał. Dlatego zaczął mnie zdradzać. Jestem mistrzynią tworzenia doskonałych pozorów. Każdy żałuje biednej Hani, a dobra Hania potrafi wyssać krew, nie zostawiając nawet śladu. Co z tego, że masz kogoś ciałem, jak nie masz jego wnętrza. Byłam z Patrykiem, zawsze byłam obok, blisko, na wyciągnięcie ręki, ale... dotyk ciała to nie wszystko. Seks to jeszcze nie miłość. Miłość to nie przyzwyczajenie. Mówisz, że miłość to zobowiązanie. Nie wiem...

– Tak myślę. To prawda. Miłość bierze się z poczucia bezpieczeństwa...

– Jesteś jeszcze młoda.

– Może i jestem młoda, ale co to ma do rzeczy. Po prostu uważam, że nie masz racji.

– Kiedy Mikołaj zjawił się ponownie w naszym życiu i gdy się okazało, że jesteś z nim w ciąży, to ja... ja chciałam wszystko naprawić. Pomyślałam, że Bóg dał mi drugą szansę, rozumiesz? Dlatego namawiałam cię, abyś powiedziała mu o ciąży. Gdyby kolejne dziecko miało chodzić po tym świecie bez... – urwała, wytarła mokry nos w chusteczkę. Oczy miała załzawione. – Widzisz, każda miłość jest inna. Marzyłam o miłości pełnej wzniosłych spojrzeń, fajerwerków, rozdmuchanych ckliwych wyznań, a dostałam miłość pełną nudy. Powiedz, jak to jest, że człowiek zawsze pragnie tego, czego akurat nie może mieć? Czy my jesteśmy tak zaprogramowani, że zamiast cieszyć się tym, co mamy, zaczynamy szukać miodu tam, gdzie nie ma prawa go być? Patryk jest moim cieniem i... chyba właśnie za to jego oddanie go kocham. Takim innym rodzajem kochania.

– Kochać to nie znaczy zawsze to samo, przecież wiesz.

– Wybaczyłam mu zdradę. Zrobił to z rozpaczy. Gdyby miał w domu to, co powinien mieć, nie szukałby gdzieś indziej. Tak to sobie wytłumaczyłam. Fajnie jest wybaczać, czując się przez to kimś lepszym. Kimś moralnie wygranym.

Zdrada jest czymś niewybaczalnym, a ja… wybaczyłam. Niestety nie potrafię wybaczyć sobie. Przyszłam, ponieważ chciałam cię przeprosić. Gdyby nie ja, byłabyś dzieckiem poczętym z największej miłości na świecie. Gdybym się tobą zaopiekowała, miałabym szansę naprawić to, co zepsułam… Nic nie mów. Powinnam klęczeć na kolanach przed tobą i błagać cię o wybaczenie…

Oczy Pauliny z każdą minutą otwierały się coraz szerzej. To, co mówiła Hanka, przetworzone w umyśle Pauli, stało się kolejną kartą potrzebną do odkrycia całego pasjansa jej życia.

– Paulinko, ja chciałabym, abyś wiedziała, że żałuję. Kocham cię jak własną córkę. Jesteś aniołem stróżem naszego domu. Jesteś dobrem zesłanym nam z niebios. Wybacz mi… – szepnęła i wyszła, pozostawiając na stole kawałek nietkniętego marchewkowego ciasta.

ROZDZIAŁ 25

Z dnia na dzień brzuch przybierał coraz to większe rozmiary. Gdy parzyła poranną kawę, mąż objął ją od tyłu, wciągając powietrze przez kaskadę jej pachnących włosów. Maleństwo poruszyło się gwałtownie, dając znać, że robi mu się coraz ciaśniej.

Gdy Mikołaj wrócił z wczorajszego biegania, była wyjątkowo milcząca. Powiedziała tylko, że odwiedziła ją Hania, ale nie siedziała zbyt długo. Nie zjadła nawet ciasta. Bał się pytać o szczegóły spotkania. Nauczony doświadczeniem wolał milczeć, czekając na to, co przyniesie dzień. A ten był dziś nadzwyczaj miły. Paula od rana się uśmiechała. Usmażyła jego ulubioną jajecznicę na maśle, upiekła bułki, pokroiła pomidory i wędlinę. Jedli w spokoju, rozmawiając o niczym.

– Dobrze spałaś? Widzę, że masz dobry nastrój, ale wyglądasz, jakbyś była zmęczona.

– Nie mogłam zasnąć. Uwielbiam spać na brzuchu, niestety teraz to niemożliwe. – Uśmiechnęła się, przegryzając bułkę posmarowaną masłem i dżemem.

– Na którą idziemy do Teresy? – zapytał.

– Umówiłam się na szesnastą.

Sięgnęła po drugą bułkę i posmarowała ją dżemem. Kiedyś myślała, że te wszystkie opowieści o specyficznym apetycie ciężarnej kobiety to mit. Teraz uważała za całkowicie naturalne jedzenie jajecznicy w towarzystwie słodkich bułek. Łączenie różnych smaków było ucztą dla jej podniebienia.

Przyglądała się własnym myślom. Czy powinna być zła na Hankę? Czy powinna mieć do niej pretensje? Czy powinna czuć rozgoryczenie? Nie wiedziała, co powinna, lecz wiedziała, co czuła. Tym uczuciem był szacunek – niejednorodna mieszanina podziwu i odwagi.

Hanka była namacalnym dowodem na to, że może nie wszystko, lecz wiele można w swoim życiu naprawić, jeśli się tylko tego bardzo chce. Każdy ma miliony szans, aby mógł naprawić to, co schrzanił.

Szczęśliwym jest ten, kto ma odwagę te szanse wykorzystać. Hanka miała. Chociażby z tego powodu Paula nie zamierzała jej skreślać. To, co powiedziała wczoraj o wybaczeniu, było piękne. Sztuką jest wybaczyć coś, co na wybaczenie nie zasługuje. Kimże jesteśmy, aby oceniać innych?

Jeszcze do wczoraj czuła delikatny niepokój związany z wizytą u Teresy. Wczorajsza rozmowa z Hanką uświadomiła jej, że nie ma się czego bać. Nie można bać się przeszłości. Ona już była, wydarzyła się, miała swój czas. Jedyne, co pozostało, to ją zaakceptować. Tylko to mogła zrobić, aby odzyskać pełnię spokoju.

Miłość… Pełne namiętności uniesienia, o których marzyła Hania. Co by się stało, gdyby jej marzenia się spełniły? Tego nie wiadomo.

Nuda, zdaniem Pauli, trzymała Hanię przy życiu. Jeśli nie ma miłości w codziennych troskach, malowaniu obrazów, walce ze słabościami, łzach radości, cierpienia czy przebaczenia, podnoszeniu z alkoholizmu swojej upadającej żony, to gdzie ona jest? A jest wszędzie.

Tylko ludzie jej nie zauważają.

Mikołaj wstał od stołu i zaczął zbierać naczynia. Nie wyglądał tak pięknie, jak wtedy, gdy pierwszy raz go zobaczyła. Miał na sobie sprane bokserki, które już dawno by wyrzuciła, gdyby nie to, że za każdym razem, kiedy chciała to zrobić, powtarzał jej, że to jego ulubiona piżama. Włosy sterczały mu każdy w inną stronę, a oddech nie należał do najświeższych. Między jego zębami tkwił kawałek szczypiorku, którym posypał sobie poranną jajecznicę.

Uśmiechnął się do niej i zaczął tańczyć. Próbował ją rozśmieszyć. Nigdy nie wiedziała, kiedy ni stąd ni zowąd zacznie „pajacować". Nie było w tym ani krzty namiętności, lecz... była miłość w czystej postaci. Nikt nie odział jej w szaty emocjonalnych zrywów. Był constans. Równowaga. Jej miłość, jej spokój po największej burzy i jej zobowiązanie. Bo miłość była dla Pauli decyzją, tak samo, jak szczęście.

***

– Wejdźcie kochani, tak się cieszę, że jesteście. – Teresa przywitała ich entuzjastycznym uśmiechem.

– Cześć, babciu. Dobrze cię widzieć. Wyglądasz doskonale! Zdecydowanie odmłodniałaś.

– Codziennie skanuję ciało, tak jak mi kazałaś – szepnęła Pauli do ucha.

Ubrana w luźną bluzkę koloru morza naprawdę wyglądała, jakby ubyło jej przynajmniej dziesięć lat. Paula przytuliła ją, Mikołaj schylił się, aby pocałować jej dłoń.

Zaprosiła ich do pokoju, w którym czekał już dziadek Leon.

– Cześć, dziadek. – Nachyliła się, aby go pocałować. Mężczyzna uśmiechnął się oczami.

Babcia ubrała go w bladoróżową koszulę z włoskim kołnierzem, wpinając w jej mankiety złote spinki. Wyglądał świetnie. Czas był dla niego łaskawy i pomimo niełatwego życia, pozwolił jego ciału zestarzeć się w sposób godny podziwu. Paula pomyślała nawet, że w młodości musiał być bardzo przystojnym mężczyzną. Trochę żałowała, że nie było jej dane chadzać z nim na lody, kiedy była dzieckiem. Po chwili przegoniła tę myśl, przepełniając umysł wdzięcznością za chwilę, która właśnie trwała.

Gdy Mikołaj uścisnął dłoń dziadka, ten przez chwilę wydawał się zmieszany tym gestem. Paula wyszła do kuchni, zobaczyć, czy babcia nie potrzebuje pomocy i zostawiła mężczyzn samych. Po wymianie krótkich, lecz wymownych spojrzeń, każdy z nich zaczął rozglądać się na boki, szukając skazy na odświeżonych ścianach.

– Chyba mieliście tu malowanie, co? Ładny jest ten odcień żółci. Moja matka bardzo lubiła żonkile. Mawiała, że kiedy tylko ma zły nastrój, lubi otaczać się wszystkim, co jest w żółtym kolorze. Podobno ma działanie antydepresyjne. Nie wiem, ile w tym prawdy, ja nie przywiązuję wagi do kolorów. Pan pewnie też.

Leon wyraźnie posmutniał. Kiwnął tylko głową i wbił wzrok w dłonie splecione na kolanach.

– Zabawne… Kiedyś oddałbym wiele za to, aby pan wreszcie przestał gadać. Teraz, gdy spełniło się moje marzenie, oddałbym wiele, aby zamienić z panem kilka słów. Zadać kilka może niewygodnych, ale oczyszczających pytań.

Wniosek z tego taki, że trzeba uważać, o czym się marzy, bo może się spełnić. – Mikołaj odruchowo wyciągnął z kieszeni smartfon z zamiarem zagrania w najnowszą wersję *Angry birds*. Po chwili zrezygnował.

– Jak Paula zobaczy, że gram, to zabije mnie wzrokiem. Tutaj oczywiście nic nie powie, ale w domu będę miał jazdę bez trzymanki. Wolę oszczędzić sobie jej gadania. To cudowna dziewczyna, ale czasami nie ma litości dla własnego języka. – Mrugnął okiem do Leona, a ten znacząco pokiwał głową.

Mikołaj daleki był od analizowania psychiki ludzi, z którymi przebywał. Nigdy nie zastanawiał się nad motywacjami ich zachowań, nigdy nie próbował odgadnąć, co mieli na myśli. Przyjmował ich po prostu takimi, jacy byli. Uważał, że ta umiejętność ułatwia mu życie. Czyni je mniej skomplikowanym. Dziś, gdy siedział sam na sam z człowiekiem, który odegrał tak znaczącą rolę w jego życiu, po raz pierwszy zaczął zastanawiać się, co też może myśleć człowiek siedzący obok niego na wózku. Kiedyś oddałby wiele, aby mieć możliwość powiedzenia mu tego wszystkiego, co leżało mu na sercu. Dziś wolałby słuchać, lecz jedynym, co wydawało jakikolwiek dźwięk w tym pokoju, był wiszący na ścianie zegar z kukułką. Tik, tak, tik, tak, tik, tak… i tak bez końca.

Siedzieli może z pięć minut, a wydawało się, że upłynęły całe wieki.

– Jak tam chłopaki, pogadaliście sobie? Dziadek, znowu nie dałeś dojść do słowa Mikołajowi, co?

Paula weszła do pokoju z tacą wypełnioną po brzegi smakołykami. Tradycyjnie znajdowały się na niej kruche herbatniki obsypane cukrem, a także ciasto marchewkowe jej własnego wypieku. Teresa idąca za Paulą na drugiej tacy niosła gorące napoje.

Pomieszczenie wypełniło się zapachem. Kawa, herbata i wypieki połączone w jedną całość tworzyły zapach, zwany domem. Wszyscy usiedli wygodnie przy stole. Teresa rozłożyła deserowe talerzyki, wydając gościom serdeczne polecenie zachęcające do poczęstunku. Na początku atmosfera była trochę sztywna. Wymienili uwagi dotyczące pogody, rozmawiali o przygotowaniach do porodu, a Teresa zapytała o płeć dziecka.

– Chcemy, aby to była niespodzianka. Nie zależy nam na płci, zależy nam tylko na tym, aby dzieciątko było zdrowe. Już w lutym się tego dowiemy. To zaledwie kilka miesięcy – powiedziała Paula.

– Za naszych czasów nie było takiej aparatury jak teraz. Mawiano, że gdy brzuch jest mały i szpiczasty, to należy spodziewać się chłopca, natomiast brzuch duży i rozlany, zwiastował dziewczynkę. Dziś powszechnie wiadomo, że ta teoria tak bardzo pasuje do prawdy, jak siodło pasuje do świni – powiedziała Teresa, porównaniem tym rozluźniając napiętą atmosferę.

– Terenia, ale ci się dowcip wyostrzył – roześmiała się Paula.

– Jak nazywasz mnie Terenią, jakoś nie mogę powstrzymać się od śmiechu. W twoich ustach brzmi to tak ciepło i pozytywnie – zamyśliła się przez chwilę. Wzięła wdech i już miała coś powiedzieć, lecz Paula weszła jej w słowo.

– Mamy zdjęcia ze ślubu. Specjalnie dla was wywołałam kilka. Wiem, że nie macie komputera, więc takie rozwiązanie jest chyba najlepszą opcją, prawda? – Paula wyciągnęła z torby mały beżowy album.

– Jedno z nich oprawiliśmy, może będziecie chcieli postawić sobie na komodzie albo gdzieś indziej? – dodał Mikołaj.

Teresa założyła okulary i z zachwytem zaczęła oglądać zdjęcia. Na kilku z nich odnalazła siebie i swojego męża. Oczy jej się zaszkliły.

– Zobacz, Leoś – zwróciła się do męża. – Nawet się uśmiechamy. Kto by pomyślał, że jeszcze kiedykolwiek będę trzymała w rękach zdjęcie, na którym ja i mój mąż wyglądamy na szczęśliwych, i nie będzie to zdjęcie z naszego ślubu. – Leon uśmiechnął się, zamykając oczy. Czyżby chciał ukryć ich szklany błysk?

Siedzący na wózku mężczyzna porozumiewał się ze światem za pomocą gestów, spojrzeń w oczy, ruchu dłoni. Może już wszystko w życiu powiedział?

Teresa obejrzała wszystkie zdjęcia, każdemu z nich poświęcając taką samą uwagę i skupienie. Zdjęcie oprawione w ramkę postawiła na odsłoniętym parapecie, twierdząc, że miejsce tak cudownej pary jest w pobliżu słońca. Pochwaliła się, że przemalowała pokój na żółto dlatego, że chce resztę swojego życia przeżyć, otaczając się tylko pozytywnymi barwami.

– To, co tworzymy dziś, jest naszym jutrem – rzekła i z powrotem usiadła przy stole.

– Musicie nas odwiedzić, co prawda nie jest to jeszcze nasze docelowe mieszkanie, ale miło by było, gdybyście wpadli. Mieszkamy na parterze, nie będzie problemu z wózkiem. Zawsze można wezwać taksówkę bagażową, która bez problemu przywiezie dziadka.

– Świetny pomysł, Paulinko. Na pewno się do was wybierzemy. Lecz… Ja… Ja chciałabym wam coś powiedzieć. Zanim zaczniemy żyć resztą naszego życia, chcielibyśmy z Leonem wam coś wyznać. A w zasadzie tobie, Mikołaj. Każdy człowiek zasługuje na prawdę.

Paulinie zaschło w ustach. Upiła łyk herbaty, przybliżając się do Mikołaja. Chciała mu w ten sposób dać odczuć, że jest z nim bez względu na wszystko, co za chwilę wybrzmi w tym pomieszczeniu.

Mikołaj poprawił się na krześle, bezwiednie ściskając dłoń ukochanej. Niby nie zależało mu na przeszłości, uważał, że poradził sobie z nią już dawno temu, lecz... w obliczu możliwości poznania prawdy poczuł, że jest na nią absolutnie gotowy.

– Nie wiem, jak zacząć. Mawia się, że najlepiej od początku, ale ten początek już kiedyś wam opowiadałam. Nie będę się więc powtarzać. Ja i mój mąż możemy być szczęśliwi i wdzięczni za to, że wszystko potoczyło się tak, jak się potoczyło. Siedzicie tu teraz przed nami, ty Paulinko, ciągle się kontroluję, aby nie nazywać cię Stasią, oraz ty, Mikołaju.

Na początku, gdy przychodziłeś do naszej córki, nie sądziłam, że twoja obecność wpisana jest na zawsze w naszą rodzinę. Myślałam: jest, ale zaraz go nie będzie. Tak to bywa z uczuciami we wczesnym wieku. Przychodzą nagle i równie nagle odchodzą, a na ich miejscu pojawiają się nowe, które znikają jeszcze szybciej od poprzednich. Ty zaprzeczyłeś światu. Zburzyłeś moją teorię, lecz wcale mnie to nie zaniepokoiło. Podobałeś mi się od samego początku i nie miałam problemu z tym, że jesteś tym, kim jesteś... Wiem, teraz pewnie myślisz, że nie chcieliśmy cię na zięcia, bo byłeś synem uzależnionego człowieka.

– Byłem synem pijaka, powiedzmy sobie to jasno. Nazwijmy to po imieniu.

– Nie pijaka, lecz człowieka chorego. Alkoholizm nie jest wybrykiem. Nie jest odskocznią od codzienności. Jest poważną chorobą i z reguły zapadają na nią ludzie niezwykle wrażliwi na świat. Twój ojciec był takim człowiekiem. Nawet nie wiesz, jak bardzo go rozumiem.

– Jego? Jak można pić, mając wszystko? Miał dobrą żonę, syna, pracę. Nic, tylko się cieszyć – powiedział Mikołaj, zupełnie nie zauważając, jak surowym był dla swojego ojca. Trudno mu było wybaczyć. Myślał o nim jak o degeneracie i człowieku straconym. Pogrzebanym jeszcze za życia. Dlaczego nie myślał tak o Hance? Przecież ona także miała wszystko. Dom, męża, córkę... Czyżby tych, których kochamy najmocniej, oceniamy według najsurowszych kryteriów?

– Nie jestem od tego, aby przekonywać cię do swoich racji. Na pytania, które cię dręczą, odpowiedzi musisz poszukać sam. Jeśli tylko mogłabym ci coś radzić, to proponowałabym rozliczyć się ze swoją przeszłością możliwie najłagodniej. Zaakceptuj ją, nie masz innego wyjścia. Pomyśl dobrze o wszystkim, czego doświadczyłeś. Dzięki temu jesteś tym, kim jesteś, prawda?

Widzisz tego człowieka, który siedzi obok mnie? Wiesz, ile razy słyszałam, że mam go zostawić? Że miałabym lepsze życie z kimś innym? Może i popełniłam w życiu wiele błędów, podjęłam mnóstwo nietrafionych decyzji, lecz dziś nie mam do nikogo żalu. Siedzę obok niego ze swojej własnej nieprzymuszonej woli. Każdy z nas tę wolę ma. Każdy ma wybór. Ja wybrałam, więc nie narzekam.

Wiedziałam o wszystkim od pierwszego dnia. Od pierwszego dnia, kiedy się z nim związałam, wiedziałam, że jego serce należy do kogoś innego. – Teresa otarła łzy. – Wybaczcie, gdybym mogła, wolałabym do tego nie wracać, lecz jestem przekonana, że to, co wiem, może wpłynąć na wasze życie. Na niczym tak mi nie zależy, jak na waszym szczęściu. Mikołaju... chciałabym, abyś poznał prawdę. Tylko ona może cię wyzwolić, pomóc wybaczyć i spojrzeć na swoje życie z dystansem. Wybacz swojemu ojcu… on… Był tylko nieszczęśliwie zakochanym człowiekiem.

– Przepraszam, ale nie wiem, o czym mówisz. – Mikołaj był spokojny. – Jak to, nieszczęśliwie zakochanym? Mama była mu oddana. Sprzątała, gotowała, pracowała, wychowywała mnie. Czego mu brakowało?

– To jest dobre pytanie. Odpowiem najjaśniej, jak tylko potrafię. Nie zaznałam odwzajemnionej miłości, posiadłam bowiem tylko ciało człowieka, który jest z nami. – Spojrzała na Leona. – Lecz kocham go. Mimo tego, że gdy urodziłam Stasię, chodził pod dom innej kobiety, przyglądając się jej życiu. Nie oznacza to, że wcale mnie nie kochał. Kochał mnie inaczej, na swój tylko sobie znany sposób. Mnie to wystarczyło, umiałam i umiem z tym żyć. Twój ojciec nie dał rady.

– O czym mówisz? Jakiej kobiety? Co ma wspólnego z tym mój ojciec?

Teresa zamilkła. Ukryła twarz w chusteczce. Leon spuścił głowę i płakał. Jego jasne spodnie niczym gąbka przyjmowały jego mokre łzy. Był głosem mówiącym ustami swojej własnej żony. Mowa jego ciała harmonijnie współpracowała z tym, co wypowiadały usta małżonki.

Paulina zbladła. Otworzyła szerzej oczy, rozchyliła usta, jakby chciała coś powiedzieć. Również płakała. Wyglądało na to, że jedyną osobą, która nie potrafi albo nie chce czytać między wierszami, był Mikołaj.

– Co tu się dzieje? – powiedział ściszonym głosem. Dlaczego wszyscy płaczecie? Paulina, czy możesz mi to wyjaśnić?

– Kochanie… – Nie zdołała dokończyć. Wstała od stołu i podeszła do okna, aby je uchylić.

– Dobrze się czujesz? – zapytał.

– Tak, dobrze. Tylko nie mogę w to uwierzyć.

– W co, na miłość boską? Teresa, wyrazisz się jasno?

Teresa poprawiła włosy, po czym otarła łzy płynące po policzkach swojego męża.

– Mikołaju… Oni się kochali. Kochali się prawdopodobnie taką samą miłością, jaka łączyła ciebie i naszą córkę. Mój mąż i twoja matka. Połączyła ich miłość, a rozdzielił ich świat. Rozdzieliło ich życie, krótkotrwałe pochopnie podjęte decyzje. Twój ojciec sobie z tym nie poradził. Przykro mi…

Leon nigdy cię nie nienawidził, wręcz przeciwnie. Jego serce pękało z bólu za każdym razem, kiedy cię widział. Za każdym razem, gdy tu przychodziłeś, myślał, że mógłbyś być jego synem. Rozumiesz? Rozumiesz? Powiedz, że rozumiesz?

Płakali wszyscy, a najbardziej Mikołaj. Czuł w nosie zapach przesiąkniętego pijackim moczem ojca i jednocześnie ogarnęło go uczucie przerażającego smutku. Myślał o matce wykonującej wszystkie czynności, które przypisuje się żonom idealnym. Gdyby można było kupić garść czasu, oddałby wszystkie pieniądze świata za to, aby ją przytulić.

Popatrzył na Paulę i pomyślał tylko jedno. Miłość jest wszędzie. Warto kochać.

Cztery lata później

– Stasieńko, przytrzymaj, proszę, ten znicz. Chciałabym zapalić babci świeczkę.

– Ale psecies babcia miała urodziny wcolaj. Był tolt i świecki.

– Kochanie urodziny miała prababcia. – Paula uśmiechnęła się do Teresy. – Tutaj leży twoja babcia, nosisz jej imię, pamiętasz. Ona jest w niebie z aniołkami? Opowiadałam ci o niej.

Dziewczynka zdaje się nie słyszeć słów matki. Biega dookoła, śpiewa, podskakuje, klaszcze w dłonie, rozsiewając dookoła swą dziecięcą radość.

– Tatuś a pojedziemy na lody? Ja chcę tluskawkowy, to mój ulubiony. Albo nie, cekoladowy. Albo nie, chcę dwa, chcę dwa, chcę dwa!

– Oczywiście, że pojedziemy. Wcześniej zabierzemy jeszcze babcię Laurę i dziadka Edwarda. Na pewno się ucieszą, dawno się nie widzieliśmy. Jak tylko wyjdziemy z cmentarza, jedziemy prosto do nich, a potem na te twoje lody, córeczko. Usiądź dziadkowi na kolana i posiedź przez chwilkę spokojnie.

Mikołaj sadza dziecko na kolanach Leona.

– Dziadku, dobze, ze chocias tobie nie pseskadza, ze biegam. Ty nigdy nie zwlacas mi uwagi.

Dziecko obejmuje staruszka za szyję i składa na jego suchym policzku pachnący cukierkiem pocałunek.

– Kochanie, ja na chwilę pójdę do rodziców, dobrze? Zapalę tylko świeczki. Zostańcie tutaj, nie będziemy dziadka pchać między grobami.

– Jasne, idź. Poczekamy.

– Leon, ale żeś sobie mercedesa strzelił. Po byle jakiej trasie nie pojedzie.

Mężczyźni wymieniają spojrzenie pełne akceptacji. Leon wskazuje palcem na znicz. Mikołaj w mig odgaduje jego intencje.

– Jasne, zapalę też od ciebie.

***

Mikołaj pochyla się nad grobem. Czuje spokój, akceptację i miłość.

– Tatusiu, a tutaj tez jest babcia? – pyta go mała dziewczynka z warkoczami.

– Jasne, i dziadek. Są teraz w niebie i patrzą na ciebie z góry.

– To supel! – Dziecko kręci się dookoła własnej osi. Przed jego oczami migają jasne długie warkocze, które prawdopodobnie komuś skradną serce. Na pewno skradną. To przecież rodzinne…

Co dzień nas gna
W nowe strony zadyszany czas.
Sto dat, sto spraw
Wciąga nas, gna nas.

I moje dni
Wszechobecny pośpiech, czasu znak
Naznaczy mi,
Może przez to tak lubię:

Lubię wracać tam, gdzie byłem już
Pod ten balkon pełen pnących róż,
Na uliczki te znajome tak.
Do znajomych drzwi
Pukać, myśląc, czy
Czy nie stanie w nich czasami
Ta dziewczyna z warkoczami.

Lubię wracać w strony, które znam,
Po wspomnienia zostawione tam,

By się przejrzeć w nich, odnaleźć w nich
Choćby nikły cień, pierwszych serca drżeń,
Kilka nut i kilka wierszy z czasów,
Gdy kochałaś pierwszy raz.

W samym środku zdyszanego dnia
Oglądasz się tak jak ja, jak ja.
Oglądasz się
Tam, gdzie miłość zostawiłaś swą
Ty jedna mnie umiesz pojąć, bo lubisz:

Lubisz wracać tam, gdzie byłaś już
Pod ten balkon pełen pnących róż,
Na uliczki te znajome tak.
Do znajomych drzwi
Pukać, myśląc, czy
Czy nie stanie w nich czasami
Tamten chłopak ze skrzypcami.

Lubisz wracać w strony, które znasz,
Do mej twarzy zbliżyć twoją twarz,
By się przejrzeć w niej,
Odnaleźć w niej
Choćby nikły cień, pierwszych serca drżeń
Kilka nut i kilka wierszy z czasów,
Gdy kochałaś pierwszy raz.

Tekst: Wojciech Młynarski
Muzyka: Zbigniew Wodecki

KONIEC

OD AUTORKI

Wracałam z zakupów, kiedy w radiu puścili piosenkę *Lubię wracać, tam gdzie byłem*, śpiewaną przez śp. Zbigniewa Wodeckiego. Moment zmiany światła z czerwonego na zielone był początkiem powstania *Dziewczyny z warkoczami*. Uśmiechnęłam się do swoich myśli, wróciłam do domu i zaczęłam pisać.

„Pisanie bardzo Cię zmieniło. Jesteś taka spokojna i pogodna. Musisz robić już tylko to! Nie ma dla Ciebie innej drogi" – powiedział mój największy życiowy przyjaciel, mój mąż Przemysław.

„Kiedy dorosnę, zostanę pisarką tak jak mama" – powiedziała moja córeczka Lilianka. Kochanie, zrobię wszystko, aby kiedyś móc siebie tak nazwać. Twój przekaz jest dla mnie największą motywacją.

„Jak się człowiek spieszy, to się diabeł cieszy" – mawia mój syn Remigiusz, zupełnie nieświadomie przypominając mi o tym, że to, co w życiu ważne, nigdy nie jest pilne.

Kochani! Przepełnia mnie nieograniczona wdzięczność za wszystko, czego doświadczam dzięki Waszej obecności w moim życiu. Dziękuję, dziękuję, dziękuję.

Dziękuję również całemu zespołowi wydawnictwa Filia – Czy Wy wiecie, że Was sobie wymodliłam? ;-)

Dziękuję mojej cudownej redaktorce Kasi Wojtas – bez Ciebie *Dziewczyna z warkoczami* byłaby łysa ;-)

Dziękuję po stokroć kobiecie, która potrafi dzielić się swoim wewnętrznym nadmiarem i pamięta, skąd ją wiedzie droga. Mowa o Tobie, Magdaleno Witkiewicz. Jesteś moją idolką!

Kiedy zasiadam do pisania, wcześniej zmawiam modlitwę. Proszę Boga, aby pomógł mi złożyć słowa w zdania, które będą niosły dobro. Moje pisanie trafia przecież do Was, moi cudowni czytelnicy. Bez Was nie byłoby mnie. Nie umiałabym pisać do szuflady.

Dziękuję, dziękuję, dziękuję – na początek zawsze trzy razy. Później po stokroć więcej. To już nie jest moja powieść. Oddaję ją Wam – moi czytelnicy.

Do zobaczenia już wkrótce na kartach kolejnej powieści. Wprost z mojego serca wysyłam Wam miłość.

Ania

MONIKA A. OLEKSA
Urzekająca opowieść o miłości,
starym rodzinnym domu w Kazimierzu nad Wisłą
i małym miasteczku, którego mieszkańcy
skrzętnie przechowują wspomnienia.
Spacer
nad rzeką
FILIA